DE GRANAATAPPELBOOM

Van Nicky Pellegrino verscheen eveneens:

Caffè amore

Nicky Pellegrino

De granaatappelboom

Tweede druk, maart 2008

Oorspronkelijke titel: *The Gypsy Tearoom*
First published in 2007 by Orion Books,
an imprint of The Orion Publishing Group Ltd, London
Copyright © 2007 Nicky Pellegrino
The moral right of Nicky Pellegrino to be identified as the author of this work has
been asserted in accordance with the Copyright, Designs and Patents Act of 1988
Copyright © 2008 voor deze uitgave:
Uitgeverij De Kern, De Fontein bv, Postbus 1, 3740 AA Baarn
Vertaling: Jolanda te Lindert
Omslagontwerp: Immink Design
Omslagillustratie: Getty Images
Opmaak binnenwerk: Het vlakke land, Rotterdam
ISBN 978 90 325 0495 3
NUR 302

www.dekern.nl
www.uitgeverijdefontein.nl

Voor John Richard Carne Bidwill, natuurlijk.

Proloog

De granaatappelboom stond alleen in het midden van de binnenplaats. Hoelang hij er nog zou staan, wist niemand. Lang geleden al waren zijn gedraaide ledematen opgehouden naar de hemel te reiken en nu bleef hij alleen nog maar in leven doordat hij liefdevol werd verzorgd.

Vorig jaar, in oktober, begon de oude boom opzij te hellen als de toren van Pisa. Carlotta, de dochter van de tuinman, was de eerste die het zag.

'Het lijkt wel alsof de vruchten zo zwaar zijn dat hij ze niet veel langer kan dragen,' zei ze tegen haar vader, Umberto. 'Hij wil zijn vermoeide takken op de grond laten rusten.'

Umberto stopte met het opvegen van de herfstbladeren en leunde op zijn bezem. Hij keek naar de granaatappelboom en zag dat Carlotta gelijk had. De vruchten hingen nog steeds als lantaarns aan de sterke takken, maar de boom zelf boog om naar de grond.

'We moeten hem omhakken,' zei hij.

'Nee, papà!'

'Carlotta, als ik hem niet omhak valt hij straks vanzelf om,' voerde Umberto aan.

'Maar papà, hij is al zo oud. Je hebt me altijd verteld dat hij hier al veel langer staat dan één van ons leeft. Je moet hem proberen te redden.'

Umberto keek naar zijn dochter, naar haar hoekige, bleke gezicht onder de strooien hoed die ze altijd droeg, en naar haar dunne armen die ze smekend tegen haar platte borstkas gedrukt hield. Toen keek hij weer naar de granaatappelboom.

'Het heeft geen zin, Carlotta. Hij moet om. We hebben hier nog veel meer granaatappelbomen.' Hij wees naar de terrassen die lager lagen dan de binnenplaats. 'En kijk maar, de meeste vruchten aan deze boom zijn niet eens goed.'

'Ja, maar als je er eentje vindt die niet slecht is, dan is hij veel lekkerder dan een vrucht van een van die jongere bomen daar beneden.'

Ze pakte de bezem van hem af. 'Ik veeg deze bladeren wel op, dan kun jij proberen deze oude granaatappelboom te redden.'

Umberto staarde naar de boom en luisterde met een half oor naar het geluid van Carlotta's bezem die over de tuintegels veegde. Zijn mond hing een stukje open, zoals altijd als hij diep nadacht. Zodoende kon iedereen zien dat hij geen tand meer in zijn mond had. Naast zijn bed stond een kunstgebit in een glas, maar dat droeg hij nooit. Trouwens, hij en Carlotta zagen zo zelden iemand anders dat het amper de moeite waard leek.

Niemand kwam ooit op bezoek in het roze huis naast de binnenplaats. Het was leeg en zijn donkergroene houten luiken zaten stevig dicht, en dat was al jaren zo. Umberto ontving elke maand een karig loontje voor het werk dat hij en Carlotta op het land deden, en ze leidden een rustig leven in hun huisje vlak achter de hoge muren.

'Het zal niet moeilijk zijn hem om te krijgen,' riep hij haar toe. 'Ik kan hem waarschijnlijk zo omver duwen.'

'Hij wortelt misschien wel dieper dan je denkt,' riep ze terug.

'We zouden op die plek een nieuwe boom kunnen planten, een jong boompje. Die is binnen de kortste keren groot.'

'Maar dat is niet hetzelfde.'

'Carlotta.' Nu was hij geïrriteerd. 'Een tuinman kan het zich niet permitteren verliefd te worden op de planten in zijn tuin. Hij moet hard zijn, en de oude, stervende en kwijnende planten verwijderen. En ze dan vervangen.'

Carlotta hield op met vegen, maar zei niets. Hij keek naar haar en zag dat ze naar de boom stond te staren.

'Ik kan me niet voorstellen dat ik op een ochtend wakker word en dat die boom er dan niet is,' zei ze. 'Hij is hier altijd geweest, elke ochtend, zolang ik leef.'

Umberto hief zijn handen in de lucht en riep boos: 'Hoe moet ik hem dan redden? Hij is nu al halfdood! Hoe moet ik hem dan in leven houden?'

'Hij is helemaal niet halfdood.' Carlotta's stem klonk afgemeten en geduldig. 'Hij heeft groene bladeren en draagt nog steeds vruchten. Maar hij is oud en moe. Het enige wat hij nodig heeft, is een beetje steun om zijn takken van de grond te houden.'

Umberto mompelde: 'Het enige wat hij nodig heeft!' En hij trok zijn hoed van zijn hoofd en veegde hiermee het zweet van zijn voorhoofd. Het was warm en al dat nadenken was zwaar werk. 'Je vraagt te veel van me,' tierde hij opeens. 'Ik heb geen idee hoe ik moet voorkomen dat dat verdomde ding omvalt!'

Hij hoorde Carlotta ongeduldig sissen en zag dat ze de bezem naar hem toe gooide. Even later zag hij haar verdwijnen via de stenen treden die naar de lager gelegen terrassen leidden, met een bijl in haar hand. Toen ze terugkwam hijgde ze en had een rood hoofd. Ze had niet langer de bijl in haar hand, maar een lange, dikke tak met een vork die wijd genoeg was om de dikste hangende tak van de granaatappelboom te ondersteunen.

'Het is een kruk,' zei Carlotta. 'Als we hem stevig onder die tak zetten, zal hij de boom steun geven, zodat die niet langer overhelt.'

Het kostte wat geduw en getrek, maar Carlotta was vastbesloten en de boom leek dat te begrijpen. Uiteindelijk liet hij toe dat de kruk onder zijn vervormde tak kwam te staan en het gewicht van hem overnam.

Umberto stapte naar achteren en keek ernaar. Hij knikte goedkeurend. 'Je bent een slimme meid, Carlotta. Heb ik altijd al gezegd.'

Ze glimlachte naar hem. 'Ik kan nu maar beter de bijl gaan ophalen,' zei ze en hij hoorde aan haar stem dat ze blij was. 'Die heb ik beneden laten liggen.'

'Nee, laat maar,' zei hij. 'Die haal ik straks wel op. En dan hak ik nog een stut... voor het geval dat.'

Ze glimlachte weer naar hem. 'Dan staat de boom hier morgen nog als ik wakker word. En de ochtend daarna en de ochtend daarna.'

'Hij zal een keer doodgaan, hoor, alles gaat een keer dood,' zei Umberto onomwonden. 'En niemand hier is er blij om dat hij nog leeft.'

'Ach, je weet maar nooit.' Carlotta keek even naar het roze huis waarvan de luiken waren gesloten om het licht te weren. 'Misschien komt er in de zomer nog eens iemand die het huis openstelt en onder de granaatappelboom naar de zonsondergang gaat zitten kijken. Tot die tijd staat hij hier alleen voor jou en mij.'

Umberto klakte met zijn tong tegen zijn tandvlees. 'Er komt niemand, Carlotta. Ze zijn deze plek helemaal vergeten. Het huis zal altijd leeg blijven.'

I

Raffaella kon niet slapen. Ze lag op haar rug in het oude, bultige bed dat ze met haar zusje deelde en staarde de duisternis in. Het laatste wat ze wilde, waren wallen onder haar ogen. Maar ze was opgewonden door de dingen die komen gingen en haar lichaam was bezeten door een soort rusteloze energie. Ze kon niet langer stil liggen.

De lakens ruisten toen ze er tussenuit gleed, maar haar zusje verroerde geen vin. In het donker tastte Raffaella naar het voeteneinde van het bed en haar vingers vonden de cederhouten kist die daar stond. Zachtjes tilde ze het deksel op en haar handen gleden erin.

Het geborduurde tafelkleed lag bovenop. Het was wit en er waren acht bijpassende servetten. Eronder lag het beddengoed dat haar grootmoeder haar had gegeven toen ze tien was. De handdoeken had ze haar ongeveer een jaar later gegeven. En helemaal onderin, keurig gestreken en ingepakt in zijdepapier, lagen het delicate ondergoed en de mooie nachthemden die haar moeder had helpen borduren.

Dit was Raffaella's uitzet. Al sinds ze een jong meisje was, voegde ze er steeds iets aan toe en alles in de kist was onaangeroerd gebleven, behalve de keren dat ze alles luchtte, tot haar huwelijksdag.

Morgen zou de cederhouten kist op een kar worden geladen, samen met de andere dingen die deel uitmaakten van haar bruidsschat, en de heuvel op naar haar nieuwe huis worden gebracht. En één dag later, als alle feestelijkheden voorbij waren, zou zij er achteraan gaan. Ze zou de handdoeken op een roede hangen, de lakens op het tweepersoonsbed leggen en een van haar mooiste nachthemden aantrekken. En die nacht zou haar zusje Teresa voor het eerst in haar leven alleen slapen, terwijl Raffaella bij haar echtgenoot in bed zou stappen.

Raffaella lag opgerold tegen de cederhouten kist aan met haar hoofd

11

op de stapel linnengoed en stelde zich voor hoe haar leven zou zijn. Dan zou ze de lippen van haar Marcello zo vaak als ze wilde kunnen kussen en met zijn armen om haar heen tot midden in de nacht liggen kletsen. Vrij om bij elkaar te zijn, zonder dat iemand van de familie in de buurt was, vrij om hem aan te raken en door hem aangeraakt te worden.

Raffaella werd helemaal opgewonden als ze aan haar trouwdag dacht, maar nog opgewondener bij het idee wat daarna kwam: haar leven nadat de cederhouten kist was uitgepakt en ze Marcello's vrouw was geworden. Al sinds hun schooltijd was dat alles waar ze naar verlangde.

Toen het fijne linnengoed warm begon te worden tegen haar wang, probeerde ze zich voor te stellen hoe zwaar de gouden ring aan haar vinger zou aanvoelen en hoe het zou zijn, dat gevoel bij iemand te horen. Ze kon bijna niet geloven dat haar zoveel geluk wachtte.

Ze tilde haar hoofd op en deed zorgvuldig het deksel van de kist dicht. Toen ging ze weer op bed liggen. Raffaella luisterde naar de regelmatige ademhaling van haar zusje en voelde de warmte van haar slanke lichaam afstralen. Nog één zo'n nacht en dan zou Marcello naast haar liggen.

Ze sloot haar ogen en toen kwam haar geest langzaam tot rust. Daarna viel ze pas in slaap.

Toen Raffaella eindelijk wakker werd had ze een droge mond, zaten haar ogen vol slaap en was haar zusters kant van het bed leeg. Er was geen geluid te horen, behalve het gekrijs van de meeuwen en het geklots van het water, maar toen ze knipperde en haar ogen schoonwreef, rook ze koffie. Ze ging rechtop zitten en streek met haar vingers door haar verwarde lange zwarte haren. Hoe laat zou het zijn, vroeg ze zich af. Hoelang hadden ze haar laten slapen?

Ze trok de gordijnen open en zag dat de zon al hoog aan de hemel stond. Haar vader en de andere vissers waren allang de zee op. Nu zouden hun bootjes nog slechts zwarte stipjes zijn aan de blauwe horizon.

Het huisje waarin Raffaella haar hele leven had gewoond, was gebouwd op een rots en bood uitzicht op de haven en op de zee beneden.

Jaren geleden was het geverfd in de kleur van perziken, maar de harde zoute zeewind had de verf al snel van de muren geblazen op de plekken die door de zon waren geblakerd.

De rots was onherbergzaam, maar een paar moedige struikjes klampten zich er grimmig aan vast. Beneden, ver boven de hoogwaterlijn, had haar vader een wit Mariabeeld geplaatst dat op de zee uitkeek en de vissers en eenieder die zijn leven riskeerde door de golven te trotseren, beschermde.

Hun kleine huisje was rondom de ronding van de rots heen gebouwd. Elk vertrek was smal en klein, maar het allerkleinste vertrek was de keuken, waarvan de muur in de rots was uitgehouwen. Vrolijk gekleurde schalen hingen aan de ruw uitgehakte wand en op een hoge plank had Raffaella's moeder de wijnflessen gezet die ze had verzameld vanwege hun bijzondere vorm of kleur, en stukjes glas die ze op het strand had gevonden, glad gepolijst door de zee en het zand.

Wat Raffaella het leukst vond aan haar moeder was dat ze altijd overal een spelletje van maakte. Als ze het huis schoonmaakte was ze altijd aan het zingen of neuriën. Als ze het tafelkleed uitschudde vermaakte ze zichzelf door de meeuwen bang te maken die op de rotsrichel onder het keukenraam zaten.

Zelfs als ze alleen maar een kopje koffie zette, maakte ze er een spelletje van door een onmogelijk hoge piramide te vormen van de fijngemalen koffie, steeds hoger tot de piramide instortte en ze het moest opruimen en opnieuw moest beginnen.

Haar moeders koffie zou net zo moeten smaken als de koffie die iemand anders maakte, maar Raffaella was ervan overtuigd dat die van haar moeder lekkerder was. Ze snoof de geur op toen ze de wenteltrap af liep vanuit haar slaapkamer boven in het huis.

'Mamma, hoe laat is het?' riep ze. 'Waarom heb je me niet eerder wakker gemaakt?'

'Ah, Raffaella, eindelijk ben je wakker!' Ze hoorde een lachje doorklinken in haar moeders stem. 'De koffiegeur heeft je zeker gewekt. Ik vroeg me al af of dat zou gebeuren.'

'Nee, je wíst dat het zou gebeuren. Daarom heb je het gezet.' Raffaella stapte het keukentje in en glimlachte naar het vertrouwde gezicht van haar moeder, die zwarte koffie in twee kleine witte kopjes schonk en er suiker in schepte.

'O ja, wist ik dat?' Haar moeder keek op en glimlachte terug. 'Tja, misschien ook wel.'

Raffaella gleed op de houten bank die tegen de harde rotsmuur stond en pakte haar kopje. 'Hmm, die is sterk,' zei ze tussen twee slokjes door. 'Ik zal je koffie wel missen, hoor, als ik weg ben. Mijn koffie is lang niet zo lekker.'

'En ik zal jou missen' – haar moeder pakte haar eigen kopje – 'veel meer dan je mijn koffie zult missen. Waarom kon je geen jongen uit ons dorp uitzoeken? Een leuke jongen hier uit de buurt?'

Raffaella glimlachte niet, want ze wist dat haar moeder geen grapje maakte. Ze had hier haar hele leven gewoond, in het Zuid-Italiaanse stadje Triento, genesteld tussen de uitlopers van de bergen waar ze in de zee uitmondden. Triento was een verdeeld stadje. De helft ervan, Groot Triento, hing tegen de heuvels aan de voet van de bergen en de andere helft, Klein Triento, rustte tegen de rotsen naast de haven waar de vissersboten werden afgemeerd. Een steil en gevaarlijk zigzaggend pad liep tussen de beide helften.

Als Raffaella met Marcello trouwde, zou ze letterlijk opklimmen in de wereld. Ze zou het vissershuisje in Klein Triento verlaten en de steile helling op gaan naar haar nieuwe leven als de vrouw van de welvarende koopmanszoon.

'Ik zal jou ook missen, mamma,' antwoordde Raffaella. 'Maar ik zie je toch wel telkens als je naar de markt op de heuvel gaat?'

Haar moeder lachte. Het was een diep, hees geluid waar Raffaella al in de dagen van haar jeugd aan gewend was geraakt.

'Ja toch?' drong ze aan.

'Ja, dat denk ik wel,' antwoordde haar moeder. Toen fronste ze. 'Maar niet elke dag, Raffaella. Dat kan ik je niet beloven.'

Raffaella wist hoe erg haar moeder Anna het vond om de heuvel op te klimmen. Ze deed bijna alles om dat te voorkomen: haar boodschappen uitstellen en een maaltijd klaarmaken van vrijwel niets.

Maar Anna was vooral heel slim in het voorspellen wanneer een van de andere vrouwen van Klein Triento op het punt stond haar boodschappenmand aan de arm te hangen en te beginnen aan de lange, trage klim naar Groot Triento om boodschappen te doen. Altijd weer, vlak voordat een dorpsvrouw vertrok, stond Anna bij haar op de stoep en drukte haar een paar munten in de hand met een snel geschreven boodschappenlijstje. 'Een paar dingen maar,' zei ze dan buiten adem. 'Dat vind je toch niet erg, hè?'

Anna was een grote vrouw met een lage stem en een natuurlijk gezag. Er waren niet veel vissersvrouwen die nee tegen haar durfden te zeggen. Beatrice Ferrando, Patrizia Sesto, Giuliana Biagio en de anderen waren allemaal een beetje bang voor haar. En dus klommen ze de heuvel op en kwamen met een zwaardere mand naar beneden, terwijl Anna naar huis ging en deed waar ze zin in had.

Meestal ging ze dan een uurtje een boek zitten lezen, tot haar boodschappen werden bezorgd en het tijd was om het avondeten klaar te maken voor haar man Tommaso, haar twee dochters en haar enige zoon Sergio.

Raffaella's moeder liep hoogstzelden zelf de steile heuvel op en daardoor had ze zachtere dijen en dikkere billen dan de meeste andere vissersvrouwen. Maar Tommaso was dol op haar vrouwelijke rondingen en zij was dol op haar gestolen uurtjes.

Maar nu zuchtte Anna terwijl ze slokjes van haar koffie nam, bijna alsof ze wist dat die steile heuvel haar alweer lokte.

'Je broer, Sergio, klaagt regelmatig dat het vlees dat Beatrice Ferrando meeneemt te vet is,' zei ze peinzend. 'En vorige week kwam Patrizia Sesto met rotte tomaten aan. We hebben de meeste weg moeten gooien, weet je nog? Ik kan maar beter vaker zelf naar de markt gaan.'

'Ja, dat vind ik ook,' zei Raffaella en schonk haar moeder nog een kopje sterke koffie in voordat hij koud zou worden.

Anna probeerde niet te fronsen, terwijl ze naar haar dochter keek die de koffiespullen opruimde. Er was zoveel om je zorgen over te maken. Zou Raffaella wel gelukkig zijn met deze jongen die ze zo graag wilde? Zou haar huwelijk even prettig zijn als ze dacht?

De meeste moeders in Triento zouden dolgelukkig zijn als hun dochter met een Russo trouwde, maar Anna niet. Ze zag wel hoe Raffaella de jongen aanbad. En ze was bang dat hij op zijn beurt alleen maar haar schoonheid zou zien. Als ze 's nachts wakker werd, maakte ze zich vooral zorgen over de toekomst van haar oudste dochter en bleef dan tot de ochtend liggen woelen.

Ze bad regelmatig dat dit huwelijk goed zou zijn. Maar als dat niet zo was, als er verdriet in het verschiet lag voor Raffaella, dan wilde ze in de buurt zijn om over haar te waken.

En als dat betekende dat ze haar mand aan de arm moest hangen en om de dag de heuvel naar Groot Triento moest beklimmen, dan was dat maar zo. Anna zou haar gestolen uurtjes missen en elke stap de heuvel op vervloeken, maar ze zag geen andere mogelijkheid.

2

Een huwelijk werd in Triento altijd uitbundig gevierd. Het hele stadje vond het heerlijk om bij elkaar te komen om deze gebeurtenis te vieren. En dit was een bijzondere bruiloft. De oudste zoon van de rijkste familie trouwde met het mooiste meisje van het stadje. De mensen praatten er al over vanaf het moment dat ze zich hadden verloofd.

'Raffaella Moretti is maar een vissersdochter en ze doet een goed huwelijk,' zei men zachtjes tegen elkaar.

'Ja, maar kijk toch eens naar haar,' zuchtten de vrouwen boven hun manden als ze elkaar troffen op de grote *piazza*. 'Haar lange zwarte krullen tot aan haar taille, haar volle heupen, haar perfecte huid... En ze heeft nooit oog gehad voor iemand anders dan voor Marcello Russo. Ze zijn zo dol op elkaar.'

'En wat zeg je van haar lichaam, hè?' De mannen die in de bar op de hoek zaten te drinken en te roken stootten elkaar aan met hun scherpe ellebogen. 'Ze heeft de borsten van een godin en de benen van een filmster. Als ik Russo was, zou ik zo snel mogelijk met haar trouwen.'

Maar Marcello had geen haast gemaakt met zijn huwelijk. Hij had dit uitgesteld tot zijn leertijd afgerond was. Twee jaar had hij gewacht, terwijl hij ondertussen alles leerde over de familiezaak.

De Russo's maakten en verkochten de fijnste handgeweven linnen stoffen. 'Op traditionele wijze gemaakt, sinds 1880,' vertelden ze vaak trots. Omdat hij de oudste zoon was, was hij aangewezen om in de winkel te werken. Zijn vier jongere broers werden verbannen naar de werkplaats waar de stoffen werden geweven, en naar het pakhuis, waar de stoffen zorgvuldig in vloeipapier werden verpakt en vervolgens naar klanten in heel Italië verzonden.

Na zijn huwelijk zou Marcello het appartement boven de linnen-winkel krijgen. Het had maar een paar kamers, maar het was een prima eerste woning. En zodra ze kinderen kregen, wilde hij een grotere woning zoeken.

Marcello was niet zenuwachtig op zijn trouwdag. Toen hij zich schoor en zijn donkerbruine haar, dat altijd in zijn ogen viel, naar achteren streek en zijn nieuwe pak aantrok, had hij een tevreden gevoel. Hij vond dat zijn toekomst er goed uitzag: een mooie vrouw, een goede baan – wat kon een man zich nog meer wensen?

Het was al laat in de ochtend en de zon was eindelijk achter de berg tevoorschijn gekomen en scheen op de hoge, uitgemergelde gebouwen die de kleur hadden van honing en van zand, en die de straten van Triento omzoomden. Boven de terracotta daken verhieven zich de torenspitsen van de kerken.

De klokken zouden algauw gaan luiden. De zeven kerken van Trien-to zouden één voor één gaan luiden totdat het geluid door de bergen echode en de mensen op straat zouden gaan staan om naar hem te zwaaien.

Marcello keek in de spiegel en streek zijn wilde haar nog een keer naar achteren. Zijn broer Stefano kon elk moment komen en dan moesten ze vertrekken.

Net toen hij zijn horloge wilde pakken, hoorde hij zijn broer op de deur van zijn slaapkamer kloppen.

'Marcello, je dagen als vrijgezel zijn bijna geteld,' riep Stefano. Hij zwaaide de deur open en Marcello hoorde zijn andere broers op de achtergrond juichen en fluiten. 'Ben je er klaar voor?'

'Ja, ik ben klaar,' antwoordde Marcello en liep zijn kamer uit.

'Wacht, dan zal ik je das even strikken,' commandeerde Stefano. 'Op straat stikt het van de mensen die je alle goeds willen toewensen. Je moet er goed uitzien voor hen. Agostino, Gennaro, Fabrizio, wat vinden jullie? Ziet hij er klaar uit?'

Agostino en Gennaro juichten en floten weer, maar Marcello zag dat zijn jongste broer, Fabrizio, stil was geworden en een beetje stuurs keek.

'Fabrizio, wat vind jij ervan? Zie ik er goed genoeg uit om met Raf-faella Moretti te trouwen?' vroeg hij.

Zijn jongste broer haalde zijn schouders op. 'Ik denk van wel,' antwoordde hij, 'maar het maakt niet uit hoe goed je je kleedt. Zij zal er altijd beter uitzien dan jij.'

Stefano lachte en gaf hem een tik tegen zijn achterhoofd alsof hij een grapje had gemaakt. Maar Fabrizio's toon was serieus en hij liep met zijn gebruikelijke stuurse blik achter zijn broers aan naar buiten, de smalle straat op.

Het stadje was vol mensen. Vrouwen glimlachten en zwaaiden naar de vijf Russo-jongens die hun netste kleren droegen en riepen: '*Buona fortuna.*' Enkele oudere vrouwen depten hun ooghoeken met een wit zakdoekje. Voor de eerste en enige keer die dag voelde Marcello de zenuwen door zijn lijf gieren.

'Toe nou, je moet terugzwaaien! Ze zijn hier om je geluk toe te wensen,' riep Stefano boven de kakofonie van kerkklokken uit.

'Ze zijn hier om Raffaella te zien, niet mij.' Marcello haalde zijn schouders op. 'Ze kunnen niet wachten om te zien hoe ze eruitziet in haar trouwjurk.'

Toch zwaaide Marcello naar de menigte toen ze naar de grijze stenen gevel van de kerk van Santa Trinità liepen, en iedereen juichte en klapte.

Padre Simone stond in zijn witte priestergewaad bij het altaar op hen te wachten. De kerkbanken waren afgeladen met familieleden, vrienden en andere dorpsbewoners die een plekje hadden kunnen bemachtigen. Er hingen witte bloemen aan de uiteinden van de banken en er waren nog meer bloemen in de koperen urnen aan weerszijden van het altaar. Dat was het werk van zijn moeder Alba, realiseerde Marcello zich. Ze was hier al de hele ochtend bezig geweest om ervoor te zorgen dat alles perfect was.

Marcello stond bij het altaar, zijn vier broers achter hem, en wachtte tot de menigte weer zou gaan juichen. Want dan wist hij dat Raffaella ook was gearriveerd in haar kleine ezelwagen. En ja hoor, een paar minuten later hoorde hij het gejuich, veel luider dan ze voor hem hadden gejuicht.

Hij draaide zich niet om, zelfs niet toen hij de kerkdeuren hoorde opengaan en het geruis toen iedereen in de banken zich omdraaide om de bruid te zien. Het orgel begon te spelen en toen wist Marcello dat Raffaella en haar vader begonnen waren aan hun trage wandeling door het middenpad, maar hij bleef strak voor zich uit kijken. Pas toen hij voelde dat ze naast hem stond, besloot hij opzij te kijken.

Raffaella was even mooi als hij had verwacht. Haar witte jurk had een lange sleep en haar sluier bestond uit meters geborduurde tule. Ze had een los boeketje witte bloemen in haar hand en Marcello zag dat haar handen trilden.

'Je hoeft niet zenuwachtig te zijn,' fluisterde hij en ging dichter bij haar staan. 'Ik ben er. Ik pas wel op je.'

Padre Simone trok een wenkbrauw op en Marcello knikte. Ze waren klaar.

'We zouden het fijn vinden als u ons nu zou willen trouwen, padre,' zei hij rustig. Hij pakte Raffaella's hand en kneep er zachtjes in.

Er leek geen einde te komen aan de ceremonie. Tijdens elk lang gebed bleef Marcello Raffaella's hand vasthouden. Hij voelde dat ze helemaal trilde en toen hij op haar neerkeek, zag hij dat haar ogen achter de sluier vol tranen stonden.

Pas toen het tijd was om hun trouwringen bij elkaar om te doen, liet hij haar hand los. En toen, zodra het weer kon, pakte hij hem weer.

'We zullen de rest van ons leven samen zijn,' fluisterde hij in haar oor toen ze samen door het middenpad liepen en samen op de kerktrap stonden met hun familieleden om hen heen. Raffaella's moeder stond er, met tranen in de ogen; ze omhelsde en feliciteerde hen. Haar vader, de pezige kleine Tommaso Moretti, schudde zijn hand en haar broer Sergio sloeg hem op zijn rug. 'Gefeliciteerd, gefeliciteerd.' Nooit eerder had hij dat woord zo vaak horen uitspreken door zo veel mensen.

En toen stond zijn moeder Alba naast hem, met haar lippen in een gespannen glimlachje geperst.

'Gefeliciteerd.' Het leek wel alsof ze het alleen tegen Raffaella zei.

Raffaella had haar sluier opgelicht zodat haar mooie gezichtje te zien was en ze glimlachte naar haar kersverse schoonmoeder.

'En?' Alba schudde met haar hoofd en haar stevige grijze krullen zwaaiden heen en weer. 'Bedank me maar voor een geweldige echtgenoot.'

Raffaella knipperde en deed een stapje achteruit. 'Ja, dank u wel. Natuurlijk, dank u wel,' stamelde ze.

Alba glimlachte weer gespannen, nam het gezicht van haar zoon in haar handen en gaf hem een stevige kus op beide wangen. En toen was ze weg, waarschijnlijk om te controleren of de tafels voor het bruiloftsfeest naar haar tevredenheid waren opgesteld.

Het feest zou worden gehouden aan lange schragentafels die op de *piazza* waren opgesteld. Vrijwel iedereen uit het stadje zou er zijn, onder grote parasols om hen te beschermen tegen de hete augustuszon, en het eten zou de hele middag doorgaan. Er zouden tien gangen worden opgediend, eindigend met de bruidstaart die zo groot was dat hij op een karretje naar buiten moest worden gerold.

Marcello wist dat zijn schoonvader, Tommaso Moretti, niet in staat was geweest om dit buitensporige feest te betalen en dus hadden zijn ouders gul bijgedragen, omdat ze wilden dat het allemaal volgens de regels verliep. Een kleine ceremonie en een eenvoudig feest waren dan misschien wel goed voor bepaalde mensen, maar dat zou niet voldoende zijn geweest voor de oudste zoon van de familie Russo.

Het feest zou tot in de kleine uurtjes doorgaan en het zou vrijwel zeker dronken en dansend eindigen. Maar hij en Raffaella zouden er zo snel mogelijk vandoor gaan en zich verstoppen in het appartement boven de linnenwinkel. En morgen zou hun nieuwe leven als getrouwd stel beginnen. Toen hij zijn plaats innam aan het hoofd van de tafel, met zijn prachtige vrouw naast zich, voelde Marcello zich nog tevredener dan eerst.

Raffaella was helemaal overweldigd. Sinds haar moeder haar die ochtend had geholpen met haar jurk, leek het wel alsof haar hart twee keer zo snel als normaal had geklopt. Toen ze naast Marcello voor het altaar stond, had het haar moeite gekost niet flauw te vallen. Ze had zich aan zijn hand vastgeklampt alsof dat het enige was wat haar staande kon houden.

Op de een of andere manier had ze de ceremonie doorstaan, ze had met een hese stem haar trouwbeloftes uitgesproken en gerild toen Marcello de gouden ring om haar vinger deed. Hij zat een beetje ruim, realiseerde ze zich nu. Ze draaide hem zenuwachtig rond nu ze naast haar kersverse echtgenoot aan de bruidstafel zat. Ze was waarschijnlijk afgevallen sinds hij de ring voor haar had gekocht.

Er kwamen schalen vol eten langs: schalen vol gebakken *rigatoni*, enorme ronde broden en schalen vol zeevruchten. Raffaella had geen hap door haar keel kunnen krijgen, als ze al honger had gehad. Iedereen wilde met haar praten, haar feliciteren, haar jurk bewonderen, haar vertellen dat ze er prachtig uitzag. Ze voelde zich verdoofd door geluk.

'Geloof jij het? We zijn eindelijk getrouwd,' fluisterde ze tegen Marcello toen er heel even geen mensen bij hun tafel stonden.

'Natuurlijk geloof ik het.' Hij gaf een vederlicht kusje op haar lippen. 'Ik wilde al met je trouwen toen je nog een klein meisje was. Dit is altijd de bedoeling geweest.'

'Ik zal een goede vrouw voor je zijn,' beloofde ze.

'Dat weet ik toch.' Hij gaf een kneepje in haar schouder en wendde zich toen naar zijn broer Gennaro die zijn bord voor de tweede keer vol schepte.

'Eet, eet, straks heb je energie nodig,' zei Gennaro lachend.

Alle Russo-broers en hun vader Roberto hadden hun borden volgeladen en aten met smaak. Alleen zijn moeder Alba nam kleine hapjes van haar eten, duwde haar bord toen van zich af en wachtte tot iemand het zou afruimen. Ze had al de hele dag een ontevreden trek op haar gezicht en zelfs tijdens het eten zat ze te fronsen.

Raffaella wist dat haar schoonmoeder niet veel met haar op had. Alba had voor haar oudste zoon een betere vrouw gewenst, een meisje uit een koopmansgezin – niet gewoon de dochter van een visser. De gedachte alleen al maakte haar woedend maar, zoals Raffaella's moeder had gezegd, met woede kwam je nergens.

'Zodra je eenmaal getrouwd bent, zijn jullie familie. Je moet gewoon proberen het goed met haar te vinden,' had Anna regelmatig gezegd.

En dus probeerde Raffaella haar boosheid weg te laten ebben. Als Alba zag hoeveel zij van haar zoon hield en hoe goed ze voor hem zorgde, ging ze er misschien wel anders over denken en zou ze misschien besluiten dat ze haar toch wel mocht. Ach, en zo erg kon het niet zijn. Heel veel pasgetrouwde vrouwen woonden bij hun schoonfamilie, maar zij en Marcello hadden hun eigen woning. Ze zei nog een keer tegen zichzelf hoe gelukkig ze was. Haar cederhouten kist stond in haar appartement te wachten tot ze hem zou uitpakken en er lag zoveel geluk voor haar in 't verschiet. Ze zou niet toestaan dat één norse vrouw dat zou bederven.

3

In het begin was haar huwelijkse leven precies zoals Raffaella had gedroomd. Ze vond het heerlijk om vroeg wakker te worden met Marcello naast zich en om 's ochtends voordat hij naar zijn werk ging koffie voor hem te maken. Terwijl hij de linnenwinkel opende, hing zij haar mand aan haar arm en ging naar de markt voor de dagelijkse boodschappen. Ze had tijd genoeg om stil te blijven staan en met de buren op de *piazza* te kletsen, en soms ontmoette ze haar moeder daar, nog steeds hijgend van de wandeling heuvelopwaarts, terwijl Teresa haar mand droeg.

Op de meeste dagen, als ze klaar was met haar huishoudelijke taken, vond ze het fijn om Marcello te helpen. Het was heerlijk om bij hem in de buurt te zijn en bovendien genoot ze van hun werk in de met donker hout betimmerde winkel. Dan ruimde ze op, veegde de vloer of hielp haar echtgenoot met het uitvouwen van een tafelkleed of een beddensprei, zodat klanten hem konden bewonderen en hopelijk zouden kopen.

Als er niemand keek, vond ze het heerlijk om haar gezicht te begraven in de keurige stapels linnen en de unieke geur op te snuiven.

'Dit ruikt naar versgebakken *biscotti*,' had ze eens tegen Marcello gezegd, 'met vanille en kaneel en nog iets… Ik weet het niet precies.'

En dan glimlachte hij naar haar en ging door met waar hij mee bezig was.

Rond het middaguur sloot Marcello de winkel een paar uur en als ze die dag niet samen met zijn familie aten, gingen ze naar boven naar hun eigen appartement en maakte Raffaella de lunch voor hem klaar.

Raffaella had de mooiste stoffen uitgezocht om hun huis op te vrolijken. Ze had hun twee kamers helemaal schoon geboend en op de brede vensterbanken en op het smeedijzeren balkonnetje terracotta potten met rode geraniums gezet. Elke dag maakte ze iets bijzonders klaar. Octopus gestoofd in een aardewerken schotel met knoflook, chilipepertjes en tomaten; paddenstoelen met gepureerde cannellibonen en rijst; of zijn lievelingskostje: varkensvlees met ingelegde paprika's. Ze vond het prettig om tegenover hem aan tafel te zitten en naar zijn gezicht te kijken als hij het eerste hapje nam. Maar ondanks alle moeite die ze deed, werd Marcello steeds magerder.

Ze had ook gemerkt dat hij steeds meer geobsedeerd raakte door zijn zaken. Vaak werd ze wakker en ontdekte dat zijn kant van het bed leeg en koud was. Als ze hem dan een kopje koffie bracht, stond hij over een map vol cijfers gebogen, met gefronst voorhoofd en te veel in gedachten om te praten. 's Avonds, als het donker werd, was Marcello nog steeds in de winkel aan het werk.

'Het gaat goed met de winkel, hè? Waarom moet je vaak zo lang werken?' vroeg ze een keer.

Vijf of zes tellen later keek hij op. 'Wat?' vroeg hij. 'Vroeg je iets?'

Ze herhaalde wat ze had gevraagd en deed haar best de klagende klank uit haar stem te houden.

'Ja hoor, de winkel loopt nog steeds net zo goed als altijd,' beaamde hij. 'Maar dat is niet genoeg, Raffaella. In zaken mag je niet stilstaan; je moet uitbreiden en ik probeer uit te vinden hoe we dat het beste kunnen doen.'

'Maar ik mis de tijd die we samen in ons appartement doorbrachten. Kun je dat boek niet aan de kant leggen en met me mee naar boven komen, heel eventjes maar?'

'Ik doe dit voor onze toekomst, weet je.' Marcello klonk ongeduldig. 'Daarom werk ik zo hard. We kunnen niet eeuwig in dat kleine appartementje blijven wonen. We hebben een echt huis nodig, wat land, en misschien zelfs een auto. Daarom werk ik zo hard.'

Ze wilde een arm om hem heen slaan, maar hij weerde haar af en pakte zijn pen op. 'Ik voel me gelukkig in ons appartement,' zei ze. 'Ik heb helemaal geen groter huis nodig. Het kan me niets schelen waar ik woon, als ik maar bij jou ben.'

Zijn trekken verzachtten. 'Je voelt je af en toe vast eenzaam, Raffaella. Jij bent er immers aan gewend om je familie om je heen te hebben. Waarom ga je niet wat vaker de heuvel af om meer tijd met hen door te brengen? En hopelijk heb je volgend jaar om deze tijd nog iemand anders dan mij om voor te zorgen.' Hij legde zijn hand op haar maag. 'En dan heb je veel minder behoefte aan mijn gezelschap, dat beloof ik je.'

Raffaella zei niets. Ze wilde net zo graag een baby als hij. Elke maand als ze ongesteld werd, was ze teleurgesteld. Maar het maakte niet uit hoeveel baby's ze had, ze zou altijd zijn gezelschap wensen. Dat wist ze heel zeker.

Ze liep naar een keurig opgevouwen stapeltje linnen en begon het langzaam opnieuw op te vouwen. Af en toe keek ze even naar haar echtgenoot en zag dat hij nog steeds met zijn hoofd in de boeken zat.

Af en toe had Marcello het gevoel dat hij hier geen adem kon halen. Hij was opgegroeid in een groot huis en als oudste zoon had hij een eigen slaapkamer gehad. Hij was eraan gewend dat hij iedereen kon buitensluiten door de deur achter zich dicht te doen om alleen te zijn. Maar hier was het heel anders. In hun tweekamerappartement leek het wel alsof hij nooit aan Raffaella's aanwezigheid kon ontsnappen. Ze was altijd wel ergens in de buurt. Hij hield van zijn vrouw, maar zo had hij zich een huwelijk niet voorgesteld.

Marcello had stilte en ruimte nodig, en die zou hij hier nooit vinden. Daarom had hij de laatste tijd zo koortsachtig gewerkt. Als hij zijn vader kon laten zien dat hij doordachte plannen had om de winst te verhogen en de efficiëntie te vergroten, dan zou deze hem misschien wel genoeg geld willen lenen voor een groter huis. Een huis met een stuk of vijf kamers waarvan hij er één, een kleintje maar, als kantoor zou kunnen gebruiken. Hij was helemaal bezeten van dat idee.

Maar toch moest hij toegeven dat Raffaella waarschijnlijk gelijk had en dat hij de laatste tijd te veel had gewerkt. Eigenlijk voelde hij zich vermoeider dan ooit en hij merkte ook wel dat hij elke week magerder en bleker werd.

Misschien moest hij vanavond maar eens niet werken en even vrijaf nemen. Hij zou zijn broers kunnen opzoeken in de bar op de hoek en vanavond bier drinken, pizza eten en luidruchtig zijn. En als hij morgenochtend beneden kwam, zou het werk nog steeds op hem liggen te wachten.

4

'Wat doe je met mijn jongen, hè?' vroeg Alba met schrille stem. 'Hij vermagert waar ik bij sta. Kijk toch eens naar hem, zo mager en zo afschuwelijk bleek. Het kán niet dat je goed voor hem zorgt.'

Raffaella hielp haar schoonmoeder met het uitrollen van deeg voor *rotolo*. Marcello zat samen met zijn vader een sigaret te roken en over de zaak te praten. Het leek erop dat hij zijn zin kreeg. Roberto Russo was onder de indruk van zijn ondernemingsplan. Op dit moment vroeg hij zich af welk bedrag hij aan zijn favoriete zoon kon uitlenen, zodat deze het grotere huis kon kopen dat hij zo graag wilde.

Raffaella vond *rotolo* lastig om te maken. Ze was geconcentreerd bezig met het uitrollen van het pastadeeg in een neteldoek en luisterde niet echt naar haar schoonmoeder. Toch hoorde ze de ongerustheid in Alba's stem toen die zich beklaagde over de manier waarop haar zoon werd verzorgd.

'Hij heeft veel te hard gewerkt,' zei Raffaella verdedigend. 'Hij zit de halve nacht over de boeken gebogen. En als hij eens een keertje vrij neemt, gaat hij wat drinken met zijn broers en komt dan pas laat thuis. Ik blijf tegen hem zeggen dat hij meer rust moet nemen en beter voor zichzelf moet zorgen.'

Raffaella wilde niet toegeven dat ze zich zo veel zorgen maakte dat ze er 's nachts niet van kon slapen. Hard werken alleen kon er toch niet de oorzaak van zijn dat een sterke jonge man zo afviel? Zelfs haar zuster had een opmerking gemaakt over hoe mager Marcello was. Daarna had ze nog meer haar best gedaan om Marcello over te halen naar de dokter te gaan, maar hij leek het vervelend te vinden als ze zich druk over hem maakte en werd alleen maar afstandelijker.

'Voldoende eten, genoeg rust en een goede verzorging, dat is wat hij nodig heeft.' Alba's stem klonk scherp en kritisch. 'Toen hij nog bij mij woonde, zag hij er nooit zo uit, hoe hard hij ook werkte. Misschien moet hij maar een tijdje thuis komen wonen om weer een beetje op krachten te komen. Ja, ja, dát is het: het zou beter zijn als jullie je appartement verlieten en hier naartoe kwamen. Als Marcello dan weer aangesterkt is, kunnen jullie in dat grote huis gaan wonen dat jullie zo graag schijnen te willen.'

Raffaella nam niet de moeite haar te corrigeren. Ze kon het Alba niet kwalijk nemen dat ze zich zorgen maakte. Maar wat haar schoonmoeder niet zag, was hoe ontzettend Raffaella haar best deed. Ze kocht de dubbele hoeveelheid boodschappen, gebruikte elke pan die ze bezat en schepte Marcello's bord steeds weer vol. En toch, ondanks al die borden boordevol pasta, vlees en groente, werd hij steeds magerder en bleker.

Terwijl haar eigen trouwring strak begon te zitten, had Marcello hem weken geleden af moeten doen om te voorkomen dat hij hem zou verliezen. Nu lag hij ergens in een linnen doek gewikkeld.

'Goed, dat is dan afgesproken. Je trekt uit je appartement en komt hier, samen met Marcello.' Alba had een plan en was vastbesloten haar zin door te drijven.

'Nee, dat denk ik niet.' Raffaella was in paniek. 'Ik moet het eerst aan Marcello vragen, maar ik weet wel zeker dat hij vlak bij de winkel wil blijven wonen.'

'De winkel? Daar kan een van de andere jongens wel voor zorgen. Stefano kan dat heel goed, dat weet ik zeker. Het gaat nu om de gezondheid van mijn zoon. En ik denk dat het beter is als jullie niet alleen in dat appartement zitten. Misschien is het daar vochtig of zo, dat weet ik niet. Hoe dan ook, ik weet wel dat het daar niet de juiste omgeving voor hem is.'

'Maar...'

'Kijk toch eens naar je man, Raffaella. Vind jij soms dat hij er gezond uitziet?'

Raffaella's hart zonk haar in de schoenen. Hoe kon ze daar iets tegen inbrengen? Er was iets aan de hand met Marcello. Misschien was het hier beter voor hem, omringd door zijn familie en in het huis waar hij was opgegroeid, in plaats van boven de linnenwinkel waar hij altijd in de verleiding kwam om weer aan het werk te gaan.

Gelukkig weigerde Marcello hierin mee te gaan. 'Heel lief van je, mamma, maar dat is niet nodig,' zei hij tegen haar. 'Het enige wat we nodig hebben, is zo snel mogelijk een leuke plek voor onszelf. Stefano vertelde dat er een boerderij te koop staat, halverwege de berg. Het oude huis van Allegri, je kent het wel. Daar is de lucht goed. Er zit zelfs wat land bij, genoeg voor Raffaella om kippen en misschien een paar geiten te houden, en om onze groente te verbouwen. Als we daar eenmaal wonen, zal ik me al snel beter voelen, dat zul je zien.'

Maar de week daarna had Marcello amper nog genoeg energie om de linnenwinkel draaiende te houden, laat staan om het Allegri-huis te bekijken en te onderhandelen over de prijs. Zijn heupen staken nu uit en hij klaagde over rugpijn. Raffaella dacht dat zijn huid een gelige kleur had gekregen. Ze was ontzettend ongerust.

'Ga alsjeblieft naar de dokter. Alsjeblieft, doe het voor mij,' smeekte ze.

'Als je belooft dat je me daarna met rust laat, doe ik het misschien wel.' Marcello zei het op norse toon, maar Raffaella wist zeker dat hij zich nu ook wel zorgen maakte. Hij kon er niet zo uitzien en niet zo moe zijn alleen maar door hard werk en onvoldoende frisse lucht.

Marcello wilde per se alleen naar de dokter. De dokter onderzocht hem snel, zette hem in zijn auto en reed meteen met hem naar het ziekenhuis. Raffaella werd naar het ziekenhuis gebracht om hem te bezoeken. Haar echtgenoot zag er verloren en eenzaam uit in het ziekenhuisbed en ze hield zijn hand net zo stevig vast als hij de hare had vastgehouden tijdens hun trouwdag.

Hij wilde niet dat ze lang bleef. 'Iemand moet voor de winkel zorgen en het is veel beter dat jij dat doet dan wanneer een van de jongens zijn eigen werk moet laten liggen.'

Ze klemde zijn hand vast; ze wilde niet weg. Hier in het ziekenhuis zag Marcello er veel zieker uit dan hij er ooit eerder had uitgezien, toen zij zichzelf nog kon wijsmaken dat hij alleen maar een beetje lusteloos was en oververmoeid en snel weer beter zou zijn.

'Wat zeggen de dokters? Hebben ze je medicijnen gegeven? Hoelang duurt het voordat je beter bent?' Ze vuurde allemaal vragen op hem af, maar hij sloot zijn ogen en liet zich achterover zakken in de kussens.

'Raffaella, *cara*, ik hou van je, maar ik ben moe en ik moet slapen. Ga maar naar huis, toe maar, liefje. Zorg voor de winkel en dan zie ik je wel over een week of zo.'

Maar voordat die week voorbij was, moest padre Simone Raffaella bezoeken om haar te vertellen dat haar Marcello dood was. De dokter reed terug om zijn stijve, koude lichaam op te halen en hij werd in zijn oude slaapkamer gelegd in zijn ouderlijk huis. Raffaella zat naast hem, hield zijn hand in haar beide handen, en de mensen kwamen en gingen weer weg.

Ze bleef zitten terwijl Alba jammerde en haar kleren kapot scheurde, en terwijl Roberto zijn wang tegen die van zijn zoon legde en fluisterde: 'Mijn jongen, mijn jongen.' Soms kwam Fabrizio ook en bleef dan een uur zwijgend bij haar zitten; soms hielden haar moeder en zusje haar gezelschap. Eén keer glipte ook padre Simone naar binnen en toen knielden ze samen naast het bed om te bidden. Raffaella wist zeker dat haar man rechtop zou gaan zitten en hun zou zeggen dat ze op moesten houden zich zo druk te maken. Wie zorgde er voor de winkel? Waarom zaten ze hier hun tijd te verspillen? Maar zijn lichaam was stijf en leeg. Marcello was weg.

Alba was degene die haar vroeg te vertrekken. 'We moeten onze jongen begraven. En jij moet naar huis gaan en zwarte kleren aantrekken. Je bent nu een weduwe.'

Raffaella keek nog één keer naar haar echtgenoot. Ze herinnerde zich hem als een jongen en dacht aan hem op hun trouwdag. Ze herinnerde zich de eerste keer dat ze zijn gezicht had gezien op het kussen naast het hare, met zijn bruine haar voor zijn ogen. Toen gaf ze een laatste keer een kneepje in zijn hand en vertrok gehoorzaam.

5

Dagenlang had Raffaella zich meer verdoofd dan verdrietig gevoeld. Ze had zelfs tijdens de begrafenis geen traan gelaten toen ze Marcello's kist in de aarde lieten zakken. De mensen om haar heen hadden zo luid gejammerd dat ze haar eigen gezicht in een zakdoekje had verstopt zodat niemand zou zien dat haar eigen wangen droog waren.

Ze hadden zich bij het graf verzameld: haar eigen familie en die van hem plus het halve dorp. De vrouwen trokken aan hun haren en jammerden, en de mannen zetten de kist op hun schouders en huilden in stilte. Raffaella zag maar één iemand die net zulke droge wangen had als zijzelf. Hoewel ze haar gezicht theatraal met een puntje van haar zwarte sjaal depte, slaagde haar schoonzuster Angelica er niet in haar vreugde te verbergen. Want zij was getrouwd met Stefano, de tweede zoon, en zodra er een gepaste periode was verstreken – twee maanden op zijn hoogst – zouden zij Marcello's werk in de linnenwinkel overnemen en dan zou Raffaella het appartement verlaten zodat zij er in zouden kunnen trekken.

'Ze zullen alles nemen wat ik heb achtergelaten,' flapte ze er na de begrafenis uit tegen haar zusje Teresa.

Teresa had haar een kneepje in haar arm gegeven en in haar oor gesist: 'Ik heb die Angelica nooit gemogen. Het lijkt altijd alsof ze iets van plan is. Kijk haar nu eens: ze kan haar glimlach amper inhouden. Het is gewoon niet netjes.'

Raffaella had niet naar haar kunnen kijken en had zich expres omgedraaid.

'Geeft niks hoor,' had haar zusje troostend gezegd, 'als ik getrouwd ben, kun je bij mij komen wonen en me helpen de kinderen te verzorgen. Je kunt zo heerlijk koken: je kunt voor ons allemaal zorgen.'

Raffaella had niets gezegd, maar kon zich niets ergers voorstellen. Daarna waren de priesters gekomen in hun zwarte gewaden en hadden troostende woorden gesproken en toen hadden ze niet meer gepraat.

Die avond ging ze naar hun lege appartement, nog altijd in shock en verdoofd van verdriet, en sloot zich af van de wereld. 's Ochtends was het bijna te veel voor haar om op te staan en zich te wassen. Maar 's avonds bleef ze heel laat op, staarde naar de lege zwarte lucht en vroeg zich af waarom ze niet kon huilen.

Zelfs nu, nu Raffaella haar kleren sorteerde en de kleurrijkste achter in de kast hing en de zwarte en kleurloze voorin, had ze het gevoel alsof ze van al haar gevoelens was beroofd.

Ze hield een robijnrode jurk omhoog die Marcello haar nog geen halfjaar geleden had gegeven. Ze zou hem nooit weer dragen. De blauwe jurk en de gele, de roze, de blauwe en de goudkleurige, al die kleuren waren nu verboden voor haar. Voor Raffaella, nog maar tweeëntwintig jaar oud en nu al weduwe, was zwart de enige gepaste kleur.

Raffaella wist wat er van haar werd verwacht. Triento was een geïsoleerd stadje, gebonden door eeuwenoude tradities. Hier zou een echt verdrietige weduwe haar leven lang blijven treuren, alleen maar in zwart gekleed gaan en naar haar graf worden gedragen zonder dat ze door iemand anders dan door haar echtgenoot was aangeraakt en bemind.

Tijdens de begrafenis had Raffaella een nieuwe zwarte jurk gedragen. Vandaag zou ze hem weer aantrekken en morgen waarschijnlijk ook. Ze deed de deur van de kledingkast met al haar oude kleren met een stevige klap dicht, trok de rok van haar zwarte jurk naar beneden en knoopte de hoge kraag dicht. Ze keek nog even naar haar donkere spiegelbeeld, hing de mand aan haar arm en stapte naar buiten.

De eerste dagen na de begrafenis had Raffaella amper iets gegeten. Af en toe had ze zichzelf gedwongen wat fruit te nemen of een stukje kaas of koud vlees. Maar nu was haar karige voorraadje op en was het tijd om Triento te trotseren.

De linnenwinkel was gesloten; er hing een overlijdensbriefje op de deur en de ramen waren donker. Raffaella ging naar buiten waar de mensen zich begonnen te verzamelen en waar de kerkklokken begonnen te luiden.

Elk van de zeven kerken van Triento was gebouwd om nog groter en indrukwekkender te zijn dan de vorige. Dit was een gelovig stadje – misschien wel het gelovigste stadje van heel Italië – en om de gulle God te danken, hadden zijn goed doorvoede kooplieden, vissers en handwerkslieden gulle gaven geschonken om deze kerken in Zijn naam te bouwen.

En nog steeds, jaar na jaar, gaven ze meer. De geldkisten raakten weer vol, dankzij een grote donatie van een van de rijkste inwoners, maar niemand, en zeker de priesters niet, wilde dat er een achtste kerk werd gebouwd.

Het was moeilijk om lang door Triento te lopen zonder een priester tegen te komen. Er was altijd wel een glimp te zien van een donker gewaad, als ze op marktdagen rondliepen of koortsachtig op zoek waren naar hun gemeente vlak voor een kerkdienst. Vandaag, nu Raffaella over straat liep, met neergeslagen ogen en een sombere blik, passeerde ze drie priesters; haar favoriet – padre Pietro – stond te midden van een groepje mensen tussen de fontein en het gemeentehuis op de grote *piazza*.

'Mijn arme kind,' riep padre Pietro uit toen hij haar langs de marktkraampjes zag lopen. 'Kom eens even hier. Ik heb me zorgen gemaakt, wij allemaal. Hoe gaat het met je?'

'Ik kan nog steeds niet geloven dat hij dood is,' zei ze zacht. Ze zag de pijn in zijn gezicht en wist dat hij oprecht medelijden met haar had.

'Je weet dat je me altijd gemakkelijk kunt vinden als je wilt praten,' zei hij en hij had misschien nog meer gezegd als padre Simone hem niet in de rede was gevallen.

'En in Triento is God altijd gemakkelijk te vinden als je met Hem wilt praten,' preekte hij. 'Marcello is bij God, Raffaella. Kom naar Santa Trinità, dan ben je dichter bij allebei.'

'Ja.' Ze probeerde tegelijkertijd tegen hen beiden te knikken. 'Ik zal gauw naar de kerk komen. Beide kerken. Echt waar.'

De derde priester, de lange en knappe padre Matteo, keek haar onderzoekend aan. 'O, en ik kom natuurlijk ook naar uw kerk,' beloofde ze hem.

'Mijn kind, je bent altijd welkom,' antwoordde hij. 'Maar op dit moment maak ik me ergens anders zorgen over. Je toekomst. Wat moet er van je worden?'

Raffaella fronste. Ze had niet verder vooruitgedacht dan aan het volgende uur, laat staan aan haar toekomst. Het enige wat ze wilde, was dat men haar met rust liet in haar appartementje, waar ze zich in bed kon oprollen en zich kon inbeelden dat Marcello beneden in de linnenwinkel bezig was met berekeningen en plannen maken.

'Dat weet ik niet goed,' antwoordde ze. 'Als Angelica en Stefano de winkel willen heropenen, dan zal ik denk ik wel onder aan de heuvel bij mijn familie gaan wonen.'

'Vertel eens, kind,' vroeg de priester, 'is het waar dat je net zo'n goede kok bent als je moeder?'

Raffaella bloosde een beetje. 'Nou ja, mamma heeft me alles geleerd wat ze wist.'

De priester knikte. 'Dat is goed. Misschien kan ik je wel helpen met je toekomst. Er staat een huis iets verderop langs de kust waar ze heel binnenkort een hulp moeten inhuren. Dat huis moet dringend worden gelucht en schoongemaakt, van boven naar beneden. En daarna, als de huurder komt, hebben ze een goede kok nodig. Dus als je dat wilt, kan ik je wel aanbevelen.'

Raffaella vroeg zich af wat Marcello ervan zou vinden als ze een baantje nam. Maar toen herinnerde ze zich dat haar echtgenoot was overleden en dat ze nu alleen was. Het zou beter zijn om te werken en wat geld te verdienen in plaats van thuis te zitten niksen.

'Denkt u dat ze me willen hebben?' hoorde ze zichzelf aan padre Matteo vragen.

Hij aarzelde. 'Dat weet ik niet zeker. Maar ik zal wel eens voor je informeren.'

Ze glimlachte. 'Dank u wel. Dat zou ik fijn vinden.' Toen knikte ze ten afscheid naar de drie priesters en liep door om haar mand met appels te vullen.

De priesters keken Raffaella na. Ze zagen hoe soepel ze met haar heupen wiegde toen ze de *piazza* overstak en dat elke man zijn hoofd omdraaide als ze voorbijliep. Ze zagen ook de blikken van de vrouwen en de zusters van Triento, en herkenden de problemen die eraan zaten te komen.

'Het is een tragedie om al zo jong weduwe te worden,' verzuchtte padre Pietro.

'Een tragedie voor ons allen,' voegde padre Simone eraan toe.

De priesters zagen hoe de bakker, Alberto, naar Raffaella's borsten keek toen ze langs hem heen zijn winkel binnenliep. Alberto stond op van de bank waarop hij het grootste deel van de dag in de zon zat en liep achter haar aan naar binnen. Hij keek goedkeurend naar de ronding van haar billen.

'Ze kan niet hier in Triento blijven,' zei padre Matteo vastberaden. 'We moeten haar hier weg zien te krijgen.'

'Arm kind, ze zal hen allemaal in verleiding brengen,' knikte padre Pietro, de vouwen in zijn bezorgde voorhoofd dieper dan ooit.

'Het is een goed idee om haar weg te sturen,' beaamde padre Simone. 'Maar ik weet niet of het wel zo'n goed idee is haar die baan in Villa Rosa te geven. Wat als de praatjes op waarheid berusten?'

De drie mannen zwegen even. Allemaal hadden ze de roddels gehoord die sinds Marcello's begrafenis de ronde deden. Niemand wist wie ermee was begonnen, maar Silvana, de bakkersvrouw, had het rondverteld en het verhaal was aangedikt en gegroeid tot de mensen in Triento amper nog over iets anders konden praten.

'Denk je echt dat er gif zat in het eten dat ze Marcello voorzette?' fluisterde padre Matteo ten slotte.

'Marcello's moeder is ervan overtuigd,' zei padre Simone. 'Dat heeft ze me zelf verteld. Zij denkt dat Raffaella haar zoon langzaam maar heel zeker heeft vergiftigd en dat hij daarom is overleden. Maar die arme Alba is helemaal gek van verdriet. En het is toch een belachelijk idee? Ze waren nog maar een jaar getrouwd en het viel me op hoe verliefd ze waren.'

'Nou, ik geloof er niets van,' zei padre Pietro fronsend. 'Raffaella hield zielsveel van Marcello, dat weet ik zeker.'

'Maar je kent het oude gezegde,' zei padre Simone, 'waar rook is, is vuur. Is het de moeite waard het risico te nemen? Volgens mij zouden we haar weg moeten houden bij Villa Rosa.'

Padre Matteo schudde zijn hoofd. 'Carlotta zal er ook zijn, weet je nog? We zullen haar zeggen dat ze Raffaella in de gaten moet houden. Het is een slimme meid. Haar ontgaat niet veel.'

De drie priesters keken toe hoe Raffaella de bakkerij verliet, met Alberto vlak achter haar. Hij raakte haar arm even aan, legde toen een grote hand in haar taille en trok haar tegen zijn zachte lichaam. Hij klemde haar stevig tegen zich aan, gaf haar een kusje op beide wangen en mompelde kennelijk een paar meelevende woorden. Toen ze probeerde zich los te maken, hield hij haar tegen zich aan gedrukt. Alleen dankzij het feit dat zijn alerte vrouw in de deuropening kwam staan, liet Alberto haar los.

'Villa Rosa, we zijn het dus eens,' zei padre Simone moeizaam. 'Laten we het vandaag aan Carlotta vertellen en zorgen dat ze er zo snel mogelijk komt.'

6

Raffaella ruimde het eten op dat ze had gekocht: de appels in een schaal, de verse tomaten op de vensterbank en de zoute *pecorino*-kaas in een vetvrij papiertje op een hoge plank, naast een papieren zak vol glanzende, donkere kastanjes. Ze was van plan de kastanjes later te roosteren, als het donker was geworden. Het pellen en opeten zodra ze gloeiend heet uit de oven kwamen, kon de lege uren vullen die voor haar lagen tot het bedtijd was.

Maar eerst zou ze dunne plakjes kalfsvlees klaarmaken, gedoopt in ei en broodkruim en vlug gebakken in haar gietijzeren pan. Ze had vlees voor zichzelf gekocht, omdat haar vader altijd zei dat voedsel met bloed erin iemand kracht gaf. En zij was moe en ging gebukt onder alle niet-gehuilde tranen. En dus had ze kracht nodig.

Ze had nu trek en sneed een snee van het platte broodje dat ze bij de bakker had gekocht. Toen ze een hapje nam, herinnerde ze zich de graaiende handen van de bakker en zijn enorme armen die haar naar zich toe hadden getrokken. Ze rilde toen ze eraan terugdacht. De hele tijd dat ze door de stad had gelopen, had ze de ogen van de mannen op zich gevoeld, zelfs al had ze niet opgekeken.

Toen Marcello nog bij haar was, had hij haar beschermd tegen de blikken van andere mannen. En voordat ze getrouwd was, had haar moeder haar altijd bij zich in de buurt gehouden. Dit was de eerste keer dat ze het leven als alleenstaande vrouw had moeten trotseren. En ze voelde zich alleen en kwetsbaar.

Raffaella probeerde de tijd te vullen. Ze veegde de vloer, ook al had ze dat die ochtend nog gedaan en ook al had niemand behalve zijzelf door de kamers gelopen om ze weer vuil te maken. Ze herschikte de appels op de schaal en keerde de tomaten op de vensterbank zodat ze gelijkmatig zouden rijpen. Ze schudde de kastanjes uit de zak, maakte met een scherp mes een inkeping in hun glanzende jasje en legde ze in een enkele laag op een metalen rooster klaar om te roosteren. En toch was er nog maar een uur verstreken.

Ze verlangde ernaar de stem van iemand anders te horen en daarom liep ze de trap af naar de winkel beneden. Stefano en Angelica waren er en voerden veranderingen door in de winkel. Ze herschikten stapels linnen, wreven de houten panelen en de glazen ramen in de deuren op.

Angelica keek op. 'O, ben jij het.'

'Ik vroeg me af of jullie hulp nodig hebben.'

'Nee, nee.' Angelica schudde energiek haar hoofd, waardoor haar zwarte krullen dansten. 'Volgens mij kunnen Stefano en ik het wel alleen af.'

Raffaella kon zich niet beheersen. Ze duwde haar gezicht in een stapel linnen en ademde de vertrouwde geur diep in.

'Wat doe je nou!' Angelica klonk in paniek. 'Je moet je gezicht niet afvegen aan de stof!'

Raffaella keek glimlachend op. 'Doe niet zo gek. Ik veeg mijn gezicht niet af, maar ik ruik even aan deze stoffen. Kom maar, probeer het ook eens.'

'Nee, dat wil ik niet.'

'Waarom niet? Het is de lekkerste geur ter wereld. Net versgebakken *biscotti*, maar dan lekkerder.'

Tegen haar zin rook Angelica aarzelend aan de stof. 'Dat ruikt niet naar de *biscotti* zoals ik die bak,' zei ze kortaf en liep weg om de stapels stoffen – waarvan ze nu het gevoel had dat die van haar waren – op te vouwen en op te stapelen.

'Weet je zeker dat ik niets kan doen?' vroeg Raffaella nog eens.

'Nou,' zei Angelica langzaam, 'er is wel iets.'

'O ja?' Raffaella's stem klonk opgewekt en hoopvol.

'Je zou kunnen beginnen om je spullen boven in te pakken. Stefano en ik moeten nog heel veel doen om alles te regelen. Het zou veel gemakkelijker zijn als we boven de winkel zouden wonen.'

'Wás alles niet goed geregeld dan? Toen Marcello nog voor de winkel zorgde?'

'O, hij was een geweldige man, hoor,' zei Angelica snel. 'De beste. Maar hij was misschien niet zo'n goede zakenman. Mijn Stefano heeft allerlei schitterende ideeën.' Ze keek vol trots naar haar bebrilde echtgenoot. 'Volgens mij zal de winst binnen de kortste tijd verdubbelen.'

Raffaella streek met een hand over een stapel stof. 'Ik zal binnenkort beginnen te pakken,' beloofde ze.

'Ga je terug naar beneden, om bij je ouders te wonen?' vroeg Angelica opgewekt.

'Nee, dat denk ik niet.' Raffaella liep naar de trap en vlak voordat ze naar boven liep, zei ze achteloos: 'Ik heb een baan aangeboden gekregen. Ik zou wel gek zijn om dat aanbod af te slaan.'

Vandaag kon ze niet gaan pakken. Het was te vroeg om de restanten op te ruimen van het leven dat zij en Marcello samen hadden opgebouwd. En dus hing Raffaella haar mand weer aan haar arm en verliet het appartement nog een keer. Deze keer liep ze niet naar het marktplein, maar sloeg linksaf en liep de heuvel af naar haar ouderlijk huis.

Raffaella voelde dat de spieren in haar nek en haar schouders zich een beetje ontspanden toen ze het huis van haar ouders zag. Een magere poes en haar kittens verstopten zich in de buurt van de voordeur en wachtten tot haar teerhartige zusje Teresa naar buiten zou glippen om hen wat restjes toe te gooien. Ze verstopten zich in de schaduw toen Raffaella de stenen traptreden op liep en op het blauwe hout klopte.

'Ik ben het maar,' riep ze toen ze de deur had geopend. 'Hallo! Is er iemand thuis?'

'Raffaella, eindelijk!' riep haar moeder. 'Ik heb gewacht en gewacht tot je thuis zou komen. Kom in de keuken, arme meid, en ga lekker zitten. Dan zet ik een kopje koffie voor je.'

Anna pakte de koffiepot en begon er een piramide gemalen koffie in te scheppen. Raffaella liet zich op de bank vallen, leunde achterover tegen de stenen muur en zette haar mand op het marmeren tafelblad.

'Heb je iets van de markt voor me meegenomen?' vroeg Anna toen ze de mand zag. Ze trok hem naar zich toe en voelde erin. Raffaella zag de verbazing op haar gezicht toen ze er een groot, plat, in linnen verpakt pakje uithaalde.

'Wat is dit?' vroeg ze en wachtte niet op antwoord, maar begon het uit te pakken. 'Heb je dit meegenomen?'

Raffaella knikte, maar Anna keek niet naar haar. Ze staarde nog steeds naar de inhoud van het pakje.

'Je zult je wel beter voelen als je dit bij je hebt,' zei Anna zacht. 'Alsof je dicht bij hem bent. Alsof hij nog steeds bij je is.'

Raffaella voelde hete tranen achter haar ogen branden, maar het leek alsof ze toch niet kon huilen.

'Maar het is heel zwaar,' zei Anna. 'Waarom haal je hem ten minste niet uit die zware glazen lijst?'

Anna staarde naar de trouwfoto alsof het de eerste keer was dat ze hem zag. Toch moest ze hem het afgelopen jaar talloze keren hebben gezien, want hij had aan de muur gehangen van het appartement van haar dochter. Het was Raffaella's lievelingsfoto van haar man. De fotograaf had Marcello op drie encyclopedieën laten staan, zodat het leek alsof hij groter was dan zij. Misschien keek hij daarom wel zo plechtig. Of misschien vond hij het inwendig wel jammer dat hij de hele dag niet in de winkel was.

Maar als zij naar deze foto van hen beiden keek, zag ze niet Marcello's uitdrukking of het fijne borduursel op haar schitterende witte jurk, maar de pure, stralende liefde op haar gezicht. Wat was haar leven snel veranderd.

'Ik wil hem niet uit de lijst halen,' zei ze tegen haar moeder. 'Dan raakt hij misschien beschadigd. En trouwens, ik vind het prettig als ik het gewicht ervan in mijn mand kan voelen. Dan weet ik dat het er is.'

Anna's gedachten dwaalden snel naar een ander onderwerp, zoals zo vaak. 'Ga vandaag niet weer naar boven,' zei ze. 'Blijf hier bij ons. Blijf eten. Blijf hier vannacht slapen.'

Raffaella aarzelde. Ze wist niet zeker of ze al klaar was voor de intimiteit van het gezinsleven. Misschien wilde haar vader wel over Marcello praten en wilde haar moeder haar proberen te troosten. Ze dacht niet dat ze dat zou kunnen verdragen.

Ze pakte haar trouwfoto weer in de lap stof en borg hem op, uit het zicht, in haar mand. 'O, ik weet het niet, hoor,' zei ze aarzelend. 'Ik heb al avondeten in huis. Ik kan maar beter naar huis gaan.'

'Dat eten blijft wel goed, echt waar. Blijf hier en eet met ons mee. Wat ik ga klaarmaken is lekkerder dan wat jij wilde maken.'

'Wat ga je dan koken?' vroeg Raffaella. 'Mijn mand is leeg. Heb je wel genoeg eten in huis?'

Anna schonk nog een kopje koffie voor Raffaella in en nam een slok uit haar eigen kopje. Toen ze het op had, zei ze: 'De planken zijn een beetje leeg, maar dat is niet zo erg omdat, zoals je al zei, jouw mand helemaal leeg is. Dus kun je best naar boven lopen, je mand vullen met allemaal heerlijke dingen en op tijd weer terug zijn zodat ik het avondeten kan klaarmaken. Ik heb niet veel nodig. Alleen een beetje vlees, wat groente, een beetje knoflook, wat chilipepers… o, en een groot brood en misschien een paar eieren.'

'En een paar kastanjes. Ik heb zin in kastanjes.'

'Ja, kastanjes ook, als je daar zin in hebt.'

'Goed dan. Dan ga ik nu maar.'

Anna schudde haar hoofd. 'Nee, ga nu niet meteen. We hebben nog wel tijd om even te praten over de dingen die je in je eentje hebt gedaan na Marcello's begrafenis. We hebben ons zorgen om je gemaakt. Je zusje, Teresa, wilde steeds maar naar je toe, ook al zei ik dat ze dat niet moest doen.'

'Ik moest weten hoe het was om alleen te zijn.'

'En hoe was dat dan?'

Raffaella zweeg even. 'Het ergste zijn de ochtenden,' zei ze langzaam. ''s Nachts droom ik dat Marcello er nog steeds is en dan word ik wakker en herinner ik me dat hij voor altijd weg is. Dat is het moeilijkst.'

Anna raakte even haar arm aan. 'Het is nergens voor nodig dat je nog langer alleen bent, liefje. Kom toch gewoon thuis. Je broer zal wel helpen om je spullen naar beneden te brengen.'

'Nog niet,' antwoordde Raffaella. 'Het spijt me, maar ik ben er nog niet klaar voor om al naar huis te komen.'

'Goed hoor, dan blijf je nog wat langer, als je dat echt wilt tenminste. Maar wil je alsjeblieft één ding voor me doen?'

'Wat dan?'

'Huil, Raffaella,' zei haar moeder zacht. 'Ik kan de tranen in je ogen zien. Het is tijd dat je ze laat lopen.'

7

Raffaella had het gevoel alsof ze was gezuiverd. De huilbui die haar had overvallen, was nu voorbij, ook al waren haar ogen nog rood en had ze nog steeds een glimmende neus. Ze wist niet waarom het zolang had geduurd voordat ze zichzelf had toegestaan om te huilen, maar toen ze eenmaal was begonnen, had ze niet meer kunnen ophouden. Ze had het gevoel dat ze niet alleen om Marcello huilde, maar om alle verdrietige dingen die iedereen die ze kende waren overkomen. Uiteindelijk had haar moeder een glas ingeschonken van de zoete rode wijn die ze achter in het aanrechtkastje onder de gootsteen bewaarde.

'Dit is goede wijn. Maar vertel het niet aan je vader,' had Anna gezegd toen Raffaella een slokje nam.

Dankzij de zoete, sterke wijn voelde ze zich beter. En nu hield ze haar lege mand krampachtig vast terwijl ze de heuvel op liep naar de markt.

Het was alweer lang geleden sinds Raffaella de steile heuvel op was gelopen. Ze realiseerde zich dat haar conditie achteruit was gegaan sinds ze in Groot Triento woonde. Maar elke keer dat ze buiten adem raakte, kon ze even blijven staan en zich omdraaien om te genieten van het uitzicht dat steeds fraaier werd naarmate ze hoger kwam.

Toen ze nog niet eens halverwege was, kon ze de kustlijn al zien: de rotsen die de zee in tuimelden en de kiezelbaaitjes die ingeklemd lagen tussen de hoge kliffen. Er lagen eilandjes in de zee, met vervallen torens en zeemeeuwen die eromheen cirkelden. Vlak onder haar zag ze de terracotta daken van Klein Triento en daaronder de vissersboten, deinend op het water naast de snelle speedbootjes die werden gebruikt door de rijkere mensen uit Rome en Napels die hier 's zomers helemaal naartoe kwamen.

Raffaella zwoegde verder; ze verliet de weg en nam een kortere route via traptreden die waren uitgehakt in de rotsen achter de ommuurde tuinen van enkele van de grotere huizen. Boven haar hoofd hingen takken vol citroenen en vijgen, en dennenbomen torenden daar weer bovenuit. De schaduw was heerlijk, want de oktoberzon was nog steeds heet en ze voelde zich warm en plakkerig in haar lange zwarte rouwjurk.

Eindelijk stond ze weer op precies dezelfde plek als waar de priesters haar eerder die ochtend hadden aangesproken. Het stadhuis bevond zich achter haar; met zijn twee verdiepingen was het een van Triento's hoogste gebouwen. Voor haar was de fontein, een kring van glanzende bronzen vissen, met een naakte zeemeermin in het midden.

Op de *piazza* kwamen drie smalle straten uit. Aan de ene lagen winkels en cafés, de tweede liep naar de bergen en de derde naar beneden, naar de zee. Door de week stond de *piazza* vol marktkramen behangen met salami en dikke gele *caciocavallo*-kazen of volgeladen met seizoensproducten: gigantische pompoenen, roze met wit gespikkelde *borlotti*-bonen, zoete rode appels en de allerlaatste rijpe perziken.

Raffaella liep weer naar de markt en vulde haar mand met groene bonen, dunne strengen chilipepers en stronken broccoli. Ze liep snel langs de opgehangen varkenskoppen en hammen de slagerij binnen en kocht dunne plakken rood, vet vlees. Ze bewaarde de plek waar ze het meest tegenop zag voor het laatst: Alberto's bakkerij. Hij zat nu buiten en de vetrollen van zijn veel te dikke lichaam hingen over de zijkanten van de houten bank waarop hij het grootste deel van de dag doorbracht. Zodra zijn grote handen klaar waren met het kneden van het deeg en zijn broden gebakken waren en lagen af te koelen, vond Alberto dat hij klaar was met zijn werk. Hij liet het aan Silvana, zijn kleine vrouw die een mager gezicht had, over om de klanten te helpen, de platte bruine broden in papier te wikkelen en af te rekenen. Ondertussen zat hij in de zon te doezelen of zomaar wat voor zich uit te staren.

Raffaella zag dat Alberto's ogen nu gesloten waren en dat zijn borst op en neer ging, langzaam en intens. Ze sloop langs hem heen en probeerde hem niet te wekken.

Binnen zag ze dat Silvana met Patrizia Sesto stond te praten. Ze stonden over de toonbank gebogen, met hun hoofden vlak bij elkaar. Silvana was druk aan het fluisteren. De beide vrouwen draaiden zich om toen Raffaella binnenkwam en hielden meteen hun mond. Patrizia's bleke ronde gezicht werd rood en Silvana perste haar lippen op elkaar.

'*Buongiorno*,' zei Raffaella. Patrizia knikte alleen maar ten antwoord, greep haar mand met brood en verliet haastig de winkel.

Silvana beheerste zich en antwoordde: '*Buongiorno*, heb je het brood al op dat ik je vanochtend heb verkocht?'

'Ik heb nog een brood nodig, voor mijn moeder. Een grote deze keer.'

Silvana haalde haar schouders op en wikkelde het zware brood met een harde korst in glanzend wit papier.

Raffaella keek achterom door de winkelruit naar buiten. Ze zag dat Patrizia Sesto aan de overkant van de *piazza* met Beatrice Ferrando stond te praten. De beide vrouwen hielden hun mand tegen hun maag geklemd en praatten snel met elkaar, terwijl ze af en toe naar de bakkerij keken. Raffaella wist bijna zeker dat ze het over haar hadden.

Er was altijd wel iets om over te roddelen in Triento en ook al was ze niet erg geïnteresseerd in roddels, op een zeker moment kreeg ze ze toch wel te horen. Ze wist welke echtgenoot het slechte pad op leek te gaan, wiens kind zich had misdragen en wie men aardig vond en wie niet.

Ze had wel verwacht dat er zou worden geroddeld over de manier waarop Marcello was afgevallen en was overleden, maar niemand durfde dat hardop tegen haar te zeggen. In plaats daarvan deden ze het wel achter haar rug om, in de winkels en bij de voordeuren van Groot Triento, roddelend boven hun manden vol met eten of kleine kopjes espresso, mompelend achter hun hand. Raffaella kreeg een ziekmakend gevoel in haar maag als ze erover nadacht wat ze wel over haar zeiden.

Ze nam het brood aan van Silvana, klemde het tegen haar borst en verliet zonder nog iets te zeggen de winkel. De tranen brandden achter haar ogen en ze wilde snel naar huis, zodat ze op haar bed kon vallen om haar tranen de vrije loop te laten.

Silvana voelde zich een beetje schuldig toen ze Raffaella de winkel uit zag lopen. Ze vroeg zich af of het meisje iets had opgevangen. Vast niet, maar het was op het nippertje geweest.

Vanaf de bank buiten hoorde ze gestaag gesnurk. Haar echtgenoot, Alberto, sliep nooit zonder geluid te maken. Haar hele huwelijkse leven al sliep ze heel slecht. Hij snurkte als hij inademde en floot als hij uitademde. Geen wonder dat ze hem haatte.

Af en toe lag Silvana 's nachts wakker en fantaseerde erover hoe het zou zijn om zich naar hem over te buigen, met één hand zijn neus dicht te knijpen en met de andere zijn mond. Of ze droomde dat ze haar kussen op zijn gezicht legde en stevig aandrukte, tot ze alleen nog maar haar eigen ademhaling zou horen.

Hij maakte hetzelfde geluid als de varkens op de boerderij van haar vader, dacht ze boos. Had ze dat maar van hem geweten vóórdat ze waren getrouwd. Toen had ze nog kunnen kiezen, had ze nog een andere weg kunnen inslaan. Ze dacht terug aan een boerenzoon met stroblond haar die haar had gesmeekt van hem te gaan houden. Ze had hem afgewezen, omdat Alberto betere vooruitzichten leek te bieden: zijn familie had een comfortabel huis en de winkel in de stad, en bovendien zou een bakkersvrouw nooit honger hoeven te lijden.

Ze zag de boerenzoon nog regelmatig. Maar wat er over was van het stroblonde haar was nu grijs aan het worden en hij werkte niet op het land, maar op een kantoor in het stadhuis aan de andere kant van de *piazza*. Hij was nooit getrouwd en Silvana vroeg zich vaak af of hij altijd nog een beetje van haar hield. Ze was zelden in de gelegenheid met hem te praten, omdat ze de hele dag gevangenzat in de bakkerij en hij voldoende geld had om zijn huishoudster zijn boodschappen te laten doen. Toch zag ze hem altijd als hij naar zijn werk liep en weer terug naar huis, en dan verlangde ze ernaar de broden die nog niet waren verkocht in de steek te laten en achter hem aan te lopen over de *piazza*. Soms overwoog ze zo serieus om hem achterna te lopen dat ze schrok als er dan een klant binnenkwam en ze tot de ontdekking kwam dat ze nog altijd achter de toonbank stond.

Ze kon alleen maar in gedachten ontsnappen, want Alberto was altijd buiten de winkel met zijn bank als wachthuisje. En zelfs als hij sliep, meende Silvana zeker te weten dat hij wakker zou worden als ze langs hem heen probeerde te glippen.

Toen Marcello zo snel en stilletjes was overleden, was Silvana geschokt geweest. En toen zijn moeder haar in de winkel toefluisterde wat ze vermoedde, was ze geïntrigeerd geraakt. Ze was te zwak om tegen Alberto in te gaan en te slap om weg te lopen, maar ze had zich nog niet helemaal overgegeven. En nu dacht ze: als dat meisje het echt had gedaan – wat ze trouwens niet geloofde – misschien zou wat voor Raffaella had gewerkt ook wel voor haar werken.

De stem van een klant bracht Silvana terug naar de werkelijkheid.

'O, wat is het warm vandaag. Er zitten allemaal vliegen in de winkel, Silvana. Daar zou je iets aan moeten doen.'

Alba Russo stond voor de toonbank, zoals gebruikelijk met een afkeurende blik. Met haar kritische kijk op de wereld vond ze het leven zelden plezierig. Ze was een kleine vrouw die corpulent zou zijn geweest als ze zichzelf had toegestaan om van haar eten te genieten. Ze had altijd stijve krullen in haar zwarte haar doordat ze er elke dag rollers in deed. Ze droeg altijd schoenen met tien centimeter hoge hakken zodat ze altijd wankelend over de kinderkopjes van Triento liep.

Silvana slaagde erin iets terug te zeggen, ook al was ze mijlenver weg met haar gedachten. 'O, die vliegen. Ja, het is verschrikkelijk dit jaar. Maar ja, wat kun je eraan doen, hè?'

'Een opgerolde krant doet wonderen volgens mij,' zei Alba nors. 'Dat zou je eens moeten proberen.'

'Maar als ik er eentje doodsla, komen er nog meer naar binnen.'

'Je moet niet zo gemakkelijk opgeven, Silvana. Je zou ten minste kunnen proberen het aantal vliegen te verminderen. Het is niet hygiënisch als er zoveel vliegen om dat voedsel heen vliegen.'

Vlug begon Silvana over een ander onderwerp. 'Raad eens wie hier zonet was? Je schoondochter Raffaella was hier net. Ik had haar na de begrafenis nog niet gezien en nu kwam ze twee keer op een dag.'

'Ik ben blij dat ik haar ben misgelopen,' zei Alba. 'Ik heb er helemaal geen behoefte aan die meid te zien.'

'Misschien vergis je je, weet je.' Silvana kon zich niet inhouden.

'Misschien groeide er echt wel een tumor in zijn lichaam, zoals de artsen je hebben verteld.'

Alba leunde over de toonbank en siste zo hatelijk dat er kleine druppeltjes spuug uit haar mond kwamen en op Silvana's gezicht spatten. 'Een tumor?' herhaalde ze vol afkeer. 'Hij was jong, sterk en gezond, toen trouwde hij met haar en één jaar later lag hij in zijn graf. Kanker is een handig woord dat artsen gebruiken als ze te lui zijn om uit te zoeken waaraan iemand echt is overleden.'

'Maar je had toch wel met ze kunnen praten? Meer onderzoeken laten doen? Meer vragen kunnen stellen?'

'Ik héb met ze gepraat, Silvana, natuurlijk heb ik dat gedaan. Ik heb tientallen vragen gesteld. En ik heb ook met de politie gepraat. Iedereen vertelt hetzelfde verhaal en dezelfde smoesjes. Een tumor, zeggen ze, hij was helemaal verkankerd. Niemand gelooft dat die meid er iets mee te maken had. Maar ik herken de waarheid als ik haar zie. Ik ben een geduldige vrouw, Silvana, en ik vergeet niets. Ooit, als de tijd rijp is, zal ik ervoor zorgen dat Raffaella hiervoor boet. Ik zal mijn wraak wel krijgen.'

Alba's handen waren tot vuisten gebald en haar ogen waren zo wijd opengesperd dat ze bijna uit haar hoofd vielen. Silvana had bijna medelijden met Raffaella.

'Ja, maar als je nu eens ongelijk hebt?' durfde ze nog eens te vragen.

Alba snakte naar adem. 'Het spijt me, Silvana, ik dacht dat ik brood moest hebben,' snauwde ze. 'Maar ik realiseer me nu dat ik dat helemaal niet wil.' En ze draaide zich opeens om en liep de winkel uit.

Raffaella's tranen waren veranderd in woede. Hoe langer ze nadacht over het onderwerp van de roddels, des te bozer werd ze. De man van wie ze zielsveel had gehouden, was overleden en daarom hoorden de mensen aardig voor haar te zijn. In plaats daarvan fluisterden ze dingen achter haar rug. Ze liep met lange passen en ze versnelde haar pas om de afstand tussen haarzelf en de zee op te slorpen, blij dat ze Groot Triento achter zich kon laten.

'Mamma, ik ben thuis!' riep ze toen ze de vertrouwde blauwe deur opduwde en de zware mand op de grond zette. Voordat Anna haar met een onderzoekende blik kon aankijken om haar stemming te peilen, liep Raffaella naar de badkamer. 'Ik ben warm en plakkerig,' riep ze. 'Ik ga me even opfrissen.'

Ze spatte zeker vijf minuten lang koud water op haar gezicht en toen pas voelde ze haar woede wegtrekken. Ze bekeek zichzelf in de kleine vierkante spiegel boven de wastafel, haar door het koude water roze geworden wangen. Ze zag er kalmer uit dan ze zich voelde, hoewel haar ogen nog steeds rood waren van de huilbui van die middag.

'Raffaella! Wat ben je daar aan het doen? Kom met me praten!' De stem van haar moeder schalde door het huis.

'Heel even nog, ik kom eraan!' riep ze.

Anna had de mand met eten gevonden en was al in de keuken. Als ze kookte leek het wel alsof ze een schilderij maakte. Eerst maakte ze bergjes van de zorgvuldig gesneden ingrediënten en daarna mengde ze zelfverzekerd de kleuren en texturen. Soms, als ze tevreden was met het resultaat, bedekte ze de maaltijd met een theedoek die ze er vervolgens met een zwierig gebaar vanaf trok.

'Wat ga je maken?' Raffaella wist dat het geen zin had haar hulp aan te bieden, want haar moeder wilde altijd alleen koken. Ze bezwoer dat haar messen stomp en onbruikbaar werden als iemand anders ze zou gebruiken, dat het eten bedierf als iemand anders eraan zou komen en dat haar keuken zo klein was dat twee koks elkaar alleen maar voor de voeten zouden lopen. Als Raffaella wilde weten hoe je een gerecht moest maken, moest ze maar gewoon vanaf de bank toekijken en luisteren.

'Iets eenvoudigs,' antwoordde Anna. 'Eenvoudig, maar goed. Ik zal de bonen even blancheren, ze dan laten schrikken in koud water en er een dressing op doen van een scheutje citroensap, een beetje olijfolie en één of twee snufjes zeezout. De broccoli ga ik roerbakken met geplette chilipepertjes en knoflook, en het vlees is zo dun gesneden dat ik het alleen maar even in hete olijfolie hoef aan te braden en daarna zachtjes kan laten sudderen in een sausje van tomaten, kappertjes en een paar gepureerde ansjovisjes.'

'Ansjovis? En vader dan?'

49

'Over hem hoef je niet in te zitten. Hij proeft alleen de zoute smaak, niet de vis.'

Doordat hij zijn leven lang vis uit de zee had gehaald, had Raffaella's vader Tommaso een afkeer van het zachte visvlees. Hij haatte de zee en alles wat erin rondzwom, en die haat werd elk jaar groter. Omdat hij op een rots woonde die uit het water oprees, deed hij zijn best om – zodra hij een voet over de drempel zette – niet over het blauwe water uit te kijken. Elke stoel of bank waar hij ooit op zat, stond met de rug naar het raam zodat hij het huis in keek. En als iemand hem vroeg waarom, antwoordde Tommaso: 'Ik kijk de hele dag al naar de zee. Als ik thuis ben kijk ik liever naar mijn gezin.'

Als hij zijn zin had kunnen doordrijven, zouden de vensterluiken altijd gesloten zijn en niet alleen als het stormde. Maar Anna kon niet in het donker leven en dat had ze hem ook duidelijk gemaakt.

'Het is al erg genoeg dat je alleen maar vlees wilt eten. Elke dag vlees, vlees en nog meer vlees. Weet je wel hoe duur dat is? En ik moet elke dag die heuvel op om het te kopen! Waarom we niet gewoon kunnen eten wat jij vangt, zal ik wel nooit begrijpen.'

'Ik zie hun glazige ogen en ik zie ze doodgaan,' schreeuwde hij dan tegen haar. 'Daarna kan ik die lelijke krengen niet opeten!'

'Nou, de arme boer moet naar de ogen van het arme varken kijken waar het varkensvlees vandaan komt,' had ze hem geprobeerd uit te leggen, 'wat denk je daar dan van, hè?'

'Nou, dan moet ie mijn vis maar eten als hij dat zo erg vindt,' schreeuwde hij dan en ook al was hij niet erg groot, toch kwam die stem uit zijn tenen en dan moest Anna een paar stapjes achteruit zetten.

Haar geheime potje met zoute ansjovis stond helemaal achter in het aanrechtkastje, verstopt achter grotere potten met gedroogde bonen, flessen geconserveerde vruchten en vaten meel.

'Ansjovis, dat is eigenlijk geen echte vis,' zei ze kortaf tegen haar dochter. 'Dat verdient het niet om vis te worden genoemd.'

'Ja, maar hij komt er nog eens achter. Zal hij dan niet woedend worden?'

'Ik geef hem al meer dan twintig jaar ansjovis te eten en hij heeft het nooit gemerkt. Het smaakt heel lekker bij lamsvlees, is heerlijk bij pasta en brengt een saus tot leven, dus waarom zou ik het dan niet gebruiken?' antwoordde Anna. Opeens was er een lichtje in haar ogen dat Raffaella nooit eerder had gezien. Haar stem daalde tot een lage, vertrouwelijke toon. 'Soms, als ik me heel erg aan hem heb geërgerd, stop ik één of twee ansjovisjes in wat hij ook maar eet, ook al past het niet eens bij dat gerecht. En dan vind ik het extra leuk om toe te kijken als hij het opeet!'

'Mamma!' Raffaella was helemaal gechoqueerd.

'O, je moest eens weten hoe irritant een echtgenoot kan zijn!'

Raffaella zei niets en Anna sloeg haar hand voor haar mond. 'O, het spijt me, ik wilde niet... Ik vergat...'

'Het geeft niet, hoor. Iedereen kan niet altijd op zijn hoede zijn als ik in de buurt ben.'

Anna keek nog steeds hevig ontsteld.

'Weet je waardoor ik me een beetje beter zal voelen?' Raffaella probeerde te glimlachen.

'Waardoor dan?'

'Door een paar druppels van die zoete rode wijn die je in het aanrechtkastje onder de gootsteen bewaart.'

Anna rolde met haar ogen toen ze de wijn inschonk. 'Vertel je vader alsjeblieft niets over die ansjovis, want dan kom ik echt in de problemen.'

Hij was maar een klein mannetje, maar Tommaso Moretti had de uitstraling van iemand die twee keer zo groot was als hij. Het was altijd een schok als hij opsprong en je ontdekte dat zijn hoofd niet hoger reikte dan de schouders van zijn vrouw, omdat zijn persoonlijkheid het hele vertrek vulde. En ook al keek Anna fysiek wel op hem neer, toch gehoorzaamde ze hem vrijwel altijd.

Als Tommaso thuiskwam en aan de keukentafel ging zitten met zijn rug naar het raam, kwam Anna aansnellen met een sigaret, stopte die in zijn mond en stak hem aan. Tijdens elke maaltijd schepte ze hem op aan de eettafel en at haar eigen eten op bij het aanrecht. Pas daarna ruimde ze af en deed ze de vaat samen met een van haar dochters. Als ze al protesteerde tijdens een discussie met hem, gaf ze meestal heel snel toe zodra ze merkte dat hij dat niet van plan was.

Hij was haar man, hij ging elke dag de zee op en wierp zijn netten uit en dankzij de vis die hij ving, hadden ze geld. En Tommaso's netten zaten altijd boordevol vis. Zelfs als de andere mannen een teleurstellende vangst hadden, lag Tommaso's boot vol vissen met glazige ogen en zilveren schubben. Ook al bood Anna af en toe stilletjes verzet, toch was Tommaso een goede kostwinner en ze behandelde hem met het respect waarvan ze wist dat hij het verdiende.

Deze avond verzachtte zijn harde gezicht toen hij binnenkwam en zijn oudste dochter ontdekte.

'Je bent er eindelijk! We hebben ons zoveel zorgen gemaakt!' Hij omhelsde haar en gaf haar een kus.

'Je hoeft je nergens zorgen om te maken, hoor. Het gaat goed met me.'

'Maar nu ben je er,' zei hij tevreden. 'Heb je je spullen meegenomen? Ga je niet weer terug de heuvel op?'

Raffaella keek haar vader aan. Zijn zwarte haar stond stijf van het zout en zijn tanige kleine lichaam was gespierd door het ophalen van de netten. Ze begon te twijfelen: 'Nee, ik…'

'Ja, wat?'

'Ik heb mijn spullen daar gelaten. Ik ben alleen maar gekomen om mee te eten. Misschien blijf ik alleen vannacht wel hier, omdat ik niet bij maanlicht de heuvel op wil lopen.'

'Maar waarom dan?' Ze merkte dat hij zich begon op te winden en dat hij zich probeerde in te houden, net zoals ze zelf zo vaak moest doen. 'Waarom kom je niet thuis? Ik begrijp het niet.'

'Ik heb met de priesters gepraat,' zei ze snel. 'Ze hebben andere plannen met me.'

'Zo, wat dan wel?' vroeg hij, en haar moeder echode: 'Ja, wat voor plannen?'

'Nou.' Raffaella keek hen om beurten aan. 'Er staat een huis bij de kust waar ze iemand nodig hebben om het schoon en klaar te maken, en daarna hebben ze een kok nodig. En de priesters dachten dat ik misschien wel geschikt zou zijn.'

Anna keek Tommaso aan en hijgde: 'Villa Rosa!'

'Dat kan niet waar zijn.'

'Wat kan het anders zijn? Ik vertelde je toch wat Giuliana Biagio had gezegd? De priesters hebben dat pand gehuurd.'

'Maar het was allemaal nog niet zeker.' Tommaso was woedend. 'Ze kunnen dat toch niet doorzetten zolang we het er niet allemaal mee eens zijn!'

Raffaella had geen idee waar ze het over hadden en ze probeerde hen in de rede te vallen, maar ze negeerden haar.

'Toen we die vergadering verlieten, was er nog niets besloten,' herhaalde Tommaso, die steeds bozer werd. 'En nu dit. Ze gaan gewoon door zonder ons. Dat weiger ik te accepteren. Hoor je me?'

'Je moet niets overhaasts doen,' waarschuwde Anna. 'We weten niet zeker wat er aan de hand is. Misschien trekken we te snel allerlei conclusies.'

Raffaella begreep wel dat haar woorden de woede van haar ouders hadden opgewekt en ze probeerde hen weer in de rede te vallen, iets vastbeslotener deze keer. 'Luister, ik wijs die baan wel af als jullie er zo'n probleem mee hebben.'

'Nee!' Anna keek haar man opeens aan. 'Ze moet die baan aannemen. Ja toch?'

Tommaso knikte. 'Toe maar, neem hem maar aan,' zei hij, iets rustiger nu. 'Ga morgen maar met de priesters praten en zeg hun maar dat je die baan wilt. Je moeder heeft gelijk: we moeten niets overhaasts doen. En het kan alleen maar een voordeel zijn als we jou in Villa Rosa hebben zitten.'

Raffaella wist niet zeker wat hij bedoelde, maar ze wilde niet met hem in discussie gaan. Als haar vader dacht dat ze die baan maar beter kon aannemen, dan zou ze dat doen.

8

Raffaella's benen waren verstrengeld met de magere ledematen van haar zusje. Ze speelden hun oude spelletje: ze trokken een laken heen en weer en probeerden allebei het grootste stuk te bemachtigen.

'O nee, nu heb ik niks meer over me heen liggen,' klaagde Teresa. Ze gaf even een stevige ruk aan het laken. 'Ik vries nog dood als je me geen groter stuk geeft.'

'Onzin,' hijgde Raffaella. 'Hij ligt al helemaal over jou heen. Hij ligt aan jouw kant bijna op de vloer. Ik ben degene die dood zal vriezen.' En ze trok weer, rolde toen boven op het laken en klemde het vast, zodat Teresa het niet terug kon pakken.

Dit spelletje hadden ze hun hele leven al gespeeld in het bed dat ze samen deelden in het kamertje onder het dak helemaal boven in het huisje. Maar vanavond voelde het vreemd voor Raffaella om het zachte lichaam van haar zusje naast zich te voelen in plaats van het harde mannenlichaam waar ze in het jaar van haar huwelijk aan gewend was geraakt.

'Je komt vannacht toch niet tegen me aan liggen om me te kussen, wel?' Teresa giechelde en bleef tevergeefs aan het laken trekken.

'Nee,' antwoordde Raffaella kortaf.

'Je nestelt je toch niet helemaal tegen me aan om klef te gaan doen?' vroeg Teresa.

'Nee.' Raffaella draaide zich om en gaf een paar centimeter van het laken vrij. 'Zo, nu zul je het niet koud krijgen. Toch?'

Teresa was even stil en Raffaella dacht dat ze in slaap was gevallen. Maar toen hoorde ze haar ijle, hoge stemmetje weer. 'Raffaella?'

'Wat is er?' Ze zag heel erg op tegen een vraag over Marcello's dood of over haar huwelijk of, nog erger, over seks, want Teresa was nu vijftien en ongelooflijk nieuwsgierig.

In plaats daarvan vroeg haar zusje alleen maar: 'Waarom was papà vanavond in zo'n slechte bui?'

Raffaella dacht even na. 'Dat weet ik niet,' antwoordde ze. 'Het begon toen ik iets zei over die baan die me is aangeboden in een huis aan de kust. Ze raakten helemaal opgewonden en begonnen tegen elkaar te schreeuwen.'

'Willen ze niet dat je die baan aanneemt?'

'Ja, weet je, dat is nou zo gek. Toen ze ophielden met schreeuwen, zeiden ze dat ik die baan wel moest nemen. Maar ze hebben niet gezegd waarom.'

'Papà is nu al weken in een slechte bui,' zei Teresa.

'Heeft hij weinig gevangen?'

'Nee, volgens mij heeft dat er niets mee te maken. Maar ze houden altijd op met praten als ik binnenkom. Dat is ontzettend irritant.'

'Heeft Sergio een idee wat er aan de hand is?'

'Misschien wel, maar ik zie hem tegenwoordig bijna nooit, dus wie weet?'

Als hij niet samen met zijn vader op de vissersboot aan het werk was, ging hun broer Sergio altijd uren op stap met zijn vrienden om wie weet wat te doen. Teresa baalde ervan dat hij mocht komen en gaan wanneer hij wilde. Want zodoende was hij een vage figuur die soms 's avonds laat in de donkere keuken opdook met zijn hoofd boven een pan met een restje pasta. Ze was nog geen twee jaar jonger dan Sergio, maar toch werd zij continu in de gaten gehouden en mocht ze na zonsondergang zelden het huis uit.

'Sergio vertelt me tegenwoordig nog minder dan zij,' zei ze spijtig. 'Ik heb je echt gemist, Raffaella. Het is eenzaam hier zonder jou. Wil je niet thuiskomen?'

'Ze zeggen dat ik die baan moet nemen.'

'Maar wil je dat wel?'

Raffaella haalde in het donker haar schouders op. 'Waarom niet? Wat moet ik anders doen?'

'Kom naar huis. Blijf hier bij mij.' Teresa duwde het laken terug naar Raffaella. 'Het is hier verschrikkelijk als jij er niet bent.'

Raffaella voelde zich een beetje schuldig, maar werd ook ongeduldig. 'Dat weet ik wel, maar jij gaat binnenkort ook uit huis. Ergens is er een echtgenoot voor je en dan richt je samen met hem jullie huis in en wat gebeurt er dan met mij?'

'Dan ga jij met me mee, dat zeg ik toch steeds?' Teresa greep haar arm en klemde zich eraan vast. 'Ik heb geen goed gevoel over die baan die ze je hebben aangeboden. Echt niet.'

Raffaella glimlachte even. 'Ach, jij en je gevoelens.'

'Nee, echt waar.'

Raffaella liet toe dat haar zusje zich aan haar vastklampte. Toen Teresa haar hoofd op Raffaella's schouder legde, begon ze zachtjes haar haar te strelen omdat ze wist dat haar zusje dat wilde. 'Het komt echt wel goed, *cara*. Ik ben hier niet ver vandaan, aan de kust. Je kunt me altijd komen opzoeken als je zin hebt.'

'Ik heb er geen goed gevoel over,' herhaalde Teresa.

'Dat geeft niet. Ik heb geen keus. Ik moet die baan wel nemen. Dat begrijp je toch wel?'

9

Carlotta staarde door haar slaapkamerraam naar buiten. Het was het uur voordat de dag aanbreekt, voordat de eerste lichtstralen de lucht breken, als het lijkt alsof het nooit licht zal worden. Ze was vroeg wakker geworden, met een opgewonden gevoel. Dit voelde als het begin van iets dat het leven van hen allemaal zou veranderen. Ten goede of ten kwade, dat wist ze niet, maar voor Carlotta – wier leven in de tuin door het ritme van de seizoenen werd gedicteerd – was elke verandering positief. De seizoenen waren prachtig, maar monotoon. Elk jaar weer volgde de zomer na de lente en blies de winter met zijn koude adem de herfst weg. Elk seizoen had zijn eigen lange lijst met taken en daar zat niet veel verandering in. Maar het komende seizoen zou anders zijn en wat er ook gebeurde, Carlotta wist dat zij er deel van zou gaan uitmaken.

Zodra ze het eerste daglicht zag, glipte Carlotta het huis uit. Ze liep door de hoge poorten de ommuurde tuinen van Villa Rosa in. Ze liep bij het huis vandaan en via de uitgehouwen treden in de rotsen naar de woelige zee beneden. Soms was het water rustig genoeg om te zwemmen en dan kon Carlotta via de roestige ladder die aan de rotsen was bevestigd naar beneden klimmen. Maar ze zag wel dat de zee nu één kolkende massa was die zo'n kracht had, dat hij haar tegen de rotsen te pletter zou slaan. Ze kende zijn kracht en zelfs als de zee rustig was had ze niet genoeg lef om er zelfs maar een teen in te steken. Het was veiliger als ze van boven af naar de schuimkoppen op het water keek.

Alleen hier, bij de zee, kon ze haar gedachten de vrije loop laten. Hier had ze de luxe dat ze elke ochtend heel even haar eigen rustige gedachten kon denken. Als de tranen dan over haar wangen stroomden, kon ze net doen alsof dat het zout van het zeewater was. En als ze bad, dan wist ze zeker dat alleen God haar boven het geluid van de golven uit kon horen. Als er niet zoveel werk op haar lag te wachten, had ze hier wel uren kunnen blijven.

Ze voelde of de sleutel er nog was terwijl ze de trap weer op liep. Gerustgesteld voelde ze de harde vorm. Ze liep langs de terrastuinen waar de keurige rijen tomaten- en chilipeperplanten stonden en hield haar pas even in toen ze bij de granaatappelboom in het midden van de binnenplaats was gekomen. De oude boom was nog schever gaan hangen en zelfs de tweede stut die Umberto onder zijn takken had geplaatst, zou hem waarschijnlijk niet veel langer kunnen steunen.

Carlotta voelde zich opgewonden toen ze bij de voordeur van Villa Rosa was gekomen en haalde de sleutel uit haar zak. Het huis was jaren afgesloten geweest en ze had niet eerder een reden gehad om de deur open te maken. Ze kon zich amper herinneren hoe het er vanbinnen ook alweer uitzag. Nu ze de deur openduwde, rook ze als eerste de geur van verwaarlozing. Ze tuurde het donker in en voelde zich op een vreemde manier schuldig omdat ze over de drempel stapte.

'Hallo?' riep ze verlegen en voelde zich meteen belachelijk. Er was niemand binnen en ze had het recht om hier te zijn.

Carlotta gooide allereerst beneden alle luiken en ramen open. Daarna draaide ze zich om om de vertrekken die het licht had onthuld, te bekijken. De vloeren waren betegeld met witte plavuizen die zouden glanzen zodra ze waren ontdaan van de dikke laag stof. De gordijnen hadden de kleur van karamel en werden opgehouden met goudkleurige koorden. Er stonden stoelen met een hoge rug die er eerder voornaam dan gemakkelijk uitzagen. Aan de muren hingen schilderijen van bloemen in sierlijke lijsten en één hele muur was bedekt met een spiegel. Carlotta zag zichzelf erin weerspiegeld, maar wendde zich snel af van haar bleke gezichtje en magere schouders.

Ze liep snel naar boven en deed ondertussen de ramen open. De zeelucht kwam al binnenwaaien en verjoeg de muffe, bedompte geur die er al zo lang had gehangen. Op de verdieping waren drie slaapkamers; een ervan was groot en had een balkon dat uitkeek over de binnenplaats. De beide andere slaapkamers waren minder groots. Carlotta streek met een vinger over de ladekast en keek naar de stofvlokken in de hoeken. Iemand zou er veel werk aan hebben dit allemaal schoon te maken. Ze had de priesters verteld dat ze het zelf wel kon, maar zij hadden erop gestaan dat ze hulp zou krijgen.

'Carlotta? Waar ben je? Joehoe, Carlotta?' Haar vader wist dat ze vandaag van plan was het huis te ontsluiten, maar hij was het kennelijk vergeten. Alles wat niet direct met zijn tuin te maken had, bleef niet lang in zijn geheugen hangen.

Ze keek over het balkon en riep: 'Ik ben hierboven.'

Umberto keek verbaasd om zich heen. 'Waar?'

'In het huis,' voegde ze eraan toe en zwaaide om zijn aandacht te trekken.

Ze zag hem aarzelen bij de voordeur, net als zijzelf had gedaan.

'Het ziet er minder slecht uit dan ik had verwacht,' riep hij toen hij de trap op liep. 'Het had erger kunnen zijn.'

'Er moet heel wat worden gedaan,' zei Carlotta.

'Ach, dat valt wel mee,' antwoordde Umberto. 'Niet zoveel dat we dat meisje nodig hebben over wie de priesters het hadden.'

'Raffaella Moretti.'

'Ken je haar?'

'Niet echt.' Carlotta streek nadenkend over het matte blad van de kaptafel. 'Ze is jonger dan ik. Ik ken haar dus alleen maar van school. Maar ik had wel blind moeten zijn als ik haar niet door de stad had zien lopen. Ze is ongelooflijk knap.'

'Weet je nog meer over haar?'

Carlotta keek ongemakkelijk. 'Ik heb wat dingen gehoord.'

'Zoals?'

Carlotta aarzelde, ze schaamde zich dat ze naar zulke giftige praatjes had geluisterd. 'In de stad zeggen ze dat ze haar man heeft vermoord. Hij is vrij plotseling overleden en daar wordt hevig over geroddeld.'

Umberto trok zijn wenkbrauwen op. 'Dat is altijd zo.'

'Ja, maar…' Carlotta staarde met een bezorgde frons naar de zee en de horizon. 'Wat als er een grond van waarheid in zit? Als ze onbetrouwbaar is?'

'Ze is toch de dochter van Tommaso Moretti?'

Carlotta knikte.

'Nou, hij is een goede man. Waarom zou zijn dochter anders zijn?'

'Ik weet het niet. Ik maak me gewoon zorgen. Waarom zouden ze zoiets over haar vertellen als het niet een beetje waar was?'

Umberto's gezicht kreeg de koppige trek die zijn dochter zo goed kende. 'Oordeel niet over haar voordat je haar zelf hebt ontmoet. En zeg maar tegen de priesters dat ze kan komen. Misschien hebben we haar toch wel nodig.'

10

Vanaf waar ze zat, kon Raffaella een roze muur zien en een raam met geopende luiken. Boven haar hoofd klom een rode bougainville over een pergola en onder haar voeten lagen de afgevallen bloemen te verwelken op de terracotta tegels.

De tuinman, Umberto, had haar bij het hek opgewacht. Hij had een tandeloze mond en een door de zon roodbruin gekleurde huid, ondanks de schaduw van zijn vieze werkmanspet die op zijn hoofd gedrukt zat. Hij had nerveus van de ene voet op de andere staan wippen en verlegen iets tegen haar gemompeld.

'Wacht hier even,' had hij gezegd. 'Mijn dochter Carlotta komt zo bij je.'

Dat was nu een kwartier geleden en Carlotta was er nog steeds niet. Misschien liet ze haar wel expres wachten. Of misschien had ze het gewoon druk, was ze al aan het schoonmaken, daarboven in die kamer waarvan de luiken openstonden.

Omdat ze niets anders te doen had, keek Raffaella nieuwsgierig om zich heen. Dit was de mooiste tuin die ze ooit had gezien. Op een lager niveau dan het terras waar zij zat, stonden rijen bomen met hun takken zwaar van de vruchten. En voor haar, in het midden van de binnenplaats, stond één enkele granaatappelboom. Zijn stam hing scheef en zijn takken rustten vermoeid op twee ruw gesneden houten staken.

Hagedissen met een groene rug renden over het lage stenen muurtje dat er omheen stond en met een rukje van hun lange zwarte staart verdwenen ze in de scheuren en gaten van dat muurtje. Raffaella zat geconcentreerd naar ze te kijken toen ze een zachte stem hoorde.

'*Buongiorno.*'

Ze keek op en zag een mager, vreemd uitziend meisje. Haar gezicht was beschaduwd door de brede rand van de hoed die ze droeg.

'*Buongiorno.* Ik ben Raffaella.'

Het meisje knikte. 'Dat weet ik. Ik ken je nog van school en ik heb je wel eens in Triento boodschappen zien doen. Ik ben Carlotta Santoro.'

Raffaella probeerde zich dit onopvallende wezentje te herinneren, maar slaagde er niet in. 'Natuurlijk,' loog ze beleefd. 'Leuk je weer te zien.'

Carlotta knikte naar het tasje met kleren dat op de grond stond. 'Laat je spullen hier maar even staan,' zei ze, 'dan laat ik je Villa Rosa zien. Later halen we je tas wel op en dan breng ik je naar je kamer.'

'Slaap ik hier dan niet? In Villa Rosa?'

'Nee.' Carlotta keek ontdaan. 'Dat zou echt niet goed zijn. Je logeert bij mij en mijn vader in ons huis iets verderop en ik weet zeker dat je het daar prima naar je zin zult hebben. Kom nu mee, want we hebben geen tijd te verliezen.'

Carlotta liep snel weg en Raffaella liep vlug achter haar aan. Carlotta liet haar een badkamer zien die dringend een schoonmaakbeurt nodig had en een keuken die gepoetst moest worden. Er waren al stofdoeken, een mop en een emmer klaargezet.

'Ik ga de slaapkamers en de woonkamer schoonmaken,' zei Carlotta. 'De rest mag jij doen.'

'Is het de bedoeling dat ik nu begin?'

Carlotta knikte en wilde weggaan.

'Hoelang duurt het voordat de huurder aankomt?' vroeg Raffaella.

'Dat weet ik niet precies,' antwoordde Carlotta op een afgemeten toon die geen nieuwe vragen toeliet.

'En hoe heet degene die hier komt wonen?' drong Raffaella aan.

'Dat merk je gauw genoeg.' Carlotta draaide zich om en riep terwijl ze wegliep: 'Roep maar als je iets nodig hebt. Zo niet, dan kom ik je straks wel halen.'

Raffaella keek naar de mop en de emmer en zuchtte. Die middag zou het warm worden en ze moest hard werken. Heel even wenste ze dat ze weer in haar opgeruimde appartement boven de linnenwinkel was, maar dat was afgesloten. Er was geen ontsnappen aan de dikke lagen viezigheid die het gevolg waren van jarenlange verwaarlozing. Terwijl ze de emmer vulde, vroeg ze zich af waar ze zou beginnen.

De huid op Raffaella's handen voelde al helemaal ruw en droog aan en het begon nu pas tot haar door te dringen hoeveel werk er moest worden verzet. Ze vond steeds meer viezigheid, elke keer als ze een kastje opende of een lade opentrok. Waar kwam al dat stof vandaan? Rolde het onder de deuren door en kroop het door de gaten in de kozijnen op zoek naar een plekje om bij elkaar te gaan liggen? Het stof had de wijnglazen zo wazig gemaakt dat ze die zou moeten afwassen en opwrijven; het had zich verzameld op de schalen en borden die op de planken stonden en zich verstopt in alle hoeken en op hooggelegen plekjes.

Er waren ergere dingen dan stof, merkte ze toen ze de oven opendeed: aangebakken vet en verschrompelde etensrestjes van maaltijden van lang geleden. Degene die de laatste keer had gekookt, was geen goede huishoudster. Raffaella nam zich voor dat zij dat beter zou doen zodra ze deze keuken zelf ging gebruiken.

Terwijl ze het aangekoekte vet uit de oven schraapte, vroeg ze zich af wie het eten zou opeten dat zij in deze grote ruime keuken zou bereiden. De priesters hadden haar vragen ontweken en Carlotta wilde ook al niets kwijt. Deze geheimzinnigheid leek een beetje belachelijk, want vroeg of laat zou het hele stadje weten wie hier woonde en trouwens, wat maakte het uit? Raffaella vroeg zich af wat Marcello van dit mysterie zou denken. Ze zouden hier waarschijnlijk over hebben gepraat terwijl zij zijn eten klaarmaakte en hij een *aperitivo* zat te drinken. Toen realiseerde ze zich met een schok dat de wereld zonder hem gewoon doordraaide.

Ze staarde naar de vettige troep op haar handen. Die zouden al snel rood en ruw zijn. Haar armen zouden pijn doen van het boenen en haar benen van het knielen op de grond. Raffaella liet even toe dat ze zich verdrietig voelde. Dit was haar leven niet. Dit was nooit de bedoeling geweest.

Toen wreef ze even met haar kin langs haar schouder, doopte het schuursponsje in het schone water en begon nog harder dan eerst te boenen.

De oven glansde vanbinnen en vanbuiten toen ze opkeek en zag dat Carlotta in de deuropening naar haar stond te kijken.

'O, hoelang sta je daar al?' Raffaella was geschrokken. 'Ik heb je niet horen aankomen.'

Er gleed een glimlachje over Carlotta's gezicht. 'Sorry, heb ik je laten schrikken? Ik stond me af te vragen of ik je zou storen of niet. Je was zo druk bezig.'

'Hoe is het hier in vredesnaam zo'n smeerboel geworden? De oven was walgelijk. Het lijkt wel alsof er al eeuwen niemand is geweest.'

'Dat is ook zo. Villa Rosa is een zomerhuis en de mensen van wie het is, wonen in het noorden. Vroeger waren ze hier altijd in de maand augustus. Maar ze zijn nu al jaren niet meer geweest.'

'Waarom niet? Het is prachtig. Als het van mij was, zou ik hier altijd wonen.'

Carlotta zag er vermoeid uit. 'De Barbieri's zijn rijk. Ze hebben nog meer prachtige huizen op andere plaatsen. Ik neem dus aan dat ze daar 's zomers liever zijn.'

'Waarom verkopen ze Villa Rosa dan niet?' drong Raffaella aan.

'Dat weet ik niet.'

'Misschien denken ze dat ze hier nog wel een keer een zomer willen doorbrengen.'

'Dat denk ik niet. Ze komen echt niet terug.' Carlotta klonk heel zeker van haar zaak.

Raffaella stond op en rekte zich uit. 'Heb ik het goed gedaan?' vroeg ze en knikte naar de oven.

Deze keer glimlachte Carlotta echt en leek nu bijna knap. 'Ja, je hebt het echt heel goed gedaan. Zodra ik alle gordijnen heb gewassen, ben ik klaar met mijn kamers en kan ik je komen helpen.'

'Dat zou fijn zijn.'

Carlotta bleef even in de deuropening staan. 'De huurder voor wie we dit allemaal schoonmaken, is een man,' zei ze helemaal uit zichzelf. 'Een Amerikaan. Hij zal hier zeker een paar maanden wonen en volgens de priesters komt hij over twee weken.'

11

Anna vond de klim heuvelopwaarts verschrikkelijk. Ze hield niet van de pijnlijke spieren in haar kuiten en van het gevoel dat haar longen om lucht vochten. Bovendien werd óf de helling steiler óf zij ouder en trager, want vandaag leek het wel alsof de klim uren duurde.

Terwijl ze naar boven zwoegde, stond ze zichzelf toe onvriendelijke dingen te denken over de andere vissersvrouwen – Giuliana Biagio, Beatrice Ferrando, Patrizia Sesto en de anderen – absoluut nutteloos, allemaal. O, ze waren wel heel aardig geweest hoor, door zoals altijd vlees, groenten en fruit van de markt voor haar mee te nemen. Maar als het om de andere lekkernijen ging waar Anna zo'n behoefte aan had, dan lieten ze haar in de kou staan.

'Wat gebeurt er? Waarover wordt er geroddeld?' had ze hun de afgelopen week elke dag gevraagd. En ze hadden hun schouders opgehaald of iets gemompeld en hun meest nietszeggende gezicht getrokken.

Anna wist wat dat betekende. Wat het onderwerp van de roddels bij de marktkramen in Triento ook was, het moest iets te maken hebben met haarzelf of met haar familie. Ze had geen idee wat de roddel inhield, maar alleen dat het zo ernstig was dat geen van de andere vrouwen de moed had het voor haar mee naar beneden te brengen.

'Dan moet ik zelf maar gaan,' had ze de vorige avond tegen Tommaso gezegd. 'Met mijn eigen oren horen waar ze over praten.'

Hij had gelachen. 'Weet je het zeker, lieverd? Kun je Patrizia niet zo bang maken of zo aardig doen tegen Giuliana dat ze het je vertelt? Is het echt wel de moeite waard om zelf naar boven te gaan?'

'Het zal wel moeten, want ik kan geen woord uit hen krijgen. God mag weten wat ze daar allemaal over ons vertellen, maar niemand heeft het lef om het me te zeggen.'

'Ik vraag me af,' had Tommaso peinzend gezegd, 'wat het is.'

'O, iets over Raffaella neem ik aan. Wat zou het anders moeten zijn?'

'Of anders iets over de nieuwe huurder van Villa Rosa?'

Anna had gefronst. 'Als het over Villa Rosa zou gaan, dan zouden ze het me toch zo snel mogelijk hebben verteld? Maar nu je het zegt, dat geeft me nog een reden om morgen zelf naar de markt te gaan. Als er nieuws is over Villa Rosa, dan wil ik het wel graag horen.'

Enkele priesters stonden bij elkaar op het pad toen Anna de laatste treden naar de *piazza* beklom. Ze draaiden haar hun rug toe zodra ze haar zagen en vouwden hun donkere gewaden om zich heen en begonnen te fluisteren. Anna keek heel even opzij maar liep door, langs de marktkraampjes naar de zoete geuren van de bakkerij.

Alberto hing zoals altijd op zijn bank buiten de winkel. Hij deed één oog halfopen en deed het meteen weer dicht toen hij zag dat zij het was. Maar Silvana, klem achter de toonbank, kon haar niet zo gemakkelijk ontwijken.

'Ah, *buongiorno*.' Anna snoof de geuren op. 'Wat heb je vandaag voor me, Silvana?'

'O, de gewone dingen.' De bakkersvrouw haalde haar schouders op. 'Waarom kom je zelf naar de stad trouwens? Ik heb je al een hele tijd niet gezien.'

'Zo lang is het toch niet geleden? Ik was hier een paar dagen geleden toch nog?'

'Nee hoor, dat is al langer geleden,' zei Silvana. 'Volgens mij heb ik je sinds Marcello's begrafenis niet meer gezien.'

'Ach ja, die arme Marcello,' zei Anna moeizaam. 'En arme Raffaella ook.'

'Zo jong, zo triest,' mompelde Silvana instemmend, maar haar ogen leken Anna's blik te ontwijken en ongemakkelijk een andere kant op te dwalen.

Anna ging op de kruk zitten die Silvana naast de toonbank had staan voor de vaste klanten die een praatje wilden maken. Op een rustige middag kon een bijzonder praatlustige klant wel twintig minuten blijven plakken met de laatste nieuwtjes. Die kneedden ze dan, net zoals Alberto het deeg elke ochtend bleef kneden, duwden ze in vorm en bekeken het resultaat vanuit elke hoek. In dit kleine winkeltje werden roddels net zo in de gewenste vorm gedrukt als het brood. En als een intrigerende roddel de ronde deed of als er een nieuwtje rondging, dan werden de mannen door hun vrouw aangemoedigd om nóg een stuk van het harde, goudkleurige brood in de bonensoep te dopen, zodat ze een goede reden had weer naar de bakkerij te gaan om een nieuw brood te kopen.

'Ach, dat is beter… mijn arme voeten… die stomme heuvel ook,' mopperde Anna toen ze op de harde kruk ging zitten. Toen vroeg ze opgewekt: 'En, zijn er nog nieuwtjes?'

'Hè?' Silvana keek geschrokken.

'Welke roddels gaan er rond?'

Silvana haalde haar schouders op.

'Toe nou, er moet iets gebeurd zijn. Iedereen moet het toch over iemand hebben.'

Silvana schudde haar hoofd. 'Het is heel rustig geweest. Ik kan niets bedenken wat je graag zou willen weten.'

'Geen roddels?'

'Nee.'

'Geen enkele roddel?' vroeg Anna ongelovig. 'Waar heb je dan de hele dag over gepraat?'

Silvana schoof met zenuwachtige, met bloem bestoven handen een paar broden heen en weer op de planken. 'Niets speciaals.'

Anna keek haar ongelovig aan.

'Echt waar, het is hier heel rustig de laatste tijd…' Silvana's stem stierf weg en staarde naar de deur van de winkel alsof ze hoopte dat er iemand binnen zou komen. Er verscheen opeens een slimme blik op haar gezicht toen ze bedacht dat ze de rollen zou kunnen omdraaien. 'Hoezo, wat heb je dan gehoord?'

'Ik maak me juist zorgen over wat ik niet heb gehoord,' mompelde Anna.

'Hè? Wat bedoel je?'

Anna schudde haar hoofd. 'Laat maar,' zei ze. 'Geef me maar een van die grote broden en pak het goed in. Ik moet het die verdomde heuvel weer af dragen.'

'Je gaat dus niet naar Villa Rosa?' Silvana keek nog steeds verlegen.

'Nee, natuurlijk niet.'

'En hoe bevalt het Raffaella daar? Ik hoorde dat ze is aangenomen om voor het huis te zorgen.'

Anna knikte. 'Ja, dat klopt.'

'De huurder op wie ze allemaal zitten te wachten, komt al binnenkort, neem ik aan?'

Anna zei niets en Silvana voelde zich gedwongen de stilte nog een keer te verbreken.

'Wat heeft je dochter je verteld?' vroeg ze zacht. 'Over die huurder?'

'Niets. Mijn Raffaella is niet zo'n kletser.'

'Je weet toch zeker wel iets!'

Anna pakte het ingepakte brood uit Silvana's uitgestrekte hand. 'Ik weet maar één ding,' zei ze zacht. 'Als deze geheimzinnige huurder iets met de priesters te maken heeft en met hun belachelijke plan voor het standbeeld, dan komen er problemen.'

'Het standbeeld?'

'Ja, Silvana, het standbeeld.'

De bakkersvrouw staarde met een lege blik door het raam naar de berg. 'Ik weet helemaal niets over het standbeeld,' zei ze toonloos.

'Dat kan wel kloppen, want tijdens die vergadering is er immers niets besloten,' zei Anna beslist. 'Toen Tommaso en de andere mannen vertrokken, was er geen besluit genomen. En de priesters hebben zonder hen natuurlijk geen beslissing genomen. Nee toch?'

'Wie weet?' Silvana nam een paar munten van Anna aan en stopte ze in de lade van de kassa. 'Ik neem aan dat als er besluiten moesten worden genomen, de mensen die de moeite namen om te blijven, dat wel hebben gedaan.'

'Dus ze gaan ermee door?' Anna's stem was vast en laag. 'Ze zetten dat standbeeld op de berg, met of zonder onze toestemming? Is dat wat je zegt?'

'O, lieve help!' Silvana smeet de la van de kassa dicht. 'Vraag dat maar aan iemand anders. Aan een van de priesters of zo, die weten het vast wel. Maar ik kan je niet helpen, echt niet. Ik heb wel wat anders te doen dan hier de hele dag over standbeelden staan te kletsen!'

Anna beende de winkel uit met het brood onder haar arm en probeerde haar ergernis te bedwingen. Ze had niet moeten verwachten dat Silvana haar iets zou vertellen. Ze was altijd al een doortrapte vrouw geweest. Soms stroomden de roddels sneller haar mond uit dan het water uit de fontein op de *piazza*. Maar Silvana wist heel goed wanneer ze haar mond moest houden. En als ze had besloten niets te zeggen, dan kon niets en niemand haar overhalen.

Onderweg keek Anna omhoog naar de berg die Groot Triento het grootste deel van de ochtend tegen de zon beschermde. De berg was steil en had een scherpe spits, zoals een berg op een kindertekening. Heel lang geleden had Triento helemaal boven op de spits gelegen, veilig voor bandieten en dieven. Maar in vrediger tijden hadden de inwoners nieuwe huizen gebouwd in de dalen en op de lage uitlopers van de berg. Ze hadden de hutjes van de geitenhoeders verlaten zodat het ruïnes waren geworden en er nog slechts restjes overeind stonden: een stukje van een stenen muur, een opening waar vroeger een deur had gezeten, de zwart geworden stenen van de haard.

Niemand ging tegenwoordig ooit nog naar boven, want daar was geen reden voor. Maar er stonden nog altijd een paar boerderijen tegen de berg aan en er was een openluchtkapel waar padre Pietro 's zomers nog wel eens een mis opdroeg. Afgelopen juni had hij het op een dag in zijn hoofd gehaald het steile pad te beklimmen en tussen de ruïnes van Oud Triento door naar de bergtop te lopen om te genieten van het grandioze uitzicht op de kustlijn waar God hen mee had gezegend.

Hij was op dat idee gekomen terwijl hij in de zon en in de wind had staan peinzen over de eenzaamheid van deze verlaten plaats, dichter bij de hemel dan bij de zee. Ze zouden hier iets moeten bouwen, bedacht hij, ter meerdere glorie van God. Maar geen kerk, want daar stonden er beneden al genoeg van, met hun torens naar de hemel gericht. Hij kon zijn eigen eenvoudige kerkje zien, Santo Spirito, ingeklemd in het centrum van Triento. Het was al moeilijk genoeg om voldoende kerkgangers te vinden om de banken te vullen, zelfs als het druk was op straat. Een kerk die op deze geïsoleerde plek hier helemaal boven zou worden gebouwd, zou zeker leeg blijven. Dat zou geen zin hebben.

Later die dag had hij zijn ideeën verteld aan Alba Russo. Ze dronken een kopje koffie in het kleine café op de hoek, vlak bij zijn kerk. Ze was daar aan het einde van de ochtend vaak te vinden. Dan eiste ze dat haar koffie snel werd geserveerd met een apart kannetje opgeschuimde melk en gluurde ze naar het gebak in de vitrine die tegen een van de muren stond, maar waar ze nooit iets van nam omdat ze, zoals ze niet moe werd te benadrukken, liever slank bleef.

Padre Pietro luisterde altijd als Alba opschepte over hoe goed haar familie was in de linnenbranche of, zoals tegenwoordig, klaagde over het overlijden van haar oudste zoon Marcello. Hij luisterde geduldig, omdat iemand naar haar gefluisterde verdachtmakingen moest luisteren en hij dat maar beter kon zijn omdat hij altijd van Raffaella had gehouden in plaats van iemand die het slechtste van haar wilde geloven.

Maar die ochtend, voordat Alba hem in een hoekje kon duwen en haar stem tot een dringend gefluister kon laten dalen, begon padre Pietro te praten. Hij vertelde haar over zijn klim naar Oud Triento en zijn overtuiging dat er iets moest worden gebouwd op die ongebruikte grond daar.

'Maar wat?' vroeg hij haar. 'Als het geen kerk moet zijn, wat dan wel?'

'Nou, dat lijkt me wel duidelijk,' zei Alba beslist. 'Een standbeeld, dat moet je er neerzetten. Een groot, zuiver wit standbeeld van Jezus Christus dat je kilometers verderop kunt zien, vanaf het land en vanaf de zee, zoals dat beeld dat in Rio de Janeiro staat. Daar heb je vast wel foto's van gezien.'

Padre Pietro keek twijfelend. 'Ja, dat is zo. Maar weet je, Rio is een enorme stad en Triento maar een dorp. Zo'n project zou veel te groot voor ons zijn.'

'Ik zou niet weten waarom. We hebben al dat geld nog dat *signor* Bertoli de stad heeft nagelaten, weet je nog? Arme man zonder familie, geen goede jonge zonen zoals de mijne om zijn nalatenschap voort te zetten. Zou het niet geweldig zijn om uit zijn naam een standbeeld te laten plaatsen zodat Triento hem nooit zal vergeten?'

'Ik weet het niet.' Padre Pietro twijfelde. 'Het is te ambitieus, te groots... en veel te duur. Het is een prachtige droom, maar ik weet wel zeker dat iets wat we op die berg zouden bouwen veel meer kost dan het geld dat *signor* Bertoli ons heeft nagelaten.'

'Geld?' Alba roffelde op de bar voor meer koffie. 'Tja, als dat het probleem is, dan zal mijn familie zeker meer geld doneren. En als wij dat doen, zullen de andere kooplieden het ook doen. En de vissers zouden hun deel ook moeten leveren. Binnen de kortste keren heb je geld genoeg.'

En zo was het begonnen. Toen het plan van mond tot mond was gegaan, hadden de priesters hun kans gegrepen en besloten dat het, met Gods hulp en wat meer geld, mogelijk was. Maar Tommaso en de andere vissers waren er tegenin gegaan. Hij zag niet in waarom zij geld in de collectebus moesten stoppen. Gaven ze elke zondag al niet meer dan genoeg geld? Het weinige geld dat zij bezaten, verdienden ze met veel moeite door in weer en wind stinkende vis uit de zee op te halen. Het was gemakkelijk voor de kooplieden, warm, veilig en droog in hun winkel, om hun geld in de collectebus van de kerk te stoppen.

'Je kunt niet van ons verwachten dat we nog meer geven,' had hij geklaagd tijdens de algemene vergadering die op de *piazza* was gehouden. 'Elke dag riskeren we ons leven en we verdienen lang niet zoveel als jullie. Dat is toch zo, jongens?'

'Dat is zo, dat is zo,' hadden de andere vissers beaamd.

'Gebruik dat geld van die arme Bertoli in vredesnaam voor iets nuttigs,' had Tommaso verder gezegd. 'Wat denk je van een nieuw schoolgebouw in plaats van dat vochtige pand waar onze kinderen de halve dag in doorbrengen? Dat is een veel beter idee. Een standbeeld is toch belachelijk. We hebben helemaal geen standbeeld nodig – vooral niet als het meer geld moet kosten dan we hebben. Dat is volstrekte onzin. Waanzin.'

De scherpe elleboog van zijn vrouw Alba had ervoor gezorgd dat Roberto Russo opstond. 'Wacht eens even,' had hij gezegd. 'Dat standbeeld zal voor ons allemaal zijn, een teken van onze vroomheid, een glorieuze manier om God te danken voor Zijn goedheid.'

'Een dure manier,' had Tommaso gemopperd en de andere vissers hadden gelachen.

Maar Roberto genoot van zijn moment en liet zich niet van de wijs brengen door die interruptie. 'Dat standbeeld zal over de zee uitkijken, met een gestrekte arm, en jou en alle vissers beschermen zolang het er zal staan. Eigenlijk zouden jullie meer moeten bijdragen dan wij, want jullie profiteren het meest van de grote zegeningen van dat standbeeld.'

Tommaso sprong woedend overeind. 'Hou op met die onzin, Russo,' donderde hij. 'Er zal helemaal geen sprake zijn van zegeningen. Zo'n ding is niet meer dan een brok steen op een berg en dan ook nog eens een duur brok steen. Het zal alleen maar een bewijs zijn van jullie arrogantie, van jullie eigendunk en van jullie belachelijk opgeblazen trots. En wij gaan er niet aan meebetalen, dat kan ik je wel vertellen. Geen cent.'

Toen waren de andere vissers ook opgestaan en hadden de stadsmensen hun rug toe gedraaid. Daarna waren ze naar buiten gestormd, de heuvel naar Klein Triento af, naar hun vrouw en het gezonde verstand in hun keuken. Daar bespraken ze de vergadering en overdreven hun eigen aandeel erin, tot diep in de nacht.

Padre Pietro had na hun vertrek gesproken. 'Misschien heeft Tommaso Moretti wel gelijk,' had hij gezegd met de gebruikelijke verdrietige lijnen in zijn gezicht. 'Het was een prachtige droom, maar de prijs is te hoog als het ons stadje verdeelt.'

'We zijn toch al verdeeld?' vroeg Alberto, de bakker. 'Zij zijn daar beneden waar de vissen zijn en wij zijn hier boven, dichter bij God. Wie interesseert zich trouwens voor hen? We zouden het standbeeld moeten doorzetten, met of zonder hen.'

Padre Pietro had ertegen in willen gaan, maar hij kon niet boven het geschreeuw uit komen. Alleen Roberto Russo's dreunende stem kwam erbovenuit.

'Laat het standbeeld naar het land kijken,' beval hij. 'Hij moet met zijn rug naar de zee toe staan en nooit een blik op een visser werpen.'

'Ja, goed idee,' had Alberto gezegd. 'Als zij niet willen meebetalen, dan kunnen ze allemaal de pot op. Laat het standbeeld hen negeren, precies zoals Russo zegt.'

En dus waren de priesters stilletjes doorgegaan met hun plan, hadden meer geld opgehaald en waren op zoek gegaan naar mensen die hun konden vertellen hoe ze het beste een standbeeld op een berg konden plaatsen. Roberto Russo had contact opgenomen met zijn neef in Amerika, die in de bouw zat en de juiste mensen kende. Er waren namen genoemd, mensen waren aanbevolen en ten slotte was er iemand ingehuurd. In het geheim hadden de priesters stiekem het beste huis in de omgeving gehuurd, Villa Rosa, om de projectmanager die ze hadden gevonden te huisvesten. Vervolgens hadden ze Raffaella aangenomen om voor hem te koken en het huishouden te doen. En onder aan de heuvel in Klein Triento, nadat ze allerlei geruchten hadden gehoord, vroegen de vissers en hun vrouwen zich af wat er nu precies aan de hand was.

'Waarom maken wij ons er druk over?' vroeg Anna later die avond. 'Als het geld niet uit onze zak komt, dan mogen ze wat mij betreft op elke Italiaanse berg een standbeeld plaatsen.'

'Het is een principekwestie,' zei Tommaso. 'We zijn al vanaf het begin tegen dat standbeeld en wij hebben net zoveel recht als ieder ander om te worden gehoord. Maar nee, Russo en de priesters vinden dat wij niet meetellen.'

'Wat ben je van plan te gaan doen?'

Tommaso keek door het keukenraam naar buiten, zag de zee en fronste. 'Ik weet het niet,' zei hij en draaide zijn rug naar het grote blauwe oppervlak. 'Maar ik heb het gevoel dat ik wel iets moet doen.'

12

Er stond altijd wel een kerkdeur open voor de inwoners van Triento. Ze konden op vrijwel elk moment van de dag bidden. Zeven priesters betekende zeven missen om naar te luisteren, zeven biechthokjes waar zonden konden worden opgebiecht en gereinigd, zeven naar wierook ruikende zalen met banken waar de gelovigen op konden zitten en houten planken waar ze op konden knielen om te bidden.

Maar deze middag werd er niet gebeden in Triento, en de deuren van alle zeven kerken waren stevig dichtgetrokken. Zondaars die een priester nodig hadden om hun zonden op te biechten, moesten het smalle steegje inslaan naar een donker restaurant dat verstopt was op een binnenplaats achter de *piazza*. Daar lag een oude gele hond met een overbeet in de enige baan zonlicht en zeven mannen in donkere gewaden zaten in de schaduw aan tegen elkaar geschoven tafels die waren bedekt met een rood-wit geblokt tafelkleed.

De Gypsy Tearoom bestond al zolang men zich kon herinneren. Niemand wist hoe het restaurant aan zijn naam was gekomen, want er was nog nooit thee geserveerd en het was nooit door een zigeuner geleid. Niet dat iemand dat iets kon schelen. Het enige wat erop aan kwam was dat de eigenaar, Ciro Ricci, de lekkerste pizza maakte die je ooit had geproefd.

Toen ze rondom de tafel gingen zitten, werden de priesters afgeleid door de gedachte aan de draderige mozzarella die in hun mond zou smelten, de smaak van tomaat en basilicum op hun tong en het knapperige geluid als ze een hap namen van de dunne bodem die op een houtvuur was gebakken. Voordat hun maag was gevuld en ze ontspannen achterover konden leunen met een glas rode huiswijn of een kop sterke koffie, zou geen van hen zijn volle aandacht aan de onderhavige zaak kunnen wijden.

Nu praatten ze er op een onsamenhangende manier over, terwijl ze met de papieren servetjes friemelden en met hun wijnglas speelden.

'Ik vind nog steeds dat we het hele stadje achter ons moeten hebben voordat we dit willen proberen,' zei padre Pietro. Zijn vriendelijke gezicht stond bezorgd.

'Zodra de bouw begint, zullen ze ook wel enthousiast worden. Echt waar,' reageerde de knappe padre Matteo.

'Maar kunnen we daar wel van op aan?' vroeg padre Pietro. 'Weten we wel zeker dat we hiermee door willen gaan? Het is nog niet te laat om van gedachten te veranderen. Maar als we nu doorzetten, zitten we eraan vast.'

Padre Matteo legde geruststellend een hand op zijn schouder. 'Broeder,' zei hij vriendelijk maar vastberaden, 'we zitten er al aan vast. Als we ons nu terugtrekken, lijden we gezichtsverlies en raken we het vertrouwen van de mensen kwijt. Maak je niet zo bezorgd. En met Gods wil zitten we hier over een jaar of zo en brengen een toost uit op ons succes.'

Padre Simone knikte instemmend. 'Dit was in feite jouw idee,' herinnerde hij de bezorgde priester. 'Het zal een grote dag voor je zijn als dat standbeeld op die berg staat. Je moet blijven geloven.'

Padre Simone zweeg, de woorden bestierven op zijn lippen en hij staarde voor zich uit in de donkere pizzeria. Geloof was iets wat hij zelf al heel lang niet meer had gehad. Toen hij nog een jonge priester was, had hij altijd een sterk geloof gehad. Soms had hij gebrand van geloof. Maar ergens tussen toen en nu was het vuur gedoofd en was zijn geloof weggesijpeld.

Hij was gaan twijfelen aan het bestaan van God. En toen de twijfel eenmaal had toegeslagen, had hij niets kunnen doen om die weg te nemen. Toch stond hij nog steeds bij het altaar, droeg de mis op, gaf de communie. Hij walgde van zijn eigen hypocrisie en overwoog de kerk te verlaten, maar hij was niet moedig genoeg om de eerste stap te zetten en zijn veilige leventje te verlaten. De kerk was zijn leven en hij kende geen ander.

Stiekem dacht hij dat de zaak met dat standbeeld een stommiteit was die hen allemaal kon ruïneren. Het idee was monstrueus, belachelijk. Het was idioot om te denken dat zo'n klein stadje zoiets groots zou kunnen realiseren.

Hij was een van degenen die het plan slechts om één reden wilden doorzetten. Als het onmogelijke zou gebeuren, als dat standbeeld op die berg zou komen te staan zodat de gelovigen het konden zien, dan zou dat iets zijn wat meer op een wonder leek dan wat hij ooit had aanschouwd. Als zoiets geweldigs in een eenvoudig stadje als Triento kon worden gerealiseerd, dan zou dat bewijzen dat er echt een hogere macht was die voor hen zorgde. En dan zou hij zijn geloof terug hebben.

Hoewel padre Simone niets van dit alles aan de andere zes priesters had verteld, vroeg hij zich wel eens af waarom de anderen dit standbeeld zo graag wilden. Waren zij, net als hij, hongerige zielen, hadden ze behoefte aan een bevestiging van hun geloof?

Hij keek naar de andere zes priesters en dacht over hen na. Padre Bartholomeo had zijn glas helemaal leeggedronken en keek nu met begerige, bloeddoorlopen ogen naar de karaf. Padre Nicola dacht alleen maar aan zijn pizza. Padre Pietro aarzelde tussen dromen en twijfels. En padre Fabiano was al zo oud dat het maar de vraag was of hij lang genoeg zou leven om de bouw van het standbeeld te zien, laat staan het voltooide beeld.

Er zaten twee priesters aan tafel van wie padre Simone niet zeker was. De man die naast hem zat, van middelbare leeftijd en met een rood gezicht, padre Cristofono, wiens armere, kleinere kerk naast de zijne stond, voerde een felle concurrentieslag met hem. En tegenover hem aan tafel, padre Matteo, zo knap en zo vroom.

Als iemand in Triento stervende was, kon je er zeker van zijn dat padre Matteo als eerste aan het bed zat om de laatste sacramenten toe te dienen. Als een vrouw zwanger was, zou hij rond de dag van de bevalling in de buurt zijn voor het geval het kind snel gedoopt moest worden. Hij zorgde voor de zieken en troostte de bedroefden. En toch had padre Matteo iets hooghartigs over zich. Zijn knappe gezicht was hard en uitdrukkingsloos. Hij leek onaangedaan door de vreugde en het leed van de mensen met wie hij als priester in aanraking kwam. Buiten zijn kennelijke trots op zijn eigen godvruchtigheid, was het

onmogelijk te zeggen wat hij dacht, vooral sinds hij de bijzondere gewoonte had aangenomen om buiten altijd een zonnebril te dragen.

Als padre Simone de waarheid had gekend, zou hij zich minder
bedreigd hebben gevoeld door padre Matteo. Want de knappe priester
had zijn eigen zwakheden. Hoewel hij op het oog alles voor anderen
over had, dacht hij in feite vooral aan zichzelf. Het priesterschap was
in zijn ogen gewoon een baan, en ook nog eens een slecht betaalde.
Hij zag er geen been in om voor zichzelf een handjevol munten uit de
collectezak te halen. Hij had elke munt die hij zich had toegeëigend
bewaard en als het standbeeld bijna klaar zou zijn, zouden hij en zijn
broer het geld gebruiken om een winkel te beginnen. Gewoon een
klein souvenirwinkeltje, ter wille van de toeristen die natuurlijk naar
Triento zouden komen om het standbeeld te zien. Dan zouden ze
snuisterijen aan hen verkopen, als aandenken aan hun bezoek. Allemaal op naam van zijn broer natuurlijk, zodat niemand zou weten
dat hij erbij betrokken was. Padre Matteo vond dit allemaal geen enkel
probleem. Hij had zo hard gewerkt voor zo weinig geld en hij was van
mening dat hij alles wat hij kon sparen, verdiende. En dus had hij er
alle belang bij om meteen vanaf het begin het idee van het standbeeld
te steunen.

Padre Simone wist niets van dit alles. Hij was geneigd te denken
dat de passie voor het standbeeld een teken was dat zijn collega-pries-
ters bijzonder gelovig waren, terwijl hij zelf niet meer geloofde. Hoe
oneerlijk dit was, verbaasde hem niet. Een van de tegenstrijdigheden
van het leven was immers dat het bijna altijd oneerlijk was.

Hij duwde zijn glas iets van zich af en liet het bijvullen door padre
Cristofono. Hij kon de pizza's al ruiken en hoopte dat het niet lang
meer zou duren voordat ze werden opgediend.

De Gypsy Tearoom was niet groot, één vertrek, maar met helder
gekleurde wandtegels en een oude houtoven in de hoek. Als het weer
te slecht was om op de binnenplaats te eten, moest iedereen zich naar
binnen proppen en stijf naast elkaar aan de lange tafels gaan zitten.
Soms zat je zo stijf tegen elkaar aan dat je amper ruimte had om de
vork naar je mond te brengen. En het lawaai was oorverdovend, doordat elke gast probeerde harder te schreeuwen dan de andere gasten.

Dan veegde de uitgeputte Ciro het zweet van zijn donkere gezicht met een oude doek die hij speciaal hiervoor bewaarde. En vormde hij met één hand een pizzabodem van het deeg en belegde deze met zijn andere hand met olijven, kappertjes, dun geschaafde *prosciutto* of artisjokharten uit blik. Daarna stopte hij zijn creaties in de vlammende bek van zijn oven en zodra ze perfect knapperig waren, trok hij ze eruit, kwakte ze op een bord en bracht ze, nog kokendheet, zelf naar de tafel.

Het was een wonder, vond padre Simone, dat hoe heet, lawaaierig en onaangenaam de Gypsy Tearoom ook was en hoe druk Ciro het ook had, de pizza altijd verrukkelijk smaakte. Soms hoorde je hem schreeuwen tegen zijn enige hulpje, een jongen die de borden kwam afwassen, maar zijn slechte humeur had nooit invloed op het eten. Ciro was een jongeman met vlugge handen en een gezicht waarop zijn humeur was af te lezen, maar hij had nog nooit een slechte pizza geserveerd en riep altijd dat hij dat nooit zou doen ook.

De priesters zwegen toen de pizza's werden geserveerd. Alleen Ciro's stem was te horen. Hij riep gemoedelijk: 'Wie wil de *prosciutto*? Wie wil de *calzone*? Wie van jullie heeft trek?'

De oude gele hond tilde zijn kop op en kwispelde even. Door zijn overbeet leek het altijd alsof hij gromde. De meeste mensen joegen hem met een handvol stenen van hun erf. Maar Ciro vond het altijd goed dat hij op de beschaduwde binnenplaats lag in de enkele plekjes zonlicht. En als de oude zwerfhond er hongerig uitzag zette hij stilletjes een bord met restjes voor hem neer als er niemand in de buurt was.

Maar nu joeg hij de hond met veel ophef weg. 'Geen gebedel aan mijn tafels, oude viezerik,' riep hij en zwaaide woest naar hem. 'Verdwijn van mijn binnenplaats, hoor je?'

De oude hond keek hem kalm aan, knipperde een paar keer en liet zijn kop toen weer slaperig op de grond zakken.

Padre Simone begon te eten. Hij nam altijd de pizza margherita, omdat hij vond dat een perfecte pizza niet meer nodig had dan malse mozzarella, de beste tomaten en een paar druppels goede olijfolie. De priester kauwde langzaam, want zodra het eten op was, hadden ze geen excuus meer om niet serieus over het standbeeld te praten en hij had er geen behoefte aan dat het al snel zover zou zijn. De anderen trouwens ook niet, realiseerde hij zich toen hij zag hoe iedereen langzaam van Ciro's eten genoot.

Padre Matteo was degene die het onderwerp aansneed toen Ciro de lege borden kwam ophalen.

'Ik heb een nieuwtje,' zei hij. 'De Amerikaanse projectmanager is eindelijk vertrokken. Hij zal waarschijnlijk een paar dagen in Napels blijven en dan doorrijden naar Triento.'

'Waarom een Amerikaan?' vroeg padre Pietro. 'Hadden we die baan niet aan een Italiaan kunnen geven?'

'Dat vertel ik je immers al de hele tijd, broeder.' Padre Matteo slaagde erin geen irritatie in zijn stem te laten doorklinken. 'Hij is ook een Italiaan. Hij is een telg van een arme immigrantenfamilie uit Napels die naar New York is vertrokken op zoek naar een beter leven. Ze hebben heel hard gewerkt om hem een goede opleiding te kunnen geven. Volgens mij is hij de man die we nodig hebben en alles wat we hebben gehoord, bevestigt dit. Ten eerste heeft hij al met succes verschillende opdrachten afgerond.'

'Dit gaat een heel ingewikkelde opdracht worden, denk je niet?' Padre Pietro klonk terneergeslagen bij de gedachte aan alles wat ze wilden bereiken.

'Ingewikkeld? Nou, een beetje wel misschien,' zei padre Matteo geduldig. 'We kunnen daar niet zomaar even een standbeeld neerzetten, dat is een ding dat zeker is. Eerst moeten we een stevige weg aanleggen naar de top van de berg. En daarom hebben we de hulp nodig van de beste expert en daarom hebben we alle moeite gedaan om de beste man te vinden.'

'Dus als ik het goed begrijp,' zei padre Simone en depte zijn lippen met zijn papieren servetje, 'moeten we een stevige weg aanleggen. We moeten een gigantisch standbeeld maken. Op de een of andere manier moeten we dat standbeeld op de top van de berg krijgen. En we missen de steun van de helft van het stadje. Dan is er een wonder nodig om dit allemaal voor elkaar te krijgen. Ja toch?'

'Geen wonder, broeder, alleen maar de hulp van een Amerikaanse deskundige en een gulle God. Heb geloof. Dat heb je daarnet zelf gezegd, nietwaar? Heb geloof.' Padre Matteo keek hem veelbetekenend aan. Hoewel, doordat de ogen van de priester waren afgeschermd door diens zonnebril, was dat moeilijk te zeggen.

13

Eduardo Pagano ging nerveus achter het stuur van de auto zitten. Het was lastig om Napels uit te rijden en hij was niet gewend aan de Italiaanse rijstijl. Het leek wel alsof de auto's over de weg zwenkten, toeterden en hun eigen rijbaan creëerden. Hij was nog steeds gespannen toen hij ten zuiden van Napels langs de kust van Amalfi voorbij Salerno reed. Hij had verhalen gehoord over gevaarlijke dorpen waar bandieten buitenlanders in de val lokten en hen kidnapten. Hij vroeg zich voor de zoveelste keer af waarom hij het relatief veilige New York had verlaten en aan dit avontuur was begonnen.

Zijn ouders waren zo blij voor hem geweest. Ze hadden zijn reis 'naar huis gaan' genoemd. Maar hij had helemaal niet het gevoel dat Italië zijn 'thuis' was. Zijn tantes, ooms, neven en nichten praatten zo snel en hun dialect klonk zo scherp, dat hij hen amper kon verstaan. En Napels – met zijn waslijnen boven de straten met allemaal oude mannen die kommen inktvissoep en punten pizza verkochten, met zijn lawaai en hitte en met zijn knappe jonge meisjes die door hun moeder bij hem vandaan werden getrokken – dat Napels voelde echt aan als buitenland.

En nu was hij onderweg naar een dorpje in de bergen – naar een streek waarover zijn familie in Napels had gezegd dat het ongelooflijk gevaarlijk was – om een stelletje priesters te ontmoeten die van plan waren een standbeeld boven op een berg te zetten. Hij zou hun een week geven, besloot hij, en als het dan niet goed voelde dan zou hij, hoeveel ze hem ook wilden betalen, meteen terug naar Napels rijden.

Eduardo reed, met de kaart op zijn knieën, naar het zuiden en tijdens het rijden werd hij steeds opgewekter. De weg slingerde langs olijfbomen en wijngaarden, omhelsde de glooiende kustlijn, liep door tunnels die in de rotsen waren uitgehakt en langs oude dorpjes die aan de bergtoppen hingen. Een enkele keer parkeerde hij langs de weg, bande elke gedachte aan bandieten uit zijn hoofd en genoot van het prachtige uitzicht.

Toen hij in de buurt van Triento kwam, werd de weg steeds smaller en steiler, precies zoals de priesters hem hadden verteld. Ze hadden geschreven dat hij een afslag moest nemen voordat hij het dorp binnenreed, een pad dat naar beneden liep, naar de zee. 'Je kunt Villa Rosa niet missen,' stond in hun brief. 'De hekken zullen openstaan en er zullen mensen zijn om je te verwelkomen.'

En ja hoor, toen Eduardo een bocht omsloeg, ving hij een glimp op van een roze huis achter hoge houten hekken die al openstonden.

'Dat moet het zijn,' mompelde hij. Hij remde en stuurde de auto de oprijlaan op.

Als er al mensen waren om hem te verwelkomen, dan zag hij ze niet.

'Hallo! *Buongiorno!*' riep hij toen hij uitstapte en zijn benen strekte. Niemand reageerde.

Vanwaar hij stond zag hij de zee en een betegeld terras bedekt met bougainville en glooiende tuinen. Het was een prachtige plek. Hij werd steeds opgewekter.

'Hallo,' riep hij nog eens, maar nog steeds nam niemand de moeite te antwoorden. Toch dacht hij een geluidje te horen, geneurie en gerinkel van glas, en hij besloot erop af te gaan.

Hij zag een tafel onder een luifel staan met zes stoelen eromheen. Daarnaast bevond zich een keuken waar een jong meisje in een zwarte jurk stoffige wijnglazen afwaste en zorgvuldig droogwreef. Ze had hem niet gezien en dus bleef Eduardo staan om naar haar te kijken. Hij zag dat ze lang, zwart haar had dat om haar gezicht krulde, ze was gezegend met een zacht, goedgevormd lichaam en haar ogen, zag hij toen ze naar hem keek, waren chocoladebruin.

'O?' zei ze verbaasd.

'*Buongiorno*,' zei hij zacht.

'O ja, *buongiorno*. Neem me niet kwalijk.' Ze droogde haar handen snel af aan de theedoek en liep naar hem toe. 'Het spijt me heel erg, maar volgens mij hadden we u vandaag nog niet verwacht.'

Hij haalde zijn schouders op. 'Het is steeds het plan geweest dat ik vandaag zou komen,' zei hij vriendelijk. 'Het geeft echt niet.'

'Maar iemand had u netjes moeten ontvangen,' zei ze. 'Umberto of Carlotta. Ze zullen het heel erg vinden dat ze niet wisten dat u nu al kwam.'

'Het geeft echt niet, hoor. Ik ben veilig aangekomen en daar gaat het om.' Hij stak zijn hand uit. 'Ik ben Eduardo Pagano.'

'Raffaella Moretti,' zei ze en legde haar warme hand in de zijne. 'Ik ben uw kok en zal u helpen met het huishouden in Villa Rosa. Maar Umberto en Carlotta zijn degenen die echt voor dit huis zorgen. En zij zouden hier nu moeten zijn. Ik heb geen idee waar ze zijn.'

Ze liep weg om op de binnenplaats te kijken en hij kwam achter haar aan.

'Dat is interessant,' zei hij.

'Wat?' Ze draaide zich om en keek hem weer aan. Hij zag dat zelfs daar, met al die schoonheid om haar heen, haar eigen schoonheid behouden bleef.

'Die oude boom met die stutten. Zoiets heb ik nog nooit gezien. Het ziet er heel schilderachtig uit.'

'Hij is oud.' Ze haalde minachtend haar schouders op. 'Als u granaatappels wilt eten, dan staan er beneden betere, jongere bomen waar u de vruchten van kunt plukken.'

'Weet je, ik heb nog nooit een granaatappel geproefd, ook al heb ik dat altijd wel gewild.'

Ze trok een gezicht. 'Er zijn mensen die ze lekker vinden, maar ik vind de pitjes te hard en te bitter. Mijn moeder weet hoe je er siroop van maakt en die kan wel heel lekker zijn.'

'Maar er bestaan verhalen over de granaatappelboom.' Hij ging op het lage muurtje zitten dat om de oude boom heen stond en keek glimlachend naar haar op. 'Ken je die?'

'Welke verhalen?' Ze keek schuldig, alsof ze aan het werk moest maar zich niet van hem kon losrukken.

'Een heleboel. Van alle bomen in de wereld zou de granaatappelboom de meest interessante zijn.'

'Waarom?' Hij had haar aandacht gevangen.

'Dat heb ik eens gelezen.' Hij klopte op het muurtje. 'Als je naast me komt zitten, zal ik het je vertellen.'

Ze zette een stap in zijn richting en aarzelde. Toen hoorden ze andere stemmen. Een tandeloze man en een magere, bleke jongere vrouw renden de stenen treden op om hem te verwelkomen.

'Raffaella,' riep de bleke vrouw. 'Je hebt de *signore* niet eens een koel drankje aangeboden.'

'Het spijt me. Ik heb zojuist limonade gemaakt. Ik ga het wel even halen.'

En toen was ze verdwenen en bleef hij alleen achter met de oude man en zijn dochter en hun onhandige pogingen hem te verwelkomen.

'Ga zitten, ga zitten. Waar zijn uw koffers? Waar hebt u zin in? Wat kunnen we voor u doen?' drongen ze aan.

Raffaella kwam terug met een groot glas vol troebele zelfgemaakte limonade en een schaaltje vette groene olijven.

'Ik zal het verhaal over die granaatappelboom niet vergeten, hoor,' beloofde hij haar. 'Dat zal ik je later vertellen.'

Ze schonk hem een heel klein glimlachje en glipte terug de keuken in.

Raffaella stond bij het raam en keek naar de *americano* die door de tuin liep met het glas limonade in zijn hand. Carlotta was al net zo nieuwsgierig en keek over haar schouder naar hem.

'Ik heb nog nooit eerder een Amerikaan ontmoet,' bekende ze. 'Ik had verwacht dat hij er anders uit zou zien: vet en kaal en met een dikke sigaar of zo. Maar hij ziet er helemaal niet anders uit dan een Italiaan.'

'Hij ziet er ook anders uit dan ik had gedacht,' beaamde Raffaella. Ze keek nog steeds naar buiten naar de lange, knappe, gespierde man met zijn aantrekkelijke blauwe ogen, iets getinte huid en pikzwart haar. 'Om de een of andere reden dacht ik dat we het huis klaarmaakten voor een veel oudere man.'

De *americano* keek omhoog naar het keukenraam. Hij keek Raffaella aan. Ze draaide zich om en begon zwijgend de stoffige wijnglazen op te wrijven.

Ze zag niet dat Umberto naar de Amerikaan liep, naar de zee wees en hem toen via de scheve stenen treden voorging naar de lager gelegen rotsen. Maar een paar minuten later keek ze op en zag dat Carlotta nog steeds door het raam naar de lege tuin stond te staren. En op dat moment leek het wel alsof ze haar behoedzame blik even kwijt was. Raffaella dacht dat ze het verdrietige, eenzame meisje erachter kon zien.

14

Raffaella staarde naar de granaatappelboom en dacht aan het verhaal dat de *americano* haar in zijn langzame Italiaans met het buitenlandse accent had willen vertellen. Als Carlotta en Umberto hen niet hadden gevonden, zou ze dan naast hem op het lage muurtje onder de boom zijn gaan zitten om naar hem te luisteren?

Ze zou wel in de verleiding zijn gekomen, want er was veel aan hem dat ze leuk vond. De manier waarop hij zijn wenkbrauwen optrok en glimlachte, alsof hij het leven ontzettend plezierig vond. Dan kreeg hij rimpeltjes om zijn ogen en was het onmogelijk niet terug te glimlachen.

Maar wat Raffaella het prettigst vond, was de manier waarop hij tegen haar praatte. Nooit eerder had een man haar een verhaal over bomen willen vertellen. Marcello was geen echte prater geweest, alleen als hij een paar glazen wijn op had. Hij was aardig maar, en dat had ze al vlug ontdekt, liet zich erg leiden door zijn stemmingen. Op bepaalde dagen had hij haar gekust en haar hand gepakt om haar mee te nemen naar hun slaapkamer. Maar ze kon zich ook nog herinneren dat hij haar soms met zijn vlakke hand of met zijn elleboog van zich af had geduwd. 'Niet nu, Raffaella. Ik ben bezig. Ga weg.'

Carlotta's stem verbrak de stilte. Aan haar stem was goed te horen dat ze zich zorgen maakte.

'O, dit is verschrikkelijk. Wat moeten we doen?' vroeg ze zorgelijk.

De *americano* was in Villa Rosa gebleven totdat Umberto zijn koffers uit de auto had gehaald en naar binnen had gebracht. Daarna was hij naar Triento gereden voor een afspraak met enkele priesters.

'We moeten nog zoveel doen voordat hij terugkomt… we moeten

86

zijn bed opmaken, boodschappen doen, een maaltijd klaarmaken...'
jammerde Carlotta. 'O, en ik wilde het allemaal nog wel zo perfect
voor hem maken. Wat moeten we doen, Raffaella?'

'Maak je niet druk. Ik weet zeker dat er genoeg in huis is waar ik
een lekkere pasta van kan maken en het bed opmaken kost maar een
paar minuten.'

'Maar dit is zijn eerste maaltijd hier. Het moet iets speciaals zijn,
niet iets wat je zomaar even in elkaar flanst.'

Raffaella opende de keukenkastjes en bekeek de inhoud. 'Misschien
heb je wel gelijk,' zei ze. 'Waarom vraag je niet of je vader me snel even
naar de stad rijdt zodat ik boodschappen kan doen?'

'Nee.' Carlotta leek opeens vastberaden. 'Dat is volgens mij geen
goed idee.'

'Waarom dan niet?'

Carlotta kon Raffaella niet vertellen dat de priesters hadden gezegd
dat Raffaella maar beter weggehouden kon worden uit Triento – en
weg van de bewonderende blikken van de mannen van andere vrouwen. Daarom zei ze, niet overtuigend: 'Zou het niet sneller gaan als ik
het deed?'

'Volgens mij niet. Ik ben degene die gaat koken en daarom is het
alleen maar logisch dat ik ook de boodschappen doe.'

Carlotta leek nog niet overtuigd.

'Goed dan.' Raffaella haalde haar schouders op. 'Als je even wacht,
maak ik wel een boodschappenlijstje.'

'Nee, nee, daar is geen tijd voor.' Carlotta raakte alweer in paniek.
'Ga jij maar. Dan ren ik nu naar mijn vader en zeg tegen hem dat hij
de auto moet voorrijden.'

De motor van Umberto's Fiat Bambina loeide toen ze op de steile weg
naar Triento reden en Raffaella zat met haar mand op schoot naar buiten te kijken. Ze was al bijna twee weken op Villa Rosa en de wereld
leek nu al minder vertrouwd: groter, frisser, en met fellere kleuren en
helderder licht.

'Wat een mooie dag, vind je niet?' vroeg ze opgewekt aan Umberto.

'Eh, vind je?' antwoordde hij. Zijn stem klonk vreemd gedempt door zijn kunstgebit, dat hij snel had ingedaan toen hij had gemerkt dat ze niet meer alleen waren. 'De dag zou een stuk mooier zijn als die waardeloze priesters ons precies hadden verteld wanneer de *americano* zou arriveren. Arme Carlotta, ik dacht dat ze zou ontploffen. Ze was zo opgewonden omdat er een huurder zou komen en zo vastbesloten om alles perfect in orde te maken.'

'Opgewonden? Echt waar? Zo ziet ze er niet uit.'

Hij keek haar even van opzij aan. 'Ah, maar je kent mijn Carlotta niet. Ze laat niet vaak merken hoe ze zich voelt. Maar ik ben haar vader en ik kan het wel zien.'

Raffaella knikte en zweeg even. '*Signore?*' vroeg ze toen. 'Is het geen blasfemie om de priesters waardeloos te noemen?'

Umberto grinnikte. 'Als je zo oud bent als ik, *cara*, mag je blasfemisch zijn. Dat heb je dan verdiend. En trouwens, ze zijn echt waardeloos. Zeven priesters en stuk voor stuk stom. Ongelooflijk!'

'Wat wil de *americano* van hen?'

Hij keek haar weer aan. 'Heb je echt niets gehoord over hun laatste stommiteit?'

Ze schudde haar hoofd.

'Dan ben je waarschijnlijk de enige in ons stadje. Nou ja, volgens mij kom je daar snel genoeg achter.'

Ze waren al bijna in Triento. Umberto begon naar een parkeerplekje voor zijn kleine Fiat uit te kijken. De straten waren smal en de *piazza* klein, en als het verkeer – de stoffige vrachtwagens en auto's – helemaal was vastgelopen, huurde de gemeenteraad Francesca Pasquale in als verkeersagent. Ze hadden haar een pet met een klep en een fluitje gegeven; ze droeg een witte schoudertas en liep de hele dag door het stadje om het verkeer op gang te houden. Zodra ze zag dat iemand langzamer ging rijden om te parkeren, blies ze op haar fluitje, stak haar vinger in de lucht en riep: '*Avanti, avanti!*' Maar als je snel genoeg kon stoppen, uit je auto springen en in een steegje verdwijnen zonder dat Francesca je zag, dan was het nog steeds mogelijk om in Triento te parkeren.

'Klaar?' vroeg Umberto aan Raffaella.

'Klaar,' zei ze.

'Oké: één, twee, drie. Nu!' Hij trapte op de rem en toen sprongen ze de auto uit en renden naar de bar op de hoek. Raffaella was er eerder dan Umberto, maar ook maar net.

'Jij bent snel,' zei ze hijgend toen ze veilig binnen waren.

'Ze veroorzaakt mijn dood nog eens, die vrouw,' gromde hij. 'Op mijn leeftijd zo hard rennen, dat kan niet goed voor me zijn.'

'Nou ja, je kunt nu even gaan zitten en wat drinken.' Raffaella keek om zich heen in de rokerige bar. Aan de tafels zaten allemaal mannen van Umberto's leeftijd geconcentreerd te kaarten. 'Ik ben over een halfuurtje terug.'

'Maak er maar liever twintig minuten van. Carlotta zit op ons te wachten,' riep hij haar achterna toen ze naar buiten liep.

Raffaella voelde zich opeens vrij toen ze naar de markt liep. Ze had zich niet gerealiseerd dat Carlotta haar vaak in de gaten hield, niet gemerkt dat ze eigenlijk gevangenzat in Villa Rosa, maar nu was ze alleen en dat voelde goed. Ze vermeed het naar Angelica te kijken die in de deuropening van de winkel van de Russo's met de linnen stoffen in de weer was en keek de andere kant op zodat ze de schaamteloze blik van bakker Alberto niet hoefde te zien.

Ze kocht zwaardvis waarvan de visboer met zijn haakneus bezwoer dat hij die ochtend was gevangen. 'Zo vers dat hij nog steeds denkt dat hij zwemt,' zei hij. Hij wikkelde de vis in papier en legde hem zorgvuldig in haar mand. 'En misschien is hij zelfs wel gevangen door de boot van je eigen vader.'

Ze zag hem toen ze bij een marktkraam stond die vol hing met strengen gedroogde chilipepers en zakken hazelnoten. Padre Matteo en de *americano* liepen naast elkaar over straat – een bijzonder gezicht, twee knappe mannen bij elkaar. Ze trok zich terug in de schaduw, omdat ze niet gezien wilde worden. Toen ze dichterbij kwamen, liep ze om de marktkraam heen en verdween in het steegje erachter.

Halverwege de steeg lag een gele hond. Het leek wel alsof hij zijn lippen optrok. Ze bleef onzeker staan.

'Trek je maar niets van hem aan, *signora*,' riep een man. 'Kom maar, hij doet niets.'

Ciro Ricci stond voor de Gypsy Tearoom en glimlachte naar haar.

'O hallo, ik wilde net…' zei ze.

'… even kijken of ik een pizza in de oven had staan, omdat je trek had,' maakte hij haar zin af.

'O nee, ik…'

'Nou, je hebt mazzel.' Hij grijnsde. 'Ik was er net eentje voor mezelf aan het maken en ik heb een extra pizza gemaakt voor het geval er iemand langs zou komen die trek had. Ga zitten en eet met me mee, alsjeblieft.'

Hij trok een stoel bij en ze ging, ook al was ze het niet van plan geweest, toch zitten. Ze keek toe hoe hij mes en vork, glas en servet voor haar neerlegde.

Ciro zag er op een onopvallende manier knap uit. Zijn haar en zijn ogen waren zwart, zijn huid was olijfkleurig en hij had hoge jukbeenderen. Hij glimlachte snel en werd even snel boos. Maar wat de mensen altijd het eerst aan hem opviel, was hoe trots hij was op zijn werk. De Gypsy Tearoom was dan misschien wel een eenvoudige pizzeria, maar de borden en glazen waren altijd onbeschadigd en schoon, hij gebruikte de beste ingrediënten die hij kon krijgen en het eten dat hij serveerde smaakte altijd verrukkelijk.

'Een paar minuutjes nog,' beloofde hij en glimlachte naar Raffaella. 'Ze zijn bijna klaar.'

'Ik wilde niet…' zei ze. Maar toen was hij al verdwenen.

Toen hij terugkwam kreeg ze al trek door de geur. 'Een margherita met een beetje basilicum,' zei hij en zette het bord voor haar neer. 'Zoals padre Simone altijd zegt: meer heb je niet nodig.'

'Ik kan niet blijven. Ik heb haast,' zei Raffaella. 'Maar ik wil wel een beetje proeven.'

'Eet, eet,' drong hij aan. 'Een beetje of heel veel, wat je maar wilt.'

Ze nam een hapje, toen nog een en begon met smaak te eten. De warme mozzarella smolt in haar mond en de scherpe smaak van basilicum en zongerijpte tomaten tintelde op haar tong.

'Dat is lekker, heel lekker,' zei ze tegen hem en hij grijnsde alweer.

Ciro pakte zijn eigen mes en vork op, maar begon niet te eten. Zijn glimlach was verdwenen en het leek wel alsof hij aan iets ernstigs dacht. Hij schraapte even zenuwachtig zijn keel en hield zijn blik op het tafelkleed gericht toen hij zei: 'Het spijt me, van Marcello.'

Zwijgend knikte ze en accepteerde zijn condoleances.

'We scheelden maar een paar weken, weet je,' zei hij toen en durfde haar nu wel aan te kijken. 'Ik was verbijsterd toen hij overleed. En dat ben ik nog steeds.'

'Jullie waren geen vrienden, hè?'

Hij schudde zijn hoofd. 'Je kent de Russo's, altijd op zichzelf. We waren nooit bevriend, maar ik mocht hem wel.'

Ze knikte weer en ging door met eten.

'Hij kwam hier wel eens een pizza eten en een biertje drinken, samen met zijn broers,' zei Ciro. 'De laatste tijd niet, natuurlijk. Niet sinds hij echt ziek was geworden.'

Raffaella stopte met eten. 'Dat is nog helemaal niet zo lang geleden,' zei ze zacht.

Ciro keek haar even aan en toen zei hij, net zo zacht als zij had gepraat: 'Het moet afschuwelijk voor je zijn.'

'Het was afschuwelijk toen hij ziek was,' beaamde ze. 'Ik kon hem gewoon zien wegglippen, hij werd steeds magerder en zieker, maar ik kon er niets aan doen. Toen ik hem verloren had, kon ik me niet indenken hoe het leven zonder hem eruit zou zien.'

'En, hoe ziet dat eruit?'

Raffaella aarzelde. 'Leeg, verdrietig… eng,' zei ze na een tijdje.

'Waar ben je dan bang voor?'

Ciro had een vriendelijke blik en ook zijn toon was vriendelijk. Raffaella voelde dat ze hem kon vertrouwen. Hij was niet zoals de andere mannen, die haar zo wellustig bekeken als ze in haar eentje door Triento liep.

'Ik ben bang voor de toekomst,' bekende ze. 'En om alleen te zijn. Ik ben bang voor wat er met me zal gebeuren.'

Ciro keek bezorgd. 'Ik wilde dat ik je kon helpen.'

Ze glimlachte naar hem. 'Dat is aardig van je. Maar ik denk dat je niets kunt doen.'

'Ik zou je vriend kunnen zijn.' Gegeneerd maakte hij een gebaar met zijn hand, alsof hij een kruimel wegveegde. 'Als je dat zou willen…'

'Mijn vriend?' Ze keek hem verbaasd aan.

Hij knikte. 'Ik ben bijna altijd hier, in de Gypsy Tearoom. Als je bang bent en je eenzaam voelt, kun je me altijd gemakkelijk vinden.'

Raffaella was verrast. Ciro was er altijd geweest, ergens in haar leven. Maar ze had hem amper gezien, nooit zijn gezelschap gezocht. Al zolang ze zich kon herinneren had ze alleen maar aandacht voor Marcello gehad. En ze had al haar tijd en energie nodig gehad om ervoor te zorgen dat hij van haar zou gaan houden.

'Dat is aardig van je,' herhaalde ze. 'Maar ik weet niet hoe we vrienden zouden kunnen zijn. Natuurlijk heb je…'

Hij viel haar in de rede. 'Als je met iemand wilt praten, weet je waar je me kunt vinden.'

Hij sprak op zo'n ernstige toon dat ze niet met hem in discussie wilde gaan. 'Dank je,' zei ze alleen maar en legde haar mes en vork neer. 'Maar nu moet ik gaan. Ik ben al laat en daar krijg ik problemen mee.'

Het was een vreemd idee, dacht ze toen ze snel terugliep naar de bar op de hoek. Hoe konden zij en Ciro nou vrienden zijn? En waarom zou hij dat voorstellen? Maar toen ze de ogen van de mannen op zich voelde rusten en zag dat de vrouwen dreigend naar haar keken, was het idee dat ze iemand als Ciro naast zich zou hebben niet eens zo gek.

Umberto liep heen en weer voor de bar. Hij zag er ongeduldig uit.

'Schiet op, schiet op! Waar was je?' riep hij toen hij Raffaella in het oog kreeg. Hij pakte haar bij de arm en liep snel met haar de straat af.

Toen ze bij de oude Fiat kwamen, stond Francesca Pasquale ernaast en blies driftig op haar fluitje. 'Niet parkeren,' riep ze tussen het fluiten door. '*Avanti, avanti.*'

'Ja, oké, we begrijpen je! Wil je ons doof maken of zo?' gromde Umberto. Maar toen ze wegreden blies ze nog steeds op haar fluitje.

Toen ze bij de *piazza* kwamen, stond er een file. Een vrachtwagen was midden op straat gestopt en auto's probeerden zich er aan beide kanten omheen te persen, waardoor ze bijna de marktkraampjes omver reden. De marktkooplieden schreeuwden en zwaaiden woedend met hun armen.

'Kijk uit, idioot! Wil je soms dat alles op mijn hoofd terecht-komt?'

'Wie noem jij een idioot, *scemo*?'

'Laat iemand die stomme vrachtauto verplaatsen. Waar is de chauf-feur, hè? Wie stopt er nu op zo'n plek?'

Het was een chaos.

'Waar is dat mens met haar fluitje als je haar nodig hebt?' klaagde Umberto met een rode kop. Hij hield één hand op de claxon en toe-terde als een gek. 'Dit is een ramp. Dit gaat nog uren duren. Carlotta wordt helemaal gek.'

'Nee hoor, echt niet. Het komt wel goed. Kijk, daar is de vrachtwa-genchauffeur al.'

'Het is eigenlijk jouw schuld dat we zo laat zijn,' zei hij. 'Waar zat je trouwens?'

Raffaella vertelde hem de helft van de waarheid: 'Ik heb vis ge-kocht.'

'Hoelang ben je daarmee bezig?'

Het verkeer begon weer op gang te komen en Umberto kreeg lang-zaam zijn gewone kleur terug.

'Het is niet goed om je daarmee te haasten. Ik moest de beste en de verste vis kopen voor de *americano*. Ja toch?' Raffaella ontweek Umberto's blik en keek uit het raam toen ze dat leugentje vertelde.

Er klopte iets niet, realiseerde ze zich terwijl ze zat te wachten en te kijken. En het had niets met de verkeerschaos te maken.

Ze zag de bakkersvrouw, Silvana, naast de burgemeester, Giorgio Lazio, staan. Haar gezicht was helemaal vertrokken en haar hand rustte op zijn arm. Toen de auto weer begon te rijden, bleef Raffaella kijken tot ze hen niet meer kon zien. Het was een vreemd tafereeltje geweest, ook al had ze geen idee waarom.

Silvana had helemaal niet door dat er iemand keek. Ze stond stevig met beide voeten op de met kinderkopjes geplaveide *piazza*, maar de gedachten tolden door haar hoofd.

'Je hielp me met de varkens voeren, we keken samen naar de zons-ondergang, we gingen stiekem zwemmen. Weet je nog?' vroeg ze. Ze praatte in een soort steno, maar de burgemeester leek haar wel te begrijpen.

'Dat ben ik nooit vergeten,' zei de burgemeester en hij glimlachte.

Ze had van dit moment gedroomd, maar had het nooit aangedurfd – tot deze middag. Allemaal dankzij Raffaella trouwens. Ze had het meisje uit de steeg zien komen, met wiegende heupen en haar fraai gevormde jonge borsten trots voor zich uit gestoken. Elke man in het stadje had zich omgedraaid om eens goed te kunnen kijken, behalve Alberto. Hij zat op zijn gebruikelijke plekje voor de bakkerij, met zijn kin op de borst vredig te snurken.

Net toen Silvana bedacht dat haar man wel heel diep moest slapen als hij de kans voorbij liet gaan om naar Raffaella te kijken, zag ze de vertrouwde figuur die aan de rand van de *piazza* naar de verkeerschaos stond te kijken.

Zijn haar was in de loop der jaren grijs geworden, zijn huid was bleek en zijn gezicht gerimpeld, maar als Silvana naar hem keek, zag ze nog altijd de boerenzoon met het stroblonde haar en een gouden glans op zijn huid. Haar hart ging iets sneller kloppen en met een laatste blik op de slapende Alberto deed ze haar schort af en liep snel de winkel uit.

'Giorgio.' Ze legde haar hand op zijn arm, zodat hij wel moest blijven staan.

'Ja?' Hij keek haar vragend aan.

Toen had ze al die onzin eruit gekraamd over de varkens en de zonsondergang, in een poging zijn geheugen op te frissen.

Hij was niets vergeten. 'Dat was een geweldige tijd,' zei hij zacht.

Ze keek naar haar man, gespannen, om te kijken of hij al wakker was. 'Ik heb me vergist,' zei ze tegen Giorgio. Met tegenzin liet ze zijn arm los. 'Jaren geleden heb ik de verkeerde keuze gemaakt. Het spijt me.'

Ze ging terug naar haar plekje achter de toonbank zonder dat Alberto iets had gemerkt. De burgemeester stond nog steeds voor de winkel en staarde door het raam naar binnen. Ze glimlachte even naar hem en schudde toen haar hoofd.

Ze had verwacht dat ze zich beter zou voelen als ze hem dit had verteld. Maar dat was niet zo. Ze voelde zich heel veel slechter.

Hij had het verknald, dacht Ciro toen hij tegen de gevel van de slagerij leunde en naar de commotie op de *piazza* keek. Hij had zichzelf belachelijk gemaakt. Nu zou ze hem nooit meer serieus nemen.

Ciro dacht al aan Raffaella zolang hij zich kon herinneren. Of hij nu tien pizza's tegelijk aan het maken was of tegen die nutteloze jongen schreeuwde die hij had aangenomen om af te wassen. Dan kon hij even stoppen en zich haar gezicht voor de geest halen, en dan begon hij altijd te glimlachen.

Ze was jonger dan hij, maar zelfs toen ze nog bij elkaar in de klas zaten, had hij er al van gedroomd dat hij haar ten huwelijk zou vragen. Toen ze opgroeiden en zij steeds knapper was geworden, durfde hij amper nog iets tegen haar te zeggen. Toen ze zich met de oudste Russo verloofde, was hij verdrietig geweest maar ook gelaten. Het was heel normaal dat het knapste meisje van de stad met de jongen met de beste vooruitzichten zou trouwen. Het had geen zin om te proberen dat te verhinderen.

Toen was Marcello gestorven. Ciro was verbijsterd dat iemand van zijn eigen leeftijd zomaar dood kon gaan. Hij had zich afgevraagd hoelang hij zelf nog zou leven. En hij had gezworen dat hij zich op een dag, als hij de kans zou krijgen, tegen Raffaella zou uitspreken.

Hij gromde toen hij terugdacht aan zijn woorden. Waarom had hij haar op zo'n manier zijn vriendschap aangeboden? Het had vast heel onhandig en stom geklonken. Had hij er maar genoegen mee genomen om gewoon een beetje met haar te kletsen en te zeggen dat ze best een keertje terug kon komen om een pizza te eten. Wat zou ze nu wel van hem denken?

'Eh Ciro, je moet weer naar je keuken. Er zitten hier allemaal hongerige mensen!' Twee vaste klanten stonden bij de ingang in het steegje.

'Nee, ik heb er genoeg van,' antwoordde hij. 'Ik sluit de tent. Geen pizza's meer vandaag. Kom morgen maar terug.'

'Waar was je? Waarom duurde het zo lang? Ik verwachtte je eeuwen geleden al terug.' Carlotta was helemaal opgewonden. Ze had felrode vlekken op haar bleke wangen en leek eerder ontdaan dan boos. Raffaella voelde zich schuldig toen ze terugdacht aan die gestolen ogenblikken in de Gypsy Tearoom, terwijl ze zich terug naar Villa Rosa had moeten haasten om alles in orde te maken.

'Waar is hij, de *americano*? Is hij al thuis?' vroeg Raffaella.

'Ja, ja, een kwartiertje geleden al. Hij zei dat padre Matteo en padre Simone bij hem komen eten. Maar heb je wel genoeg te eten voor zoveel mensen?'

'Waar is hij nu?' vroeg Raffaella terwijl ze snel even door het raam naar de granaatappelboom keek.

'Hij heeft zijn zwembroek aangetrokken en is naar beneden gegaan. Hij wilde even in zee zwemmen. Ik hoop dat die niet te woest is. Ik heb hem verteld hoe wild de zee daar kan worden als het water tegen de rotsen slaat, maar ik weet niet zeker of hij me wel heeft gehoord. En trouwens, het is veel te laat in het seizoen en veel te koud om te zwemmen. Wat als hij kou vat?' Carlotta zag er bezorgd uit en de beide rode vlekjes werden nog roder.

Raffaella deed haar schort voor en strikte de banden op haar rug. 'Maak je niet zo druk,' zei ze en haalde een paar potten en pannen van de planken en uit de kasten. 'Hij verdrinkt heus niet, hij wordt niet ziek en er is genoeg te eten voor iedereen. Echt waar.'

Carlotta knikte, maar zag er nog steeds zenuwachtig uit toen ze meehielp de boodschappen op te ruimen en het eten klaar te maken. Ze liet de zware kom vruchtenbowl bijna vallen en sneed zich met een scherp mes in haar vinger toen ze de kastanjes inkerfde. Op een bepaald moment was Raffaella zelf ook helemaal nerveus en stuurde ze Carlotta weg.

'Ga je maar even opknappen. Trek een schone bloes en rok aan. Dan kun jij het eten opdienen terwijl ik hier voor het eten zorg.'

'Goed plan. Ik heb een witte bloes. Vind je dat ik die aan moet trekken?'

Raffaella knikte. 'Ja, als je dat graag wilt. Ga nu maar.'

Het was heerlijk om alleen in de keuken te zijn. Net zoals haar moeder kookte Raffaella het liefst in haar eentje. Het had een soort dichterlijke bekoring, een schoonheid en een ritme om zo bezig te zijn, hakkend en bakkend, pruttelend en roerend. Ze vulde pastaschelpjes met gesmolten *ricotta* en gefrituurde courgettereepjes, en schepte er een laagje romige tomatensaus op. Vervolgens legde ze dunne plakjes zwaardvis op een schaal en besprenkelde ze met olijfolie en het sap van bloedsinaasappels.

Tijdens het koken keek ze af en toe naar buiten. Ze vroeg zich af wanneer Eduardo en de priesters zouden komen en aan de lange tafel onder de luifel zouden gaan zitten wachten tot het eten werd opgediend.

Eindelijk zag ze hen, de beide jonge knappe mannen en de kleinere oudere man. Ze gingen aan tafel zitten en Carlotta bracht hen een glas *limoncello* met ijs. Dat konden ze opdrinken terwijl ze naar de zon keken die spectaculair onderging in een palet van roze en gouden kleuren.

Carlotta stak een paar kaarsen aan, want het was een rustige avond, en zette een karaf rode wijn en een mandje brood op tafel. Ze leek nog steeds zenuwachtig, maar de mannen waren zo geconcentreerd in gesprek dat ze haar aanwezigheid nauwelijks opmerkten.

Raffaella wilde dolgraag zelf naar buiten gaan, een schaal of een kom op tafel zetten en even iets tegen de *americano* zeggen, maar er was iets wat haar ervan weerhield. Niet omdat ze verlegen of zenuwachtig was, zoals Carlotta, maar meer omdat de keuken een veiliger plek leek voor een vrouw die nog niet zo lang geleden weduwe was geworden, een vrouw met gevoelens die in haar opborrelden als kokend water in een pan met pasta.

Flarden van hun gesprek dreven via het open raam naar binnen. Ook al was ze er niet op uit om hun gesprek af te luisteren, toch merkte Raffaella dat het onmogelijk was om niet naar hun gesprek te luisteren.

'Hoe groot moet hij precies worden?' vroeg Eduardo tussen een paar happen pasta door.

Padre Simone en padre Matteo keken elkaar aan.

'Heel groot. Hij moet heel spectaculair worden,' zei padre Matteo. 'Pelgrims en toeristen moeten van heinde en verre komen om onder de uitgestrekte arm van Jezus de Verlosser te staan en foto's te maken als ze naast hem staan.'

'Zo zo.' Eduardo veegde met een stukje brood de saus van zijn bord.

'Het standbeeld in Rio is dertig meter hoog. Jullie willen toch geen groter beeld?'

'Nee nee,' beaamde padre Matteo. 'Het hoeft niet het hoogste Christusbeeld ter wereld te worden. De op een na hoogste mag ook.'

'Dat ben ik niet met je eens.' Padre Simone schudde zijn hoofd. Hij had niet veel trek vanavond en had amper iets gegeten. 'Lieve god, we moeten het beste willen en niet het op één na beste.'

De beide priesters discussieerden met elkaar onder het toeziend oog van Eduardo, die steeds bijna leek te glimlachen. Uiteindelijk, toen Carlotta de lege borden ophaalde, begon hij te praten en de priesters hielden op met ruziemaken en hoorden toe.

Vanaf haar plekje bij het aanrecht waar ze stond af te wassen, bleef Raffaella luisteren. Dit zou wel de meest recente gekkigheid zijn waar Umberto het over had gehad, dacht ze. Maar zij vond het een geweldig idee. Ze wilde dolgraag Christus op de berg zien staan met zijn armen uitgestrekt, op hen neerkijkend, op hen passend. Eduardo somde op met welke problemen ze geconfronteerd konden worden en op welke manieren ze die zouden kunnen oplossen. Terwijl ze naar hem stond te luisteren, voelde ze bewondering voor zijn schranderheid.

Het was een windstille, warme nacht. Het leek meer zomer dan herfst. Raffaella lag in bed, klaarwakker. Allerlei gedachten tolden door haar hoofd, waardoor ze niet kon slapen. Wat moest ze doen met Ciro Ricci en zijn vreemde maar vriendelijke aanbod om vrienden te zijn? En, nog belangrijker, wat zou ze morgen voor de *americano* koken? Ze wilde allerlei heerlijkheden op zijn bord toveren en ook al zou Carlotta het opdienen, Eduardo zou wel weten wie het eten had bereid, wie de saus had geroerd en precies de juiste hoeveelheid chilipepertjes had toegevoegd om de *pancetta* stevig en toch mals te maken.

Toen vroeg ze zich opeens iets af: een vrij stomme en onwelkome gedachte, maar hij bleef maar knagen. Had ze de oven aan laten staan? Ze wist nog heel goed dat ze de laatste ovenschaal eruit had gehaald, gebraden *melanzane* gevuld met ansjovis en zwarte olijven. En ze kon zich herinneren dat ze alle serviesgoed had afgewassen en de bovenkant van het fornuis had afgenomen en dat ze de keuken helemaal schoon had achtergelaten. Maar ze kon zich niet herinneren wat ze met de oven had gedaan. Ze probeerde ergens anders aan te denken, maar de gedachte aan de brandende oven weigerde zich te laten verjagen. Nog erger was, dat ze nu werd gekweld door een visioen van een brandende Villa Rosa, met vlammen die door de terracotta dakpannen likten en dat alleen maar doordat zij, Raffaella, zo zorgeloos was geweest.

Met een zucht rolde ze uit bed. Een van haar zwarte jurken hing over de rugleuning van een stoel, maar ze rilde bij de gedachte dat ze haar lichaam weer moest insnoeren. Het was maar een klein stukje lopen van Umberto's huis, waar zij sliep, naar de keuken van Villa Rosa. Een paar traptreden op, het poortje door en dan was ze er al. De maan scheen vannacht, maar het was al laat en iedereen lag in bed en dus was ze veilig. Dat dacht ze allemaal terwijl ze haar zijden ochtendjas aantrok die ze had gekregen toen ze trouwde. Hij was heel lichtroze en reikte bijna tot haar enkels. Hij had dus heel netjes kunnen zijn, als hij niet zo doorzichtig was en haar vormen zo accentueerde.

De zijde voelde koel aan op haar huid toen ze snel naar buiten liep. Ze was al bijna bij de granaatappelboom toen ze eronder een brandend oranje puntje zag en de onmiskenbare geur van sigarenrook opsnoof.

'O!' Ze bleef doodstil staan in een straal maanlicht.

'Ik ben dus niet de enige die het jammer vindt om in zo'n schitterende nacht te slapen?' Eduardo klonk geamuseerd. Raffaella kon net de zwarte vorm van zijn lichaam zien; hij zat op het lage muurtje onder de granaatappelboom.

Gegeneerd trok ze haar ochtendjas dichter om zich heen. 'Het spijt me heel erg dat ik u stoor, *signore*. Het komt alleen maar doordat ik dacht dat ik de oven aan had laten staan. Als u het niet erg vindt, ga ik dat even controleren en dan laat ik u weer alleen.'

Hij leek haar niet te horen. Raffaella hoorde dat hij een trekje nam, aan de sigaar zoog met een heel zacht zuigend geluidje en toen de geurige rook weer uitblies.

Ten slotte zei hij: 'Zie je wel dat de maan de bergtop nu aanraakt?'

Ze draaide zich om en keek. Het leek inderdaad wel alsof de rand van de volle maan op de hoogste top van de berg rustte. 'Ja, ik zie het, *signore*,' antwoordde ze.

'Daar komt het standbeeld te staan. Stel je eens voor hoe dat eruit zal zien als de maan het beeld van achteren beschijnt. Dan zal het lijken alsof Jezus voor de tweede keer verschijnt.'

Ze wist niet goed wat ze moest zeggen. 'Dat zal prachtig zijn, *signore*, dat weet ik zeker,' kon ze maar net uitbrengen.

'Het moet meer worden dan prachtig. Er is hier al zoveel schoonheid waar het mee moet concurreren. De bergen, de zee, de bomen…'

'Ik moet gaan, *signore*…' zei ze zenuwachtig. 'Ik ga even in de keuken kijken en dan ben ik weg.'

'Waarom zo'n haast? Wil je niet naast me komen zitten, terwijl ik mijn sigaar rook en je verhalen over de granaatappelboom vertel?'

'Dat zou ik echt niet moeten doen. Op dit tijdstip… Nee, dat moest ik maar niet doen.'

'Er is niemand anders hier behalve wij. Wie zal het te weten komen als je hier blijft en me even gezelschap houdt?'

De zijde van haar ochtendjas ruiste om haar enkels toen ze naar de granaatappelboom liep en ongeveer dertig centimeter van hem af op het muurtje ging zitten. Ze deed iets wat ze niet moest doen, maar ze kon zich er niet tegen verzetten.

'Vertel me eens over de boom?' vroeg ze. 'De granaatappelboom, hoe gaat dat verhaal?'

'Ze zien er heel kwetsbaar uit, vind je niet?' vroeg hij met een lage melodieuze stem. 'Maar je moet niet denken dat je een granaatappelboom gemakkelijk dood kunt maken. Hij komt uit het Oosten, uit Egypte, Perzië en Babylon. Hij kan goed tegen de droogte, tegen het brandende zout van de zee en tegen hitte en kou. Het is een sterke boom.'

'Heel veel bomen zijn sterk,' zei Raffaella. 'Waarom is deze dan zo bijzonder?'

'Nou, volgens een legende is de granaatappelboom ontstaan uit bloed,' vertelde hij. 'Maar er zijn heel veel mythes. De oude Grieken dachten dat het de boom van de liefde en de dood was.'

Raffaella was verrukt. 'Hoe weet u dat?' vroeg ze.

'Uit boeken. Ik lees heel veel.'

'Zijn er nog meer verhalen?'

'O ja.' Hij zweeg even om een trekje te nemen. 'Ken je de mythe van Persephone?'

Aan de klank van zijn stem begreep Raffaella wel dat dit iets bekends was waar ze wel over gehoord moest hebben. 'Ik weet niet zeker...' begon ze.

'Persephone was de dochter van Demetra, de godin van de vruchtbaarheid,' legde hij uit. 'Zij was, net als jij, heel knap om te zien. Op een dag was ze samen met haar vrienden bloemen aan het plukken toen Pluto, de god van de onderwereld, verliefd op haar werd. Daarom ontvoerde hij haar. Haar moeder, Demetra, was helemaal wanhopig en droeg niet langer vruchten, waardoor de mensen niets meer te eten hadden. De goden moesten zich ermee bemoeien en Persephone terughalen. Maar Pluto was slim. Om haar aan Hades, zijn onderwereldkoninkrijk, te binden, liet hij haar een granaatappel eten. Sinds die tijd woonde ze een paar maanden in Hades, het seizoen als de natuur rustig is, en dan kwam ze terug in de lente en bracht vruchtbaarheid en nieuw leven mee.'

'Hij liet haar granaatappels eten zodat ze hem niet voorgoed kon verlaten?'

'Ja, zo is het.'

Raffaella zweeg in de hoop dat Eduardo nog meer zou vertellen.

'In Griekenland doen ze het nog steeds, op een trouwdag een granaatappel op de grond stukmaken als symbool van vruchtbaarheid,' vertelde hij.

'Zodat de man zijn vrouw nooit kan verlaten?' vroeg Raffaella zacht en dacht aan Marcello.

'Misschien wel, dat weet ik niet zeker. Maar er zijn meer verhalen, nog veel meer. Er zijn mensen die ervan overtuigd zijn dat Eva een granaatappel van de boom plukte in plaats van een gewone appel om Adam te verleiden. En ik ken nog een gedicht. Wil je het horen?'

'Ja.'

'De granaatappel zegt: Mijn bladeren zijn als je tanden. Mijn vruchten als je borsten. Ik, de mooiste vrucht van alle, ben er altijd, in elk seizoen, zoals de minnaar voor eeuwig blijft bij degene die hij bemint.'

Raffaella merkte dat hij nu dichter bij haar zat. De rook van zijn sigaar kringelde in haar haar en ze kon zijn ademhaling horen.

'Dat vind ik mooi: zoals de minnaar voor eeuwig blijft bij degene die hij bemint,' herhaalde ze. 'Van wie is dat gedicht?'

'Het is een vertaling van een oud Egyptisch gedicht. Het is langer, volgens mij, maar meer kan ik me niet herinneren.'

'Ik wilde dat ik gedichten kende.'

Hij lachte en schoof nog dichter naar haar toe. 'Ril je een beetje?'

'Ja, misschien wel,' bekende ze.

Ze voelde opeens warmte toen Eduardo zijn arm om haar heen sloeg en haar naar zich toe trok. Ze bleef rechtop zitten.

'Geen wonder dat je het koud hebt. De zijde van je nachthemd is zo dun.'

Hij streelde haar mouw en volgde de vorm van haar arm. Ze rilde weer, maar nu niet van de kou. Ze kon de warmte van zijn vingers door de fijne stof heen voelen.

Raffaella was te verbaasd om zich aan zijn aanraking te onttrekken. In plaats daarvan bleef ze doodstil zitten, met gesloten ogen, en liet toe dat hij haar schouder streelde met de palm van zijn hand. Zijn vingers gleden teder naar haar wang en bleven daar even rusten. Het was helemaal stil, op het geluid van haar ademhaling na. Toen nam hij haar kin in zijn handen, lichtte haar gezicht op en bedekte vederlicht haar mond met de zijne.

Zijn lippen waren warm en smaakten naar cognac en sigaren. Heel even gaf ze zich eraan over. Ze vergat zichzelf helemaal. Toen stopte hij en keek even naar haar gezicht in het licht van de maan. Toen deed ze langzaam haar ogen open en wist ze weer wat er gebeurde. Het was al middernacht geweest, ze zaten in de tuin van Villa Rosa en er waren tientallen redenen waarom ze daar niet hoorde te zijn.

Ze haalde diep adem en ging een eindje van hem af zitten. 'Nee!' zei ze vastberaden.

'Het spijt me, dat had ik niet moeten doen. Ik ben een beetje dronken en heel erg moe. Maar wacht… blijf hier!'

Het was te laat. Raffaella was al opgesprongen, buiten bereik van zijn armen. Ze draaide zich om en rende door het poortje, de trap af naar de veiligheid van Umberto's huis. Ze was helemaal vergeten dat de oven misschien nog aanstond. Maar op haar lichaam voelde ze nog steeds de warmte van zijn vingers. En ze kon nog steeds zijn lippen proeven en de sigarenrook ruiken in haar haar.

15

De temperatuur was die nacht sterk gedaald en toen Raffaella na een rusteloze nacht wakker werd, voelde ze het eerste vleugje winter van dat jaar.

Haar zachtroze ochtendjas lag gekreukeld op de grond, daar waar ze hem had laten vallen en toen ze snel haar zwarte jurk aantrok, keek ze er even schuldig naar. Ze was verbijsterd over haar gedrag van de vorige nacht. Samen met een vreemde man in het donker zitten, toelaten dat hij haar aanraakte en kuste – ze was ontzet toen ze eraan terugdacht.

Maar wat Raffaella het meest beangstigde, was de manier waarop haar lichaam had gereageerd. Ze herinnerde zich hoe ze zich aan de kus van de *americano* had overgegeven, dat er een warmte door haar lichaam was gestroomd en dat ze haar best had moeten doen zichzelf niet nog meer aan hem over te geven. Zo had ze zich nog nooit gevoeld in dat kleine jaar dat ze getrouwd was geweest.

Ze wist niet goed hoe ze de *americano* deze ochtend onder ogen moest komen. Ze moest maar in de keuken blijven, bij hem uit de buurt vandaan en proberen zijn kus en de aanraking van zijn vingers te vergeten.

Er was geen teken van leven in Villa Rosa en geen enkel geluid, behalve het gezang van de vogels, het geritsel van de hagedissen tussen het gevallen blad en het geruis van de golven in de verte die tegen de rotsen sloegen. Terwijl Raffaella vers brood en koffie begon te maken, werd haar blik getrokken door de schaal van geslepen glas met de granaatappels erin die Carlotta op de keukentafel had laten staan. De grote, leerachtige vruchten leken op appels die waren opgezwollen van trots, zo glanzend en perfect dat ze bijna niet echt leken.

Raffaella nam een granaatappel uit de schaal en sneed hem met een scherp mes doormidden. De zaden sprongen er als rode juwelen uit en het sap stroomde als bloed over de houten snijplank. Voorzichtig proefde ze de zaden. Ze voelden koel en zacht op haar tong, en toen ze ze kapotbeet, kreeg ze een bitterzoete smaak in haar mond. Ze fronste toen ze proefde hoe bitter ze smaakten. Misschien had Pluto er wel suiker overheen gestrooid om ze zoeter te maken voor Persephone, want ze kon zich niet voorstellen waarom het meisje ze anders had willen eten.

In de tuinen stonden bomen die vol hingen met granaatappels en Raffaella vroeg zich af wat Umberto elk jaar met al die vruchten deed. Misschien gaf hij ze wel weg of hij liet ze aan de bomen hangen zodat ze op de grond vielen en de vogels ze konden opeten.

Ze trok met haar vinger een spoortje door het plasje sap en likte haar vinger af. Met suiker zou het helemaal niet verkeerd smaken. Ze herinnerde zich dat haar moeder een recept had voor granaatappelsiroop en wilde dat ze het nog kende.

Toen ze het brood uit de oven haalde, had Raffaella een plan bedacht. Ze zou zich door Umberto met zijn Fiat naar Triento laten brengen; dan zou ze veilig uit de buurt zijn als de *americano* wakker werd. Als ze dan snel de heuvel af liep zou ze haar moeder in de keuken vinden. Het zou fijn zijn om de stevige rotsmuur tegen haar rug te voelen als ze samen aan tafel koffie zaten te drinken. Dan zou ze kunnen vergeten dat ze zichzelf te schande had gemaakt en Marcello's nagedachtenis had besmeurd en kon ze net doen alsof er niets was gebeurd. En misschien, als ze hun koffie op hadden, zou haar moeder haar oude receptenboek pakken en haar een paar tips geven om de granaatappels eetbaar te maken.

Ze hoorde dat iemand bladeren bij elkaar veegde en riep: 'Umberto, ben jij dat?'

'Ja, ik ben het.' Hij klonk humeurig. 'Hoe snel ik dit blad ook bij elkaar veeg, de wind blaast ze toch weer weg.'

'Laat dat blad toch.' Ze rende de keuken uit en pakte de bezem van hem af. 'Wil je me alsjeblieft vlug naar de stad rijden?'

'Waarom zo'n haast?' gromde hij. 'Ik ben nog maar net wakker, weet je. Over een halfuurtje of zo breng ik je misschien wel naar de markt.'

'Nee, ik moet er nu naartoe,' drong Raffaella aan. 'Ik moet eerst nog naar het huis van mijn ouders voordat ik boodschappen ga doen. Mijn moeder heeft een recept voor granaatappelsiroop zodat ik wat van dit fruit kan verwerken.'

Dat vond de zuinige tuinman wel een goed idee. 'Goed, dan zal ik de auto alvast starten,' zei hij. 'Vijf minuten, dan kunnen we gaan.'

Raffaella was ongeduldig. Ze had een plan en het kleine Fiatje kon haar er niet snel genoeg naartoe brengen. Ze greep haar gevlochten mand met beide handen vast en tikte met haar voeten op de grond alsof Umberto daardoor sneller de bochten van de weg naar Triento zou nemen.

Nu ze onderweg was naar het huis van haar ouders gunde Raffaella zich de tijd om eraan te denken hoe zeer ze haar familie miste. Ze had geprobeerd de gedachte aan hen weg te drukken gedurende de tijd dat ze in Villa Rosa werkte. Het had geen zin heimwee te hebben, er was geen tijd om zich eenzaam te voelen. Maar nu wist ze dat ze haar moeder al snel weer zou zien en ze kon amper wachten.

Umberto zette haar af op de *piazza* en ze spraken af hoe laat hij haar weer zou ophalen. Uren van vrijheid strekten zich voor haar uit. Raffaella sloeg haar zwarte wollen sjaal om haar schouders en draaide zich om zodat de zeewind haar in het gezicht blies. Ze liep een paar snelle passen en ging toen langzamer lopen. Ze keek even achterom en zag Umberto wegrijden. De marktkooplieden waren hun kramen aan het opzetten en er dreef een zoete geur van versgebakken brood uit de bakkerij, maar het was nog vroeg en er waren maar weinig mensen op straat. Ze had tijd genoeg en er was nog één ding dat ze wilde doen voordat ze naar huis zou gaan.

Ze draaide zich om en liep het smalle steegje in dat naar de Gypsy Tearoom leidde. De gele hond hield daar de wacht en hoewel de deur dicht was, kon Raffaella wel zien dat binnen een lamp brandde en dat er iemand heen en weer liep.

Ze klopte zachtjes op de deur en Ciro deed open. Hij leek verbaasd dat hij haar zag.

'Kom binnen, kom binnen,' zei hij. 'Het is koud buiten.'

'Ik kan maar heel even blijven,' zei ze toen ze naar binnen liep.

Het restaurantje was gezellig en het rook er naar houtvuur en knoflook. Aan de muren hingen spiegels zodat de ruimte groter leek en
ze waren betegeld met een mozaïek van vrolijk gekleurde tegels die
een verhaal leken te vertellen. Op het eerste tafereel zeilde een galjoen
langs een kasteel naar een landtong en op het volgende was een groepje
boeren vrolijk aan het dansen en wijn aan het drinken.

Raffaella keek naar Ciro en zag dat hij al bezig was ingrediënten te
snijden en kommen te vullen.

'Jij begint al vroeg met je werk,' zei ze.

'Het is goed als alles al klaarstaat. Straks zit het hier helemaal vol en
dan wil iedereen zo snel mogelijk een pizza. Maar nu heb ik alle tijd.
Zal ik een kopje koffie voor je maken of wil je een warm broodje als
ontbijt?'

'Nee, ik kan niet blijven. Ik wilde alleen maar even iets tegen je
zeggen...' Ze zweeg.

'Ja?' vroeg hij bemoedigend.

'Het gaat om je aanbod vrienden te zijn.'

Hij glimlachte vriendelijk. 'Dat was een belachelijk idee.'

'Nee hoor, helemaal niet belachelijk. Ik kan nu wel een vriend gebruiken. Ik wil je aanbod graag aannemen.'

'Dan heb je nu mijn vriendschap,' beloofde Ciro. 'Zolang als je
wilt.'

'Dank je wel,' zei ze zacht. 'Ik voel me beter nu ik weet dat je op me
zult letten. Marcello zou dat ook heel fijn hebben gevonden.'

Ciro voelde zich gelukkig toen hij haar door de steeg weg zag lopen.
Dit was het laatste wat hij had verwacht. Hij was nu Raffaella's vriend
en hij beloofde zichzelf dat hij alles zou doen om voor haar te zorgen.

Raffaella liep snel over de *piazza*, met haar hoofd gebogen tegen de
koude wind en met haar sjaal om haar schouders geslagen. De wandeling naar beneden naar Klein Triento leek langer dan ze zich herinnerde en het was een opluchting toen ze onder aan de heuvel was
en de vertrouwde blauwe voordeur van haar ouderlijk huis zag. Ze
klopte aan en duwde de deur open zonder op haar moeders antwoord
te wachten.

'Ik ben het! Ik ben thuis,' zong ze.

Haar moeder kwam haar snel verwelkomen, met haar boek nog in haar hand. 'Het is al weken geleden. Ik dacht dat je nooit weer thuis zou komen.'

'Het is maar twee weken geleden, mamma,' zei ze lachend. 'En ik heb het zo druk gehad, dat ze voorbij zijn gevlogen.'

'Wat is dit?' Anna nam de mand van haar over en keek erin. 'Aha, granaatappels. Lekker.'

'Vind je? Ik vind het maar vieze, bittere dingen.'

Anna schudde haar hoofd. 'Geef ze dan maar aan mij als jij ze niet wilt. Ik weet wel wat ik ermee kan doen. Maar kom eens hier, dan geef ik je een zoen. En ga dan met me mee naar de keuken. Nog geen twee minuten geleden dacht ik dat ik maar eens koffie moest gaan zetten.'

Het huis zag er vreemd uit in Raffaella's ogen en ze probeerde te ontdekken welke dingetjes anders waren dan de vorige keer dat ze er was. Op de vensterbank stond een ondiepe schaal met schelpen, aan het plafond hing een streng rode chilipepertjes en op tafel stond een schaal met kastanjes.

Haar moeder was de beloofde koffie vergeten en pakte haar receptenboek van een hoge plank. Van alles wat haar moeder bezat, was dit het enige wat Raffaella altijd graag had willen hebben. Zolang ze zich kon herinneren, stond het plakboek al op die plank. Het werd aangevuld als Anna iemand trof die een gerecht kende waar zij nog nooit van had gehoord. De oudste recepten waren familierecepten, overgegaan van moeder op dochter. Maar nog interessanter waren de recepten die ze van onbekenden had gekregen, van zigeunervrouwen en van andere mensen die ze ontmoette.

Hoeveel recepten ze ook had, Anna wilde er altijd nog meer. Soms probeerde ze nieuwe gerechten uit, maar veel vaker las ze de recepten alleen maar door. Dan probeerde ze zich voor te stellen hoe ze zouden smaken en stopte de recepten dan weer terug in het boek waar ze konden vergelen en vervagen.

'Granaatappels, granaatappels,' mompelde ze al bladerend. 'Ik weet dat er een recept tussen zit.'

'Ik dacht dat ik me een recept voor siroop herinnerde,' zei Raffaella.

'Ja ja, hier is het.' Er klonk opwinding door in haar moeders stem. 'Granaatappelsiroop – uitstekend om varkensvlees mee te glaceren, of om een gans of gebraden kip mee te bedruipen.'

Anna vond een schoon stukje papier en begon het recept voor haar dochter over te schrijven. 'Als je het klaarmaakt, moet je me beloven dat je me er iets van brengt om te proeven.'

'O, ik ga het echt maken. Er staan bomen vol met granaatappels bij Villa Rosa. Ik kan me niet voorstellen waarom iemand zoveel van die bomen plant. Er staat er eentje waarvan Carlotta beweert dat hij ouder is dan wij allemaal.'

Anna zweeg even. 'Die moet er dan al hebben gestaan voor Villa Rosa,' mompelde ze. 'Ik weet nog dat dat huis werd gebouwd. De eigenaren kwamen elke zomer. Ze waren heel chic en bezaten zeilboten en vrienden met wie ze feestvierden.'

'Wat is er gebeurd? Waarom kwamen ze toen niet meer?'

'Wie weet?' Anna haalde even haar schouders op. 'Eén jaar kwamen ze niet en dat was dat. We hebben ze nooit weer teruggezien.'

'Wat een trieste gedachte, dat dat huis al die tijd leeg heeft gestaan.'

Anna legde haar pen neer. 'Nu staat het niet meer leeg, hè? Vertel eens iets over die nieuwe huurder. Wat is het voor iemand?'

Raffaella voelde dat ze begon te blozen. 'De *americano*? Ach, dat weet ik niet zo goed. Ik ben meestal in de keuken. Carlotta heeft hem vaker gezien dan ik. Hij is kennelijk hier om een standbeeld op de top van de berg te zetten. Het gaat zo mooi worden, vooral als de maan schijnt. Dan lijkt het net alsof Jezus echt naar Triento is gekomen. Denk je ook niet dat het heel mooi zal lijken?'

'Zegt die *americano* dat?'

Raffaella knikte.

'Zo, dus hij gaat hem er echt neerzetten, hè? Hij gelooft dus dat het echt mogelijk is.'

'Ja, volgens mij wel. Hij zit er de hele tijd met de priesters over te praten.'

Anna slaakte een diepe zucht. 'Dat zal je vader niet fijn vinden.'

'Waarom niet? Wil papà dan niet dat er een standbeeld wordt gebouwd?'

'Hij vindt het onzin en ik ben het met hem eens. *Signor* Bertoli's hele erfenis is ervoor nodig en nog meer, trouwens. Als de stad daarna geen geld meer heeft, wat moet er dan gebeuren als we één of twee slechte jaren krijgen? Wat moet er gebeuren als het gaat stormen, er geen vis is of een slechte oogst? Een standbeeld kun je niet eten.'

Raffaella zag de logica van haar moeders woorden wel in. 'Is papà van plan de *americano* en de priesters tegen te houden?' vroeg ze.

Anna keek bezorgd. 'Dat moet je mij niet vragen. Ik heb geen idee. Alleen God weet wat hij van plan is.'

Teresa vond het fijn haar te zien. 'Ik heb je heel erg gemist,' zei ze tegen Raffaella en omhelsde haar zuster. 'Hoelang kun je blijven?'

'Niet lang. Eigenlijk moet ik al snel weer weg. Ik moet vers vlees en groenten kopen en dan terug om in de keuken van Villa Rosa te werken.'

Teresa bleef haar vasthouden. 'Ga niet,' smeekte ze. 'Blijf een tijdje met me praten.'

Normaal gesproken zou Raffaella in de verleiding zijn gekomen om te blijven, maar vandaag niet. Er was iets waardoor ze terug wilde naar Villa Rosa.

'Ik moet weg,' zei ze. 'Maar waarom loop je niet met me mee de heuvel op? Ik weet zeker dat mamma wel wat nodig heeft van de markt.'

'Wat een goed idee.' Anna duwde de mand al in de handen van haar jongste dochter. 'Alleen wat varkensvlees, verse kruiden en een fles goede rode aglianicowijn. Ik ben van plan vanavond het lievelingsgerecht van je papà te maken.'

Met het recept voor granaatappelsiroop in haar eigen mand liep Raffaella samen met haar zusje de heuvel op, de bijtend koude wind in hun rug, en luisterde naar haar verhalen.

'Papà is in zo'n gekke bui en volgens mij weet Sergio wel waarom, maar hij wil het niet vertellen. Laatst schreeuwden ze allebei tegen me, zomaar…' De woorden rolden uit Teresa's mond, alsof ze ze binnen had gehouden tot ze ze eindelijk aan haar oudere zuster kon vertellen.

'Papà is dus chagrijnig geweest?' vroeg Raffaella.

'Het ene moment is hij chagrijnig en het andere verdrietig. En ik heb geen idee waar hij aan denkt.'

'En mamma dan?'

'Zij lijkt zich zorgen om hem te maken en probeert hem te kalmeren,' zei Teresa. Ze ademde zwaar door de stevige klim. 'Maar ze maken ook ruzie.'

'Waarover?'

'Dat weet ik niet zeker. Ik heb het wel een keer gevraagd, maar toen hield papà zijn mond en daarna zei mamma dat het bedtijd was.' Teresa was verontwaardigd. 'Ze doen net of ik een kind ben, weet je. Jij bent de enige met wie ik kan praten en jij bent er nooit meer.'

'Ik zal vaker thuis proberen te komen,' beloofde Raffaella. 'Maar ik heb het heel druk en dus zal het soms wel lastig zijn. Je moet iets voor me doen. Hou je oren open. Luister als mamma en papà ruziemaken. Als je niets zegt en niet de aandacht trekt, vergeten ze misschien dat je er bent. En dan hoef je alleen maar te onthouden wat ze hebben gezegd tot je me weer ziet en dan gaan we samen een oplossing verzinnen.'

Teresa keek blij. 'Dat kan ik wel doen,' zei ze.

De koude herfstwind waaide over de *piazza*, kolkte door de hopen gevallen blad die op de keitjes lagen en veegde de inwoners van Triento rillend van straat en terug in hun huizen, naar hun houtkachels. Dan zeiden ze tegen elkaar dat de zomer nu echt voorbij was.

Silvana had een rustig dagje. Ze had zich achter haar brood verschanst en er was niemand met wie ze kon roddelen en ze had niets anders te doen dan nadenken. Alberto had zijn bank in de winkel gezet en zat tegenover haar rustig zijn krantje te lezen. Ze staarde langs hem heen door het raam naar buiten en stelde zich voor hoe haar leven zonder hem eruit zou zien.

Ze zag de burgemeester. Hij liep langzaam over de keitjes en rookte een sigaret. Toen verschenen Raffaella en haar zusje aan de andere kant van de *piazza*, met roze glimmende gezichten. Ze glimlachten toen ze elkaar passeerden, groetten elkaar en liepen door, zich schrap zettend tegen de wind. Silvana was jaloers op de meisjes en op hun vrijheid. Ze zag Giorgio in het stadhuis verdwijnen en wenste dat ze hem even met een glimlach had kunnen tegenhouden en dag tegen hem had kunnen zeggen. Maar zij zat hier in de gevangenis waarin ze was getrouwd en hij was duizenden kilometers bij haar vandaan aan de andere kant van het raam van de bakkerij. Silvana keek naar haar man en wenste dat hij dood was, niet voor het eerst.

In haar haast om Raffaella te ontwijken, viel Alba Russo de winkel bijna binnen. Met een trillende hand duwde ze haar opgewaaide krullen plat, ging op de kruk zitten die Silvana voor haar favoriete klanten had klaarstaan en mompelde: 'Madonna *mia*, wat nu?'

'Wat is er, Alba? Voel je je niet goed?' Silvana duwde haar een glas water in de hand en zag dat ze er trillend een slokje van nam.

Eindelijk zei ze iets. 'Er is niets aan de hand, hoor,' zei ze met een lage, zachte stem. 'Ik voel me heel goed.'

'Weet je dat wel zeker? Je ziet er een beetje beverig uit,' zei Silvana toen Alba het glas voorzichtig op de toonbank zette. Haar hand trilde nog steeds.

'Beverig?' Ze haalde diep adem en ze begon harder te praten. 'Zie ik er beverig uit? Nou, dat verbaast me niets.' Ze eindigde met een hoge noot en Silvana realiseerde zich dat Alba boos was in plaats van ziek.

'Waarom? Wat is er gebeurd?' vroeg ze, geïnteresseerd nu. 'Wie heeft je van streek gemaakt?'

'Die *puttana*!' Alba leunde over de toonbank. 'Die sloerie die ik met mijn oudste zoon heb laten trouwen!'

Silvana keek naar haar man, maar hij had niet de moeite genomen op te kijken van zijn krant. 'Vertel op,' zei ze tegen Alba. 'Wat heeft Raffaella nu weer gedaan?'

Alba keek haar zwijgend aan. Ze genoot van deze dramatische stilte.

'Nou?' drong Silvana aan.

'Ik hou haar in de gaten, weet je,' antwoordde Alba. 'Ze heeft zich dan misschien wel voor me verstopt in Villa Rosa, maar zodra ze een voet in dit stadje zet, kan ze niets doen zonder dat ik of mijn zonen dat weten.'

Silvana was helemaal verbijsterd. 'Hou je haar in de gaten? Echt waar?' vroeg ze.

'Ik weet zeker dat ze zichzelf een keertje zal verraden, maar zelfs ik had niet verwacht dat ze zo stom zou zijn het zo snel te doen.'

'Wat heeft ze gedaan?'

'Ze is nu al twee keer de steeg naar de Gypsy Tearoom in geslopen, je weet wel, waar alle mannen bij elkaar komen voor een biertje en een pizza.'

'Ze wil dus een pizza eten. Dat zegt toch niets?' Silvana was opgewonden geweest door de gedachte aan een schandaal en klonk nu teleurgesteld.

'Pizza,' schimpte Alba. 'Vanochtend vroeg, voor het ontbijt, toen er nog amper iemand op straat was? Volgens mij gaat ze daar niet naartoe voor een pizza. Er moet een man bij betrokken zijn. Mijn zoon is nog maar net begraven en nu heeft ze zijn nagedachtenis al besmeurd.'

'Maar wil je nu beweren dat ze echt is gezien met een man?' vroeg Silvana ongelovig.

'Nee!' Alba schreeuwde zo hard dat Alberto opkeek van zijn krant. 'Maar dat kan niet lang meer duren. Dat weet ik zeker. Ze zou de nagedachtenis van mijn zoon zeker twee jaar moeten eren, lieve god. Al die mensen die me belachelijk maakten omdat ik haar verdacht, die moeten heel binnenkort opnieuw nadenken.'

Alba gleed van haar kruk. 'Ik ga een priester zoeken. Padre Simone zal wel weten wat er moet gebeuren.'

Alberto keek haar na toen ze de winkel verliet. 'Ze heeft niet eens brood gekocht, die stomme ouwe trut,' zei hij boven zijn krantje uit. 'Het is een wonder dat we ooit geld verdienen. Er wordt hier volgens mij te veel geroddeld en te weinig geld uitgegeven.'

Silvana keek hem even met een harde blik aan. Het had geen zin met hem in discussie te gaan. Ze kon het niet eens verdragen naar hem te kijken. Al de tweede keer die dag wenste ze dat hij dood was en dat ze een nieuwe kans zou krijgen om gelukkig te worden.

16

Eduardo voelde zich schuldig. Het gestolen kusje van de vorige nacht was het eerste waar hij aan dacht toen hij de volgende ochtend zijn ogen opendeed en hoewel hij er met enig genoegen aan terugdacht, realiseerde hij zich dat hij het dorpsmeisje bang had gemaakt.

Hij was niet van plan geweest haar te kussen; hij had alleen maar willen praten. Maar de prachtige nacht, de vorm van haar lichaam die afstak tegen het licht van de maan en zijn groeiende opwinding over het standbeeld hadden iets in hem losgemaakt.

Ze was weggerend voordat hij netjes zijn excuses had kunnen aanbieden en nu was ze vast van plan hem te ontlopen. Eduardo voelde zich vreemd. Hij vroeg zich af of hij moest proberen even alleen met haar te zijn om haar te zeggen dat het hem speet.

Maar Raffaella was nergens te vinden toen hij haar ging zoeken. Het magere, zenuwachtige meisje, Carlotta, was alleen in de keuken. Ze pakte vlug de koffiepot toen ze hem zag.

'Goedemorgen, *signore*. Ik hoop dat u goed hebt geslapen. Er is brood en zelfgemaakte perzikjam voor uw ontbijt. En ik zal een kop sterke koffie voor u maken, zodat u goed wakker wordt.'

'O ja, dank je wel, dat is heerlijk.' Ze wilde hem zo graag een plezier doen dat het bijna pijnlijk was. 'Maar eigenlijk vroeg ik me af of Raffaella in de buurt was.'

'O.' Carlotta klonk verbaasd. 'U wilt Raffaella. Waarom?'

'Om haar te bedanken voor het diner van gisteravond,' loog hij snel. 'Het was een van de lekkerste maaltijden die ik ooit heb geproefd.'

Carlotta glimlachte. 'Dat is goed. Ik zal het aan haar doorgeven als u wilt. Ik hoop dat het diner van vanavond net zo lekker zal zijn. Raffaella is in Triento om er inkopen voor te doen.'

'Daar ga ik nu zelf ook naartoe. Je hoeft geen koffie voor me te maken, hoor. Ik neem er wel eentje in de bar als ik daar ben.'

Carlotta keek gekweld. 'Maar echt, *signore*, het is helemaal geen moeite, hoor,' riep ze tegen zijn rug toen hij de keuken uit liep.

Eduardo reed vier rondjes door het centrum van Triento, maar kon geen spoor van Raffaella ontdekken. Tijdens zijn laatste rondje begon een officieel uitziende vrouw die een pet met een klep droeg op een fluitje te blazen en naar hem te zwaaien.

'U blokkeert de straat, *signore*. Hou op met als een gek rondjes te rijden,' gilde ze tussen schrille fluitjes door.

Met tegenzin gaf Eduardo zijn zoektocht op. Hij nam de afslag naar de berg en reed tot aan het groepje huizen dat rondom een kapelletje was gebouwd. Hier werd de smalle weg een rotsig pad. Hij stapte uit zijn auto, ging te voet verder en beklom de ruïnes van Oud Triento naar de plek waar de priesters het standbeeld wilden plaatsen.

De wind voelde koud aan op zijn gezicht, maar hij vond het wel verkwikkend. Toen hij de top had bereikt, bleef hij staan om van het uitzicht te genieten. Het was fantastisch. Heel Triento lag aan zijn voeten, met zijn torenspitsen en steile, smalle straatjes. Hij kon de kustlijn zien, de baaien, de rotsachtige uitlopers van de bergen en de enorme hoeveelheid turkoois water die er tegenaan klotste.

'Wat is het hier mooi,' zei Eduardo hardop. 'Wat een schitterende plek voor een standbeeld.'

Hij wist dat het geen gemakkelijk project zou zijn. Ten eerste moest de berg getemd worden. Eduardo keek naar beneden, naar de steile helling en dacht erover na hoe het zou moeten gebeuren. Er zou een weg tegen de berg op zigzaggen met viaducten over de ravijnen. De rotsachtige helling waar hij stond, zou vlak moeten worden gemaakt. En dan moesten ze het enorme standbeeld stukje bij beetje naar boven brengen en het hier, op de top van de wereld, in elkaar zetten.

Eduardo was ook nog enthousiast over iets anders. Het plan had zijn fantasie geprikkeld. Hij keek neer op de daken van Triento en beloofde zichzelf dat hij alles zou doen om het standbeeld hier te kunnen plaatsen. Zijn naam zou de geschiedenis van dit stadje ingaan. Lang nadat hij alweer terug was in Manhattan zouden ze nog steeds praten over de Amerikaan die hun hun standbeeld had gegeven.

Terwijl hij naar beneden klom, naar zijn auto, borrelden er allemaal ideeën in zijn hoofd op. Hij dacht aan de problemen waarmee hij geconfronteerd zou worden en hoe hij die zou oplossen. Toen hij weer bij Villa Rosa was aangekomen, hadden zijn dromen over het standbeeld alle andere gedachten uit zijn hoofd verdreven.

Hij reed door het openstaande hek en zag dat de tuinman de gevallen bladeren bij elkaar probeerde te vegen terwijl de wind ze weer wegblies. Zijn dochter gaf de oude granaatappelboom op de binnenplaats water. Door het keukenraam zag Eduardo een glimp van Raffaella's donkere hoofd en de herinnering aan de kus van de vorige nacht kwam weer boven. Hij vroeg zich af hoe hij in vredesnaam even alleen met haar kon zijn om zijn excuses aan te bieden.

'*Buongiorno, signore,*' riep Umberto tegen hem. 'Hebt u honger? Raffaella is net de lunch aan het klaarmaken.'

Eduardo knikte. 'Ja, ik heb heel veel trek. Ik heb wel zin om te lunchen.'

'Als u naar de eetkamer gaat, zal mijn dochter u iets te eten brengen zodra het klaar is.'

'Kan ik samen met u in de keuken eten?'

Umberto vroeg aarzelend: 'Weet u zeker dat u samen met ons wilt eten?'

'Ja, dat lijkt me veel fijner dan in mijn eentje aan de eettafel te zitten. Als u dat niet erg vindt tenminste.'

De tuinman aarzelde nog steeds. 'Tja, als u zeker weet dat u dat wilt, dan is het natuurlijk goed.'

Eduardo dacht dat hij Raffaella zag blozen toen hij de keuken binnenkwam. Ze ontweek zijn blik en richtte haar aandacht op het eten dat ze klaarmaakte. Er stond een grote pan met spaghetti op het fornu.. .. borrelen en daarnaast stond een grote pan met olijfolie, kerstomaatjes, chilipepertjes en knoflook erin te pruttelen. Hij zag hoe Raffaella een beetje van het kookvocht van de pasta bij de tomaten schepte en toen alles door elkaar roerde, samen met wat gescheurde basilicumblaadjes en een beetje zwarte peper. Daarna liet ze alles nog even sudderen.

'Gewoon een eenvoudige pasta,' zei Umberto verontschuldigend toen ze rondom de keukentafel gingen zitten. 'En daarna een beetje verse buffelmozzarella.'

Het eten was goed, maar de conversatie kwam niet op gang. Carlotta was te zenuwachtig om te praten, Raffaella was vast van plan niets te zeggen en Umberto voelde zich niet op zijn gemak. Tussen de happen door verbrak Eduardo de stilte. Hij vertelde hen over zijn wandeling naar de plek waar ze het standbeeld wilden plaatsen.

'Volgens u is het dus mogelijk, *signore*? Is het dan toch geen belachelijk plan?' vroeg Umberto.

'Het is wel een ambitieus plan, maar het is heel goed mogelijk. Met voldoende geld, het juiste materieel en ervaren arbeiders is er geen enkele reden waarom het niet zou lukken.'

Raffaella richtte haar aandacht op haar bord, maar Eduardo merkte wel dat ze aandachtig luisterde.

'De hele stad lijkt wel opgewonden over dit project,' zei Eduardo.

Raffaella keek op van haar bord en trok haar wenkbrauwen op, maar zei niets.

Heel even was het stil. Toen slikte Umberto een hap spaghetti door en depte zijn lippen onhandig met een papieren servetje. 'Wees daar maar niet zo zeker van, *signore*,' zei hij. 'Het is onwaarschijnlijk dat iedereen het eens is met het plan.'

'Maar het levert werk op voor Triento tijdens de bouw en daarna door de toeristen. Hoe kan iemand daarover klagen?'

'U hoeft mij niet te overtuigen, hoor, *signore*.'

'Wie dan wel?'

De anderen staarden naar hun bord, zwijgend en met een gesloten uitdrukking op hun gezicht.

'Oké, wat denken jullie?' vroeg Eduardo, ongeduldig nu. 'Vertel me wat jullie denken.'

Raffaella was degene die ten slotte iets zei. 'Het is een geweldig idee,' zei ze voorzichtig. 'Ik ben er zeker van dat iedereen dat met me eens is.'

'Maar?'

'U hebt wel gehoord wat er is gezegd, *signore*. Het is onwaarschijnlijk dat iedereen achter u staat.'

Uitgeput gaf hij het op. Zijn neven in Napels hadden hem verteld over de mensen die in deze bergen woonden. Ze houden hun mond tegen vreemdelingen, hadden ze gezegd, ze vertrouwen iemand niet snel en hebben bekrompen tradities. Je moet voorzichtig zijn, hadden ze gewaarschuwd. Hij vroeg zich af waar hij in terecht was gekomen.

Die middag zouden ze granaatappels gaan plukken. Umberto had een oude houten ladder die ze konden gebruiken om bij de hoogste takken te komen. Carlotta en Raffaella zouden de vruchten plukken waar ze vanaf de grond bij konden.

'Kan ik jullie helpen?' vroeg Eduardo.

'Nee nee, *signore*,' zei Umberto snel. 'U hebt het natuurlijk druk. We kunnen het ook alleen wel af.'

'Maar ik wil heel graag helpen,' drong hij aan. 'Echt waar.'

En dus hield Eduardo de ladder vast terwijl Raffaella er opklom. Ze gaf hem de vruchten aan en die deed hij in de mand die bij zijn voeten stond. Een tijdje werkten ze zwijgend, maar toen zag Eduardo dat de beide anderen naar een lager gelegen terras waren gegaan. Hij greep zijn kans.

'Het spijt me heel erg van vannacht,' fluisterde hij tegen Raffaella. 'Ik gedraag me meestal niet zo, geloof me alsjeblieft.'

Ze keek niet naar hem, maar bleef doorgaan met plukken. Toen hoorde hij haar gefluisterde antwoord: 'Het spijt mij ook, *signore*.'

Vanwaar hij stond kon Eduardo haar gezicht niet zien, alleen de ronding van haar borsten en de gezwollen tepels in haar strakke zwarte jurk. Haar hand reikte naar beneden met een nieuwe granaatappel en haar vingers raakten de zijne toen ze hem de vrucht gaf.

'Het zal niet weer gebeuren, dat beloof ik,' zei hij snel.

'Zeg maar niets meer, *signore*. We kunnen het beter vergeten.'

Voorzichtig klom ze de oude houten ladder af, sport voor krakende sport, totdat haar gezicht op dezelfde hoogte was als het zijne. Heel even was de aandrang om haar weer te kussen bijna overweldigend. Eduardo boog zich naar haar over, maar ze stak haar hand uit om hem tegen te houden.

'*Signore*,' zei ze op scherpe toon. 'Ik ben hier klaar. Er zijn geen vruchten meer. Het is tijd om de ladder tegen een andere boom te zetten.'

De keuken stond vol manden met granaatappels en Raffaella moest er voorzichtig omheen lopen. Haar armen deden pijn van het plukken van de vruchten en haar benen van het beklimmen van de ladder. Ze was blij dat ze klaar waren met plukken, want het was een kwelling dat de *americano* de hele middag zo dicht bij haar in de buurt was geweest. Ze wist zeker dat ze de geur van zijn kruidige sigaren kon ruiken en van iets dat hij op zijn haar deed. En elke keer dat ze weer een granaatappel aan hem gaf, raakte ze zijn warme, zachte huid aan.

Ze vroeg zich af of hij wist wat ze voelde. Met haar hoofd tussen de takken kon ze zijn gezichtsuitdrukking niet zien. Maar elke keer dat ze de ladder op- of afklom, was haar gezicht heel dicht bij het zijne geweest en een paar keer wist ze bijna zeker dat hij haar wilde kussen. Carlotta en Umberto waren nu uit het zicht op het terras beneden en hoewel ze hun gemompel nog steeds kon horen, zou het gemakkelijk zijn geweest om elkaars lippen te beroeren en Marcello's nagedachtenis weer te verraden.

Raffaella laveerde tussen de manden granaatappels door om het avondeten te bereiden en probeerde wanhopig aan iets anders te denken dan aan de *americano*. De wind was gaan liggen en het was een rustige avond. Het gebeier van de kerkklokken dreef vanuit Triento de keuken in en vermengde zich met het geluid van de koebellen op de bergen achter Villa Rosa. Umberto was in de tuin bezig bladeren te verbranden en de rook kruidde de lucht. Carlotta hielp nog steeds mee om de laatste manden vol vruchten uit de lagergelegen terrassen naar boven te brengen.

'Wat wil je met al die vruchten gaan doen?' vroeg de *americano* aan haar.

'Morgen gaan we granaatappelsiroop maken,' antwoordde Carlotta verlegen. 'Dat is heel veel werk. Misschien hebt u tijd ons weer te helpen, *signore?*'

'Ja, misschien wel,' antwoordde hij.

Raffaella keek door het keukenraam en ving zijn blik. Hij bleef haar aankijken. De volgende dag zou de kwelling van zijn aanwezigheid weer beginnen, dacht ze. Ze vroeg zich af hoe ze dat zou redden.

Silvana stond te koken. Ze bakte uien en schoof ze met haar houten spatel heen en weer. De pannen en potten ketste ze wild tegen elkaar. Ze was boos. Het lawaai dat ze maakte werd bijna overstemd door het avondlijke ritueel van alle zeven kerkklokken van Triento. Alberto leek niets te merken. Hij zat in zijn favoriete stoel met de krant op schoot en snoof de zoete geur van gebakken uien op.

Silvana keek naar hem en vroeg zich af of ze de moed zou hebben het te doen. Alles wat ze nodig had, had ze bij de hand, maar ze wist niet goed of ze er wel mee door moest gaan. Als hij nu eens argwaan kreeg? En nog erger, als hij haar zou betrappen? Toen dacht ze aan alle dagen die nog voor haar lagen, het ritme van wakker worden, werken, koken en slapen, tot ze te oud en te krom was om het nog langer te verdragen. Nu had ze nog de kans om er verandering in te brengen.

Ze pakte het zwaarste mes uit het messenrek boven het aanrecht en greep het met haar magere hand stevig beet. Met een ervaren gebaar hakte ze de kop en de poten van een schriele kip die ze die ochtend had geslacht en geplukt, en hakte het karkas in kleinere stukken. De botten waren stevig, maar het mes was scherp en zij was sterker dan ze eruitzag. Zorgvuldig ving ze elke bloeddruppel op in een kom die ze apart zette.

Toen liep ze naar haar moestuin. Hij lag op de steile terrassen achter hun grote, smalle huis en bedekte elke centimeter van de harde, stenige aarde. Bovenaan stonden de wijnranken die al meer dan honderd jaar geleden door Alberto's grootvader waren geplant. Ze hadden dikke, kromme stammen, maar gaven elk jaar weer een rijke oogst waar Silvana een stevige rode wijn van maakte. In de lente kweekte ze artisjokken en in de zomer leidde ze de ranken van de tomatenplanten langs het houten raamwerk op de lagergelegen, meer beschutte terrassen. Maar nu liep ze naar haar kruidentuintje. Hier kweekte ze sla en andere planten, zoals ze van haar moeder had geleerd toen ze nog jong was. Snel plukte ze een grote bos kruiden en daarna, terwijl ze snel even achteromkeek, plukte ze een paar donkergroene bladeren van een plantje dat helemaal achterin op een rotsrichel groeide. Ze verstopte ze onder haar schort.

Toen ze weer binnenkwam zag ze dat Alberto zich niet had bewogen. Zijn ademhaling was nu zwaarder en ze was ervan overtuigd dat hij algauw zou gaan snurken. Ze beet op haar lip, draaide haar rug naar hem toe en richtte haar aandacht op het avondeten. Ze bakte de kip tot hij goudbruin was en deed hem toen in een diepe pan met de uien en een potje tomaten van vorig jaar. Ze bracht de saus op smaak met een beetje zout en wat gehakte rozemarijn en liet hem op een laag vuur sudderen. De slablaadjes verdeelde ze over twee aardewerken kommen. Toen haalde ze diep adem, haalde de kurk van een al aangebroken fles van haar eigen sterke rode wijn en dronk er snel een glas van leeg. Ze vulde het glas opnieuw en dronk nu veel langzamer van de wijn. De saus moest nog een halfuur sudderen om zacht te worden door het kippenvet. Nu ze had besloten om het te doen, kon ze bijna niet meer wachten.

Ten slotte was de maaltijd klaar. Ze schepte de kip en de saus op twee borden, een enorme hoeveelheid op het ene bord en een kleinere portie op het andere. Het enige wat ze nog moest doen, was de salade aanmaken. Ze deed een scheutje citroensap op de slablaadjes in de beide kommen en druppelde er nog een beetje olijfolie op. Daarna schermde ze de kommen af met haar lichaam, voor het geval Alberto wakker zou worden, en scheurde de blaadjes die ze in haar schort had verstopt in stukjes en legde ze in een van de kommen. Ze pakte de kom, besprenkelde de sla erin met het kippenbloed dat ze had bewaard en schepte alles goed door elkaar.

Ze zette de kom naast de grotere portie eten aan Alberto's kant van de tafel.

'Het eten is klaar,' zei ze kortaf.

'Eindelijk,' gromde Alberto. Hij stond op en rekte zijn zware ledematen uit. Toen hij naar het eten op zijn bord keek, fronste hij. 'Is dat alles? Wil je me uithongeren of zo?'

Hij begon te eten en greep een kippenpoot. Toen hij erin beet, droop de tomatensaus over zijn kin. 'Dit vlees is taai,' klaagde hij met een verstikte stem doordat hij zijn mond vol had. 'Die kip van jou was te oud. Die had je moeten koken.'

Toen greep hij een handvol slablaadjes en propte ze in zijn mond. 'Deze zijn bitter,' klaagde hij terwijl hij erop kauwde. 'Wat is er met je aan de hand? Weet je soms niet meer hoe je een goede maaltijd moet klaarmaken?'

Silvana keek naar hem terwijl hij de salade doorslikte. Haar hart klopte zo luid en snel dat het wel leek op het *festa* van vorig jaar toen ze op de berg vuurwerk hadden afgestoken.

'Het spijt me,' zei ze terwijl ze haar best deed rustig te blijven. 'Het is de tijd van het jaar waarin de planten doorschieten. Ik heb waarschijnlijk per ongeluk de verkeerde geplukt.'

Hij gromde en scheurde een brok van het knapperige stuk brood. Hij doopte het in de slakom en depte hiermee de dressing op. Toen beet hij erin, boog zijn hoofd en propte nog meer blaadjes in zijn mond en bleef kauwen. Hij zou alles opeten, realiseerde Silvana zich met een kalme opwinding. Alles.

De borden en de pan waren helemaal schoon toen Alberto klaar was met eten. Hij had zelfs Silvana's bord leeg gegeten.

'Jij hebt niet veel gegeten,' zei hij toen hij het laatste stuk brood pakte.

'Ik ben te moe om goed te eten,' zei ze en keek hoe hij het eten in zijn mond liet verdwijnen. 'Ik denk dat ik maar naar bed ga nadat ik alles heb opgeruimd.'

Alberto ging weer in zijn eigen stoel zitten met zijn handen op zijn maag en met het laatste restje wijn bij zijn elleboog. Silvana kon zich niet beheersen en keek tijdens het afwassen af en toe naar zijn gezicht.

'Waarom kijk je steeds naar me?' vroeg hij zuur. Haar hart begon als reactie in een nerveus tempo te kloppen.

Toen zij naar bed ging, schoof Alberto ongemakkelijk heen en weer in zijn stoel en liet af en toe een luide boer.

Toen ze wakker werd doordat hij aan het kokhalzen was, dacht ze dat het misschien was gelukt. Ze voelde zich ellendig van angst en van opwinding. Hij was de hele nacht aan het overgeven, met zijn hoofd boven de gootsteen.

Toen ze op de gewone tijd opstond, lang voordat het licht was, zag ze hem in zijn stoel zitten. Het leek alsof al het bloed uit zijn lichaam was verdwenen.

'Alberto, gaat het wel goed met je?' Ze probeerde ongerust te klinken.

Hij jammerde. 'Nee, ik voel me afschuwelijk.'

'Ik zal je een beetje water geven.'

'Nee, laat me met rust.' Hij keek de andere kant op.

'Maar je moet opstaan. Het is vier uur en tijd om aan het werk te gaan.'

'Dat kan ik niet.'

'Maar, Alberto…'

'Mijn god, vrouw,' zei hij zwakjes. 'Is het niet genoeg dat je me met die afschuwelijke maaltijd gisteren hebt vergiftigd? Kun je me dan niet ten minste met rust laten?'

Ze voelde dat ze begon te trillen. 'Je kunt niet ziek zijn geworden van het eten, Alberto. We hebben toch hetzelfde gegeten?'

Hij gromde.

'Ik ga wel naar de bakkerij om jouw werk te doen, als je dat wilt.' Ze probeerde niet al te enthousiast te klinken. 'Ik heb vaak genoeg naar je gekeken als je bezig was, dus ik weet zeker dat ik het kan. Wil je dat ik dat ga doen?'

Hij gromde weer en gebaarde dat ze weg moest gaan.

Ze gleed in haar jas, deed de deur zachtjes achter zich dicht en rende de stenen trappen af naar de donkere, verlaten straat beneden. Alberto was waarschijnlijk te ziek om die dag nog in beweging te komen. Ze wist niet zeker wat het had veroorzaakt, het kippenbloed in de dressing of de kruiden die ze had geplukt en door de salade had gemengd, maar dat gaf niets. Ze kon het bijna niet laten dat ze liep te glimlachen.

17

Zo vroeg op de dag waren er meestal nog geen gasten in de Gypsy Tearoom. De dag was nog maar amper begonnen, maar de kleine ruimte rook nu al naar zoete zwarte koffie, houtvuur en sigaretten. De mannen die om de tafel zaten, praatten zacht met elkaar. Ciro liep lichtvoetig tussen hen door en bracht verse koffie en warme broodjes uit de oven.

Raffaella's broer, Sergio, zat aan het hoofd van de tafel en drie andere vissers zaten naar hem te luisteren. Hij was klein en donker, net als zijn vader Tommaso, had een smalle neus en een hoog voorhoofd. Hij had zichzelf altijd beschouwd als de aanvoerder van een groep mannen. Nu kreeg hij eindelijk een kans om te bewijzen dat hij dat ook aankon.

'We moeten nu een plan maken,' verkondigde hij en keek naar de mannen die hem wilden helpen: Francesco Biagio, loyaal maar misschien niet al te snugger; Gino Ferrando, een goede man en een harde werker; en de slimste van het stel, Angelo Sesto.

'We weten nu dat ze doorgaan met dat standbeeld, met ons of zonder ons,' zei Sergio. 'Ik heb gehoord dat de *americano* volgende week teruggaat naar Napels. Van daaruit zal hij beginnen met de planning: materieel huren, bouwvakkers, handwerkslieden. Maar tot de lente wordt er niet gebouwd en dus hebben we meer dan genoeg tijd om te besluiten wat we willen doen.'

'Hoe weet je dat allemaal?' vroeg Francesco Biagio met een verbaasde uitdrukking op zijn maanvormige gezicht.

Sergio tikte tegen de zijkant van zijn neus. 'Geen vragen,' zei hij kortaf. 'Vertrouw me maar gewoon.'

'Maar iedereen behalve wij is voor het plan. Wat kunnen we er dan tegen doen?' vroeg Francesco.

'Daarom zijn we hier, om dat af te spreken,' zei Sergio. 'Als we de Gypsy Tearoom verlaten, moeten we een plan hebben.'

Angelo Sesto nam peinzend een paar slokjes koffie. 'Hoe zit het met je vader, Sergio? Waarom is Tommaso hier niet?'

'Mijn vader is de reden dat we hier zitten en niet beneden.' Sergio knikte met zijn hoofd in de richting van Klein Triento. 'Hij is nog meer tegen dat standbeeld dan wij. Hij is er al weken woedend om.'

Angelo herhaalde zijn vraag: 'Maar waarom is hij dan niet hier?'

'Omdat ik bang ben dat hij iets ondoordachts zal doen. Je kent mijn vader. Ook al hebben we de best doordachte plannen ter wereld, als hij zijn geduld verliest en het heft in eigen hand neemt, dan bederft hij alles.'

'We hebben nog nooit iets zonder Tommaso gedaan. Ik vind dat hij hier ook hoort te zijn,' drong Angelo aan.

'Ik ben hier toch?' Sergio slaagde erin niet zo ongeduldig te klinken als hij zich voelde. 'En ik heb een plan, als iemand dat wil horen.'

Francesco knikte. 'Ik wil het graag horen. En ik sta helemaal achter je, Sergio. Hou je vader er maar buiten. Tommaso hoeft ons handje niet vast te houden. Dit kunnen we wel zonder hem af. Goed dan, wat is het plan?'

Sergio leunde achterover en keek van de een naar de ander. 'Voordat ik jullie dat vertel, moet ik weten of jullie allemaal achter me staan.'

De drie mannen knikten, Angelo iets minder enthousiast dan de beide anderen.

Sergio keek hem aan. 'Mijn plan...' zei hij en zweeg even om zijn woorden meer effect te geven, '...mijn plan is sabotage.'

Angelo streek met zijn vingers door zijn zwarte krullen. 'Sabotage? Is dat je plan?'

'Ja.' Sergio knikte. 'We zullen de details uitwerken zodra we beter weten wat de *americano* precies van plan is. Maar zoals ik het zie, is dit de enige kans die we hebben. We kunnen niet voorkomen dat hij de plannen voor het standbeeld doorzet. Daar is het te laat voor. Maar we kunnen de bouw ervan wel vertragen. We zullen het materieel vernielen, de bouwvakkers dronken voeren, allerlei dingen doen om hen tegen te houden. Daardoor zullen ze het budget overschrijden en raakt het geld op, en dan moeten ze het hele project afblazen. Wat denken jullie daarvan?'

Gino knikte goedkeurend en Francesco sloeg met zijn vuist op tafel. 'Dat klinkt goed.'

Sergio glimlachte naar hen. 'En wat denk jij, Angelo?'

'Het heeft een kans van slagen, maar ten koste van wat?'

'Wat bedoel je?'

'De reden dat je vader tegen het standbeeld is, is dat het de stad geld kost dat beter aan andere dingen besteed kan worden. Door jouw plan zal het alleen maar duurder worden. Het zal Triento op de rand van het faillissement drijven. Volgens mij is sabotage niet de goede manier, Sergio. Dan kunnen we ze net zo goed door laten gaan met hun standbeeld.'

Sergio staarde hem aan. 'En hoe zit het dan met het principe?'

'Wat voor principe?'

'Wij hebben tegen het standbeeld gestemd en zij hebben ons genegeerd. Dat zouden we niet toe moeten staan, vind je wel?'

'We weten allemaal dat het niet goed is, maar waar het om gaat is dat jouw plan alles nog veel erger maakt.'

'Je zei dat je achter me stond, Angelo.'

'Dat was voordat ik wist wat je plan was.' Angelo stond op, haalde een paar munten uit zijn zak en gooide ze op tafel. 'Dat is voor de koffie. Ik hoop dat je hier goed over nadenkt. Maar wat je ook doet, ik wil er niets mee te maken hebben.'

Sergio keek hem na toen hij naar buiten liep. Hij schudde zijn hoofd en mompelde: 'Ik dacht dat hij een goede man was. Ik heb me vergist.'

Francesco sloeg weer met zijn vuist op tafel. 'Trek je maar niets van hem aan. Wij staan achter je, ja toch, Gino? Sabotage, dat is het plan.'

Sergio keek naar Ciro, die bezig was met de voorbereidingen van een lange dag in de Gypsy Tearoom. 'En jij? Doe jij met ons mee?'

Ciro keek weifelend. 'Ik kan geen partij kiezen. De priesters zijn mijn klanten, jullie zijn mijn klanten en ik heb jullie allemaal nodig. Wat ik wel kan beloven, is dat ik niets zal doorvertellen van wat ik vandaag heb gehoord. Daar kun je op vertrouwen.'

Sergio was niet tevreden. 'Dit is niet het juiste moment om niets te doen. Sta je achter ons? Of sta je achter hen?'

Ciro's donkere ogen werden nog donkerder. 'Je hebt je antwoord al gekregen,' zei hij vastbesloten. 'Een ander antwoord heb ik niet.'

Sergio gooide zijn espressokopje op de stenen vloer en Ciro knipperde toen hij het hoorde breken. 'Daar zul je spijt van krijgen, Ciro Ricci. Meer zeg ik niet. Hier zul je spijt van krijgen.'

Silvana had zich al jaren niet meer zo gelukkig gevoeld. Het had iets geruststellends, met ritmische bewegingen het deeg kneden, er bolletjes van vormen en die in de oven stoppen. Toen het buiten licht begon te worden, hoorde ze de vogels zingen in de bomen aan de overkant van de *piazza* en ze werkte tevreden door op het ritme van hun muziek.

Het was al een beetje laat toen ze de winkel opende voor de eerste klant. Haar gezicht was rood door de hitte van de oven en de broden lagen nog niet op de planken.

'Wat is hier aan de hand? Waar is Alberto?' Giuliana Biagio zette haar mand op de toonbank en liet zich op de kruk vallen.

'Ziek,' antwoordde Silvana kortaf. 'Hij is de hele nacht op geweest. Ik weet niet wat er met hem aan de hand is, want we hebben gisteravond precies hetzelfde gegeten en met mij is niets aan de hand.'

'Te veel gegeten zeker? Zichzelf ziek gegeten, stomme idioot,' zei Giuliana spottend. Ze leunde met haar rug tegen de toonbank en leek zich voor te bereiden op een lekker lange klaagzang over hun mannen. 'Francesco is net zo. Hij weet niet wanneer hij zijn vork moet neerleggen. Ik zeg al jaren tegen hem dat, als hij nog dikker wordt, de boot zal zinken als hij er instapt. Geen wonder dat zijn netten tegenwoordig zo vaak leeg zijn. Zelfs de lelijkste inktvis gaat er waarschijnlijk doodsbenauwd vandoor na één blik op dat zweterige ronde gezicht van hem als hij in het water staart.'

Silvana knikte ongeduldig. 'Ja, ja, maar wat kan ik voor je inpakken, Giuliana? Nu Alberto er niet is, heb ik het ontzettend druk. Ik heb geen tijd om te kletsen.'

Giuliana zag er een beetje beledigd uit. 'Dat begrijp ik. Nou, dan ga ik zo maar, als je me eerst even een van die grote broden geeft. Neem me niet kwalijk dat ik je heb opgehouden.'

Ze stommelde de bakkerij uit zonder nog een keer om te kijken. Silvana vond het niet erg. De vertrouwde verschijning van de burgemeester kon nu elk moment de *piazza* oversteken, onderweg naar zijn werk in het stadhuis. Ze wilde hem niet mislopen.

Zodra ze de broden op de rekken had gelegd zoals Alberto dat het liefst had, de grootste broden links en de kleinere rechts, begon Silvana zich op te knappen. Ze trok de spelden uit haar haar en toen viel het strakke knotje dat ze altijd droeg op haar schouders uiteen in grijze krullen. Ze kneep in haar wangen en maakte haar lippen vochtig met haar tong. Zij was er klaar voor.

Ze zag Giorgio op de gebruikelijke tijd de hoek van de *piazza* omslaan. Ze keek even snel om zich heen om te kijken of er niemand in de buurt was. Toen stak ze haar hoofd om de hoek van de deur van de bakkerij en liet een lang fluitje horen. Hij keek haar verrast aan en zij wenkte hem binnen.

'Wat is er, *signora*? Ben je hier helemaal alleen vanochtend? Waar is je man?'

'Ziek,' zei ze kortaf en deed de deur achter hem dicht. 'Ik heb niet veel tijd. Elk moment kan er een klant binnenkomen. Maar ik moest even met je praten.'

'Waarover? Is er iets aan de hand?'

'Ja, er is iets heel erg verkeerd. Al heel lang. Zoals ik je laatst vertelde, heb ik jaren geleden de verkeerde keuze gemaakt.'

Giorgio leek eerst even gealarmeerd door haar woorden, maar toen kreeg hij een verdrietige blik op zijn gezicht. 'Jij hebt gedaan wat je dacht dat goed was. Dat kan ik je niet kwalijk nemen, Silvana.'

'Maar ik neem het mezelf wel kwalijk. Ik kan alleen maar zeggen dat het me spijt.'

Giorgio keek haar aan. Als hij naar Silvana keek, zag hij geen vrouw van vijfenveertig, getekend door vele ongelukkige jaren. Hij zag de rimpels niet in haar huid, of hoe haar wangen waren ingevallen en haar lippen smal en dun waren geworden. In zijn ogen was zij nog altijd het zestienjarige meisje door wie hij voor het eerst was gekust onder de bomen achter de varkenskotten achter haar vaders boerderij. Hij had het heerlijk gevonden om zijn vingers door haar glanzende zwarte krullen te laten glijden tot hij heel dicht bij haar was en zij zich niet kon onttrekken aan zijn hartstochtelijke kussen, als ze dat al had gewild. Maar uiteindelijk was ze toch ontsnapt. Het had zijn hart gebroken toen zij met Alberto trouwde.

Hij herinnerde zich dat hij te trots was geweest om haar te smeken zich te bedenken. Ze had het hem aan het einde van de zomer verteld. Ze waren samen gaan zwemmen in een kleine baai die je alleen maar kon bereiken als je door een gat in de rotsen klom. Dat was hun geheime plekje. Ze lagen op de stenen richel en lieten de zon hun huid drogen, toen Silvana hem vertelde dat ze had gekozen. Ze haatte het leven op de boerderij, de stank van de varkens en het zware werk op het land. Ze wilde geen boerenvrouw zijn, zoals haar moeder. Ze zou met een bakker trouwen en elke dag in een schone winkel werken, omringd door de zoete geur van versgebakken brood.

Woedend en ontdaan had hij zich omgedraaid en was weggerend over de rotsen. De hele winter had hij geen woord tegen haar gezegd. En toen, in de lente, was ze met Alberto getrouwd.

In een stadje dat zo klein was als Triento kon hij haar niet ontlopen. In de loop der jaren had hij gezien hoe ze haar beide zonen opvoedde. Hij had geen reden om te denken dat ze niet gelukkig was. Uiteindelijk waren de jongens volwassen geworden en naar Napels gegaan om werk te zoeken. Het leek alsof zij en Alberto het goed met elkaar konden vinden.

Maar nu, nu hij naar haar gezicht keek, vroeg hij zich af of hij zich had vergist. Misschien was het al deze jaren niet zo geweest als hij had gedacht.

'Uiteindelijk is het allemaal goed met ons gekomen, toch?' vroeg hij op lichte toon. 'Jij bent met Alberto getrouwd en ik ben de burgemeester van Triento. We hebben beiden een goed leven en dus was het misschien wel goed zo.'

Silvana leek niet overtuigd. 'Maar het had allemaal zo anders kunnen zijn...' begon ze, en zweeg toen ze de deur van de bakkerij open hoorde gaan. Het was Raffaella, goed ingepakt tegen de kou van deze ochtend. Haar gezichtje boven haar sjaal had een nieuwsgierige blik.

'*Buongiorno.* Pardon, stoor ik?' vroeg ze.

'Nee nee, de burgemeester wilde alleen maar een broodje kopen,' zei Silvana. Haar stem klonk gesmoord en vreemd, zelfs voor haar eigen gevoel. Ze ging snel achter de toonbank staan en begon een brood voor hem in te pakken.

'Het is nog steeds warm van de oven, burgemeester. Ik hoop dat u het lekker vindt,' kon ze nog zeggen. Ze keek hem aan toen ze het brood over de toonbank schoof.

'Natuurlijk,' antwoordde hij en verliet de winkel.

Silvana keek hem na toen hij de *piazza* overstak naar het stadhuis. Ze keek somber naar de rijen brood die voor haar lagen en naar het knappe meisje dat voor de toonbank wachtte tot ze zou worden geholpen.

'Ja? Wat kan ik voor je doen?' vroeg ze.

'Een van die grote broden en een pakje *tarallini piccante.*' Raffaella wees naar de pakjes hardgebakken koekjes met chilipepertjes erdoor, op de plank achter Silvana. 'Nee, doe maar twee pakjes. De *americano* is er dol op.'

Silvana had het gevoel dat ze amper de kracht had om het brood en de *tarallini* in te pakken. Ze voelde zich depressief en haar ledematen voelden loom en zwaar.

'Gaat het wel goed met je, Silvana?'

'Alleen maar moe. Alberto is ziek vandaag en ik moest heel vroeg opstaan om het brood te bakken.'

'O, wat erg. Ik hoop dat hij snel weer opknapt,' zei Raffaella beleefd.

Silvana's woorden waren er al uit voordat ze zich kon beheersen: 'Nee, dat is niet zo. Dat hoop je helemaal niet. Je haat mijn man, dat weet ik heus wel.'

Geschrokken van haar eigen uitbarsting sloeg ze haar blik neer.

Raffaella was even te verbaasd om iets te zeggen. Toen ze haar stem weer terughad, zei ze heel vriendelijk: 'Ik moet gaan. Ik ga vandaag granaatappelsiroop maken. Als het klaar is zal ik je een fles brengen.'

Ze pakte haar pakje van de toonbank, glipte de winkel uit en liet Silvana alleen met haar gedachten over wat ze allemaal kwijt was geraakt toen ze zoveel jaar geleden de verkeerde keuze had gemaakt. Daarna droogde Silvana haar ogen en maakte zich klaar voor de volgende klant.

Raffaella was nieuwsgierig geworden. Dit was al de tweede keer dat ze had gezien dat Silvana met de burgemeester stond te praten met die uitdrukking op haar gezicht: wanhoop vermengd met een vreemde intensiteit. En ze had er zo verdrietig uitgezien toen de burgemeester was vertrokken. En daarna had ze dat over Alberto gezegd. Raffaella vroeg zich af of Silvana wel van haar man hield. Het leek er niet op. Ze probeerde zich voor te stellen hoe het zou zijn om te leven, te werken en te slapen naast een man om wie je niets gaf. Ze had Silvana nooit bijzonder graag gemogen en had zeker nog niet eerder medelijden met haar gehad, maar opeens realiseerde ze zich hoe leeg haar leven moest zijn.

Raffaella dacht terug aan zichzelf en Marcello, vroeg zich af of – als hij nu nog zou leven – de tijd de liefde die ze voor hem had gevoeld, zou hebben verzuurd. Ze liep langs de linnenwinkel en keek omhoog naar de ramen van hun vroegere appartement. Alle mooie geraniums die zij op het balkon had gezet waren weg en het zag er kaal uit. Ze zag dat de luiken nog steeds dicht waren en dat betekende dat Stefano en Angelica waarschijnlijk nog steeds lagen te slapen in het bed waar zij en Marcello vroeger in sliepen.

Ze versnelde haar pas en liep naar de slagerij om vlees te kopen. Plakken vette *pancetta* en een streng worstjes met venkel werden voor haar ingepakt in vetvrij papier.

'Jij bent hier al vroeg vanochtend,' zei de slager.

'Het wordt een drukke dag vandaag. Ik ga granaatappelsiroop maken,' vertelde ze hem.

Ze vond de oude Vespa terug op de plek waar ze hem had achtergelaten, verstopt achter in het steegje achter de bar zodat Francesca Pasquale hem niet kon zien. Umberto had geen zin meer gehad om haar steeds maar met zijn Fiat naar Triento te rijden. Hij had de oude Vespa in de kelder onder Villa Rosa gevonden en hem voor haar opgeknapt. Het was heerlijk om erop te rijden. Raffaella genoot van de koude wind die haar haren om haar gezicht liet wapperen en van het geluid van de gillende motor als ze het tempo opdreef.

Ze stopte haar pakjes in de mand die Umberto stevig achterop had gemonteerd. Ze reed het stadje uit en lachte bijna omdat ze het zo heerlijk vond. Ze zag Alba Russo over de keitjes lopen, met een afkeurende blik op haar bleke gezicht, en Patrizia Sesto, hijgend na haar klim de heuvel op. Ze draaiden zich om en keken naar haar toen ze langs hen reed.

Het ritje terug naar Villa Rosa blies Raffaella's verdrietige bui weg. Carlotta wachtte in de keuken op haar. Ze had al ijverig glazen flessen en potten schoongemaakt voor de granaatappelsiroop en kon niet wachten om te beginnen.

'Wat wil je dat ik ga doen?' vroeg ze nog voordat Raffaella haar sjaal zelfs maar af had kunnen doen.

'Nou, we kunnen eerst maar beter oude kleren aantrekken. Volgens mijn moeder vlekt granaatappelsap heel erg. Ze heeft wel eens gezegd dat het vroeger als verfstof werd gebruikt. Alle kleren die we dragen kunnen we daarna dus wel weggooien.'

Carlotta knikte. Ze pakte een van de granaatappels op en draaide hem om. De schil was leerachtig en rood, en had een doffe glans. 'Het is bijna jammer om erin te snijden, ze zijn zo mooi,' zei ze een beetje dromerig.

'Dat is waar. Maar als we er niet in snijden, krijgen we geen siroop. Laten we ons eerst maar eens omkleden, dan kunnen we beginnen.'

Carlotta vond een paar vormeloze overalls die ze konden dragen. Ze lachten elkaar uit toen ze ze aantrokken.

'Ze zijn enorm,' zei Carlotta giechelend. 'Je moet je mouwen oprollen. Ik kan je handen niet eens zien.'

'Kijk naar jezelf,' zei Raffaella glimlachend. 'Je zou acht maanden zwanger kunnen zijn en niemand zou het zien.'

Carlotta keek naar beneden, naar de opbollende stof, en zweeg. Toen ze weer opkeek was haar glimlach verdwenen. 'Kom op,' zei ze kortaf, 'die overalls zijn spuuglelijk, maar wel functioneel. Laten we maar eens beginnen, vind je niet?'

Ze werkten goed samen. Raffaella sneed met een scherp mes het kroontje van elke vrucht af en sneed vervolgens de schil open. Daarna stopte ze haar vingers in de opening en trok de vrucht in twee helften en daarna in vier kwarten. Het sap uit de kapotte zaden stroomde over haar armen naar haar ellebogen.

Carlotta scheidde de vlezige zaden van de nutteloze vliezen en schillen. Ze stopte ze in een neteldoek en perste en wrong er vervolgens zo veel mogelijk sap uit.

Ze werkten ongeveer een uur zwijgend door en bespatten zichzelf en de muren met het rode sap. Carlotta leek in gedachten verzonken en de gesloten uitdrukking op haar gezicht nodigde niet uit tot het stellen van vragen; de stilte was bijna drukkend. Het was dan ook een opluchting toen ze de keukendeur hoorden kraken en de *americano* zijn donkere hoofd om het hoekje stak.

'Ik heb even niets te doen,' zei hij. 'Ik wil graag helpen. Wat kan ik doen?'

Raffaella wilde zijn aanbod net afslaan toen Carlotta tot haar verrassing snel zei: 'U kunt mijn werk wel overnemen, *signore*.' En ze duwde de bundel van neteldoek vol sappige zaden in zijn handen. 'Ik moet even weg om iets anders te doen. Ik ben zo weer terug.'

Ze was al verdwenen voordat iemand iets terug kon zeggen. Raffaella keek haar nieuwsgierig na toen ze haastig wegliep, niet door het hekje om naar haar vaders huis te gaan, maar de stenen trap af naar de zee.

'Dat is vreemd,' mompelde ze.

'Wat?' De *americano* stond heel dichtbij, vlak naast haar.

'O, eigenlijk niets.' Ze ging een paar passen bij hem vandaan staan. 'Carlotta, ze is een vreemd meisje. Ik begrijp niets van haar.'

De *americano* stond met een geamuseerde blik op zijn gezicht naar haar te kijken en schoot in de lach.

'Wat is er zo grappig?' vroeg ze.

'Met dat mes in je hand en dat rode sap dat langs je armen stroomt, lijk je wel een moordenares of iemand die gek is geworden. En wat voor kleren heb je in vredesnaam aan?'

'Dit is een overall, *signore*,' zei ze, zich heel goed bewust van haar onaantrekkelijke uiterlijk. 'Het rode sap vlekt heel erg en ik wil mijn kleren niet bederven.'

Hij keek haar aandachtig aan. Ze begon zich ongemakkelijk te voelen en gaf hem het mes. 'Nu is het uw beurt om de vruchten open te snijden, *signore*, dan pers ik het sap eruit,' zei ze onzeker.

Raffaella vond het heel moeilijk om gewoon te doen nu ze naast elkaar bij de keukentafel stonden. Ze was zich op een onplezierige manier bewust van zichzelf, van elke beweging die ze maakte en van haar uiterlijk. Het feit dat de *americano* bij haar in de buurt was, prikkelde op haar huid. Toen ze de bundel tussen haar handen uitwrong en het sap in de kom stroomde, probeerde ze wanhopig iets te bedenken om tegen hem te zeggen. Zenuwachtig likte ze wat sap van haar vingers en vertrok haar gezicht toen ze de bittere smaak in haar mond kreeg. Ze zag hem hetzelfde doen. Hij leek de zure smaak wel lekker te vinden, proefde nog een keer en likte het sap van zijn lippen.

'Geen enkele man heeft me ooit in de keuken geholpen, *signore*.' Eindelijk had ze de stilte kunnen verbreken.

Hij glimlachte. 'Het klinkt misschien vreemd, maar als ik lastige problemen moet oplossen, vind ik het fijn om bezig te zijn met zoiets als dit. Mijn hoofd wordt er helder door. Normaal gesproken maak ik dan natuurlijk geen granaatappelsiroop. Maar dan doe ik iets fysieks: wandelen, zwemmen, houthakken, wat dan ook. En dan los ik mijn problemen in gedachten op.'

'Zijn er veel problemen met het standbeeld?' vroeg ze, opgelucht dat ze over veilige onderwerpen konden praten.

'O ja, heel veel. Ik heb al diverse van dit soort projecten gedaan, maar zoiets als dit heb ik nog nooit meegemaakt.'

Raffaella vulde de neteldoek met nog meer vruchtvlees en perste hem nog een keer uit. Ze vond het fijn om naar zijn stem te luisteren. Door de manier waarop hij de woorden met zijn vreemde accent uitsprak, leek alles wat hij zei exotisch en bijzonder.

'Waarom bent u dan gekomen, als het allemaal zo moeilijk wordt?' vroeg ze en hoopte dat hij nog meer zou vertellen.

Hij glimlachte weer. 'Dat weet ik niet. Ik hou wel van een uitdaging, denk ik,' antwoordde hij. Hij ving haar blik en hield die vast, tot ze ongemakkelijk wegkeek en zich op haar werk concentreerde.

Tegen de tijd dat Carlotta terugkwam, hadden ze al twee manden granaatappels verwerkt en zaten ze beiden onder het sap.

'*Signor* Pagano!' Carlotta klonk geschokt. 'Uw kleren zijn geruïneerd! Raffaella had u een overall moeten geven!'

'Het geeft niet hoor, dit zijn oude kleren.' Eduardo gaf het mes aan Raffaella. 'Maar nu moet jij het van mij overnemen. Ik heb een afspraak in Triento en ik vrees dat ik te laat kom.'

Raffaella keek hem aan. 'Waar hebt u die afspraak, *signore*? Met de priesters, in een van de kerken?'

'Nee nee, dat niet. Het heet de Gypsy Tearoom. Ze hebben me gevraagd om een paar mensen uit de stad te treffen, de Russo's. Ze zeggen dat zij heel veel invloed hebben in de stad. Je kent ze wel, neem ik aan.'

Raffaella zei even niets. Ze wijdde al haar aandacht aan het afsnijden van het kroontje van een granaatappel en aan het zorgvuldig lostrekken van de schil. 'U kunt u maar beter gaan wassen, *signore*,' zei ze toen ze de vrucht openbrak en de zaden zichtbaar werden. 'Als u zo in de Gypsy Tearoom verschijnt, zullen ze zich wel afvragen wat u hebt gedaan!'

Ze keek expres niet naar hem toen hij wegging. In plaats daarvan concentreerde ze zich op het bevrijden van de vette, sappige zaden uit de granaatappel en het vullen van de neteldoek voor Carlotta. Ze werkten weer zwijgend zij aan zij en nu was Raffaella wel dankbaar voor de stilte. Ze dacht aan de *americano* en ze voelde schaamte, maar ook een vreemde vreugde waarvan ze wist dat ze die niet hoorde te voelen.

Toen ze klaar waren met de granaatappels, waren hun handen en armen stijf en beurs van het vele snijden en persen, en hadden ze verschillende grote pannen gevuld met de rijke, rode vloeistof.

'Wat doen we nu?' vroeg Carlotta. Ze wreef vermoeid over haar schouders.

Raffaella keek even naar haar moeders recept. 'Nu hoeven we het sap alleen maar zachtjes te laten koken met suiker en een beetje citroensap tot het is ingedikt. Dan kunnen we het in de flessen doen.'

'Ik hoop maar dat het lekker smaakt, na al dat werk dat we eraan hebben gehad.' Carlotta likte wat sap van haar handen en trok een grimas. 'Ik ga er maar vanuit dat het wat zoeter wordt door de suiker.'

Raffaella proefde het sap met haar eigen vingers. De bittere smaak deed haar weer denken aan dat vreemde, bijzonder gespannen uur waarin ze samen met de *americano* in de keuken had gewerkt en ze voelde een schuldige blos op haar wangen verschijnen.

'Het wordt heel lekker,' mompelde ze afwezig tegen Carlotta. 'Heerlijk om een stuk varkensvlees mee te glaceren of om een gans of een gebraden kip mee te bedruipen.'

Maar Carlotta luisterde niet. Ze stond uit het raam naar de zee te staren. Haar wangen waren bleek en de huid onder haar ogen was dik en opgezwollen. Raffaella keek nu pas echt naar haar en vroeg zich af of Carlotta had gehuild.

18

Silvana wilde dat ze beter had geluisterd toen haar moeder had geprobeerd haar iets over kruiden te leren. Ze kon zich alleen maar stukjes informatie herinneren: kruiden die goed waren voor een stoombad tegen een hoest door kou op de borst of om in een kompres te doen om een infectie te verhelpen. Maar er waren ook andere dingen die haar moeder zachtjes tegen haar had gefluisterd, geheimen die aan haar waren doorgegeven toen ze zelf nog jong was. Er waren kruiden waarmee je de hartstocht van een man kon indammen als hij lastig begon te worden, planten om pijn te verdoven of kruiden die zo giftig waren dat een mens er binnen een paar uur aan zou sterven – wist ze maar welke dat waren.

Met een zwaar gemoed deed ze de luiken van de bakkerij dicht en maakte zich klaar om naar huis te gaan om de lunch voor Alberto klaar te gaan maken. Ze verwachtte niet dat haar man zin zou hebben in eten, maar voor het geval hij zich wel wat beter voelde, pakte ze een van de grotere broden in en nam het onder haar arm.

Het kruid dat ze in zijn salade had gedaan, was een van de kruiden waarvan haar moeder had gezegd dat ze moest oppletten dat ze die niet at. Maar hoe ze ook haar best deed, ze kon zich niet herinneren waarom niet. Ze had maar één of twee bladeren gebruikt en ook nog een beetje kippenbloed, en toch was Alberto heel ziek geworden. Terwijl ze door de smalle straatjes naar huis liep, onderweg knikkend naar haar buren, vroeg ze zich af of ze hem de rest van de plant ook nog durfde te geven.

Haar man zat in zijn stoel te soezen toen ze thuiskwam. Hij gromde toen ze hem vroeg of hij wat spaghetti wilde. 'Ik kon niet eens een stukje droog brood eten. Ik wil nu helemaal niet aan eten denken,' zei hij.

Het leek niet de moeite om voor één persoon pasta te koken en daarom liep Silvana de tuin in om wat sla en een paar tomaten te plukken. Ze knielde op de bruine aarde en keek naar het plantje met de donkergroene bladeren dat op de rotsrichel groeide.

Niemand kon zien dat er iets van af was geplukt. Maar als ze het nu eens uitgroef, in de keuken zou verstoppen en in Alberto's volgende maaltijd deed? Zou dat voldoende zijn om hem te vermoorden?

Het was helemaal niet zo erg om weduwe te zijn, dacht ze. Zij kon de bakkerij wel draaiende houden, hard werken en rustig leven. En ze zou natuurlijk niet betrapt worden, want wie zou ooit een rechtschapen vrouw zoals zij ervan verdenken dat ze haar echtgenoot had vermoord?

Ze stond op en veegde de aarde van haar knieën. Zelfs als ze de plant zou plukken, wist ze wel zeker dat ze uiteindelijk niet moedig genoeg zou zijn. Ze zou nooit de moed hebben hem helemaal door Alberto's eten te doen.

Heel even dacht ze aan de verhalen over Raffaella die zij en Alba zo graag hadden rondverteld. Zou dat meisje haar man echt langzaam hebben vergiftigd, net zolang tot hij mager en bleek werd en stierf? Als dat zo was, moest ze wel een sterke wil hebben en heel moedig zijn. Want – en dat realiseerde Silvana zich nu heel goed – het was helemaal niet zo eenvoudig om je man te vermoorden, hoe je hem ook haatte.

Ze liet de donkergroene plant onaangeraakt op zijn richel staan en liep het huis in. Alberto zat alweer te snurken met zijn handen nog steeds over zijn enorme buik gevouwen. Vol afkeer keek ze hoe zijn lippen bij elke ademhaling op en neer gingen.

Zuchtend at ze haar beetje sla met een stuk brood en een stukje kaas, sterke *caciocavallo*. Na de lunch wilde ze een dutje doen en dan zou ze teruggaan naar de bakkerij. Later zou Giorgio weer voorbijkomen als hij naar huis liep en misschien zou hij dan even naar haar glimlachen.

Alle zonen van de Russo's wisten hoe je een pizza moest eten. Ciro Ricci vond het geweldig als ze naar de Gypsy Tearoom kwamen, omdat ze altijd ruimschoots bestelden. Stefano, Agostino, Fabrizio en Gennaro konden allemaal gemakkelijk twee pizza's op en spoelden ze weg met een paar glazen bier. Misschien waren ze wel zo gulzig dankzij de kleine porties die hun moeder Alba hun jarenlang had gegeven, of misschien was de pizza gewoon te lekker om het bij één te laten; dat kon Ciro niets schelen. Het enige wat hem interesseerde was dat ze geld genoeg hadden om na afloop de rekening te betalen.

Ze kwamen zo vaak dat Ciro wist wat ze lekker vonden. Stefano had een voorkeur voor een margherita met rucolablaadjes erop, Agostino nam meestal de primavera omdat hij de verse tomaten erop lekker vond, Gennaro at alles als er maar ansjovis en kappertjes op zaten en Fabrizio was dol op zeevruchten.

De gebroeders Russo hadden de tafel genomen die het dichtst bij de pizzaoven stond zodat ze hun eten tijdens het bakken al konden ruiken. Ze maakten ongelooflijk veel lawaai, omdat ze allemaal tegelijk praatten. Ciro had liever niet naar hun gesprek geluisterd, maar het was onmogelijk dit te voorkomen.

'Nee nee, je hebt ongelijk,' riep Fabrizio tegen zijn oudere broer. 'We zullen nooit geld van hen krijgen. Tommaso Moretti heeft tegen hen gezegd dat ze niet moeten betalen en ze zijn allemaal veel te bang om tegen hem in te gaan.'

'Maar als we ze nu eens één voor één benaderen?' vroeg Stefano. 'Angelo Sesto is een redelijke man en we zouden met hem kunnen beginnen. Je kunt mij niet wijsmaken dat hij niet ergens geld heeft verstopt.'

'Probeer dat maar als je wilt.' Fabrizio keek chagrijnig. 'Maar kom niet bij mij uithuilen als hij je wegstuurt.'

Stefano maakte zich zorgen. Hij was er niet van overtuigd dat iedereen goed over alles had nagedacht. Ze hadden zich allemaal enthousiast laten maken over dat standbeeld en waren al begonnen met plannen maken zonder dat ze zich hadden afgevraagd hoe duur het hele project zou worden. Als ze dachten dat het geld dat die ouwe Bertoli aan de kerk had nagelaten voldoende was, dan hielden ze zichzelf voor het lapje. Hij had geprobeerd de zaak met padre Simone te bespreken, maar deze had alleen maar geruststellend zijn hand op Stefano's schouder gelegd en gezegd: 'We doen Gods werk, Stefano. Dus als dit is wat Hij wil, dan zal Hij er ook voor zorgen dat er genoeg geld voor is.'

Stefano was een zakenman. Hij geloofde dat het beter was om dingen goed te plannen en werd pas gelukkig als zijn lippen de kreten 'winst op investeringen' of 'winst en verlies' konden uitspreken. Blind vertrouwen was iets waar hij de pest aan had. En op dit moment was hij ervan overtuigd dat hij de enige was die kon voorkomen dat Triento financieel geruïneerd zou worden.

'Ik ga een ondernemingsplan opstellen,' had hij tegen zijn vrouw Angelica gezegd. 'Ik ga met die *americano* praten over de geplande kosten, bekijken hoe het er tot nu toe voorstaat, de tekorten berekenen en dan een strategie verzinnen om dat tekort te dekken.'

Ze had hem bewonderend aangekeken. 'Wat een goed idee, *caro*. Wat zouden ze zonder jou moeten doen?'

Hij wist heel goed waar ze mee moesten beginnen. Stefano wilde allereerst geld bij de vissers vandaan halen.

'Toen Tommaso weigerde om mee te werken aan dit standbeeld, was hij natuurlijk boos,' had hij tegen zijn broers gezegd. 'Ik durf te wedden dat we hem wel tot andere gedachten kunnen brengen. Het is een poging waard. En als dat niet lukt, dan kunnen we achter zijn rug om met de anderen praten. Ik kan niet geloven dat ze er allemaal tegen zijn.'

Ze hadden hem overstemd met hun geroep. 'Je moet wel realistisch zijn,' zei Fabrizio nu. 'Ze hebben hun eigen regels daar beneden. Waarom denk je in vredesnaam dat ze naar je zullen luisteren?'

De *americano* had met hen afgesproken in de Gypsy Tearoom om samen een pizza te eten en met hen de plannen voor het project te bespreken. Stefano kon niet bedenken waarom hij zo laat was.

Toen hij eindelijk arriveerde zaten zijn handen onder de rode vlekken en had hij rode wangen.

'Voelt u zich wel goed?' vroeg Stefano toen ze zich hadden voorgesteld en hij alle broers een hand had gegeven.

'Ja hoor.' Hij keek naar zijn gevlekte handen en lachte. 'Ik heb meegeholpen granaatappelsiroop te maken.'

Stefano knikte beleefd, maar vroeg zich wel af wat voor man bereid was een hele ochtend in de keuken te staan.

Hij schraapte zijn keel en begon te zeggen wat hij op het hart had.

'We wilden met u over het standbeeld praten, zoals u vast wel weet. Wat we graag willen weten is of u gelooft dat dit project uitvoerbaar is en zo ja, welk budget hiervoor volgens u nodig is en waar u eventuele voetangels en klemmen ziet. Ik vroeg me af of u een rapport voor ons zou willen opstellen.'

Eduardo had onmiddellijk een afkeer van Stefano Russo. Hij vond hem een perfect voorbeeld van een opgeblazen boekhoudertje dat nooit het grote geheel zag, nooit de poëzie kon waarderen van wat ze probeerden te bereiken, maar alleen de hele dag naar rijen cijfers wilde kijken.

'Een rapport?' vroeg hij, beleefd genoeg. 'Tja, natuurlijk zal ik iets dergelijks opstellen voor de priesters. Ik had gedacht dat dat voldoende zou zijn. Bent u het niet met me eens?'

'Zij zijn mannen van God, wij zijn zakenmannen,' zei Stefano en legde zijn kleine handen plat op tafel. 'Volgens mij is het van cruciaal belang dat wij er ook bij betrokken worden.'

Eduardo knikte. 'Vraag hun dan om een kopie van mijn rapport. Volgens mij vinden ze dat wel goed.'

Stefano glimlachte en duwde zijn bril hoger op zijn neus. 'U bent een buitenlander, *signore*, en u weet dus waarschijnlijk niet hoe de zaken hier geregeld worden. De priesters doen af en toe heel geheimzinnig en ze kunnen zich ook bijzonder onpraktisch gedragen. Ze zijn immers spirituele mensen, dus waarom zouden zij zich druk maken om al te veel details? Maar er zijn dingen waar ze niet over hebben nagedacht.' Hij liet zijn stem dalen. 'De 'Ndrangheta bijvoorbeeld. In dit deel van de wereld kun je nooit grote bedragen uitgeven zonder dat bepaalde families hun aandeel nemen.'

Eduardo had wel eens gehoord van de 'Ndrangheta. Dat was de locale maffia en men zei dat ze heel erg doortrapt waren en gemeen. Hij had gehoopt dat hij daar niet mee in aanraking zou komen.

Hij liet zijn stem ook dalen. 'Waar zijn zij?' vroeg hij.

'Ze zijn overal om u heen, *signore*. We hebben allemaal met ze te maken.'

Eduardo koos zijn woorden zorgvuldig. 'Hoe weet ik dat uw familie geen 'Ndrangheta zijn?'

Fabrizio bemoeide zich ermee voordat Stefano antwoord kon geven. 'Dat weet u niet, *signore*.' De dreiging in zijn stem was onmiskenbaar. 'En daarom is het maar beter als u ons een kopie van dat rapport geeft.'

'Maar ik ben er nog steeds mee bezig.' Eduardo was koppig. 'Ik ben druk bezig met offertes en het berekenen van de kosten. Ik heb een technisch rapport van de locatie nodig om te weten hoe we de weg ernaartoe het beste kunnen aanleggen. Dat gaat nog wel wat tijd kosten.'

Fabrizio staarde hem aan. 'We kunnen wel wachten, *signore*. Wij zijn redelijke mensen.'

Eduardo staarde terug. 'De priesters betalen me, weet u nog? Ik werk voor hen.'

Toen Ciro de pizza's uit de vlammende oven haalde, luisterde hij naar hun stemmen en voelde de spanning stijgen. Hij had ervaren dat mannen zelden met elkaar vochten als er eten op tafel stond en dus diende hij de pizza's maar snel op.

'En, voor wie is de primavera? Ah, Agostino, hoe kan ik dat nu vergeten,' zei hij op joviale toon. 'En de margherita voor Stefano, natuurlijk. En voor u, meneer de *americano*, mijn speciale Gypsy Tearoom-pizza, zodat u van alles een beetje kunt proeven.'

Eduardo en Fabrizio zaten elkaar nog steeds aan te staren. Geen van beiden maakte aanstalten zijn vork op te pakken.

'Eet, ga eten nu ze nog heet zijn,' drong Ciro aan. 'Ik hoop dat u van Italiaans eten houdt, *signore*.'

Waar Eduardo echt een hekel aan had, was neerbuigend behandeld te worden. 'In New York hebben we ook Italiaans eten, weet u,' zei hij op kille toon.

'Ah, maar dat is niet hetzelfde hoor, echt niet,' zei Fabrizio arrogant. 'U moet voorzichtig zijn, *signore*, als uw maag gewend is aan de Amerikaanse keuken, want dan hebt u misschien moeite met Italiaans eten.'

Eduardo snoerde hem de mond: 'Tot nu toe heb ik geen problemen gehad.'

'Tot nu toe, nee,' beaamde Fabrizio. 'Maar als ik me niet vergis, kookt Raffaella Moretti voor u in Villa Rosa. U weet dat misschien niet, maar dat meisje heeft een reputatie in dit stadje. U kunt maar beter opletten met de maaltijden die zij bereidt.'

De gebroeders Russo waren stil geworden en keken Fabrizio aan terwijl ze zich afvroegen of hij het hardop durfde te zeggen.

Ciro staarde hem ook aan. Hij wilde zich ermee bemoeien, iets zeggen zodat de jongen zijn mond zou houden, maar hij wilde de zaak niet nog erger maken.

'Is dat zo.' Eduardo klonk geïnteresseerd. 'Wat voor reputatie?'

'Haar echtgenoot is gestorven,' antwoordde Fabrizio. 'En ze zeggen dat zij hem heeft vergiftigd.'

Ciro kon zijn mond niet langer houden. Zijn hand schoot uit en hij greep Fabrizio's schouder. 'Hou op! Je weet dat dat niet waar is!'

Fabrizio grijnsde alleen maar.

'Raffaella heeft dat niet gedaan hoor, *signore*,' zei Ciro tegen de *americano*. 'U moet geen geloof hechten aan de woorden van een paar oude vrouwen die niets anders te doen hebben dan de hele dag vuile praatjes rondstrooien. Ze is een goed meisje, echt waar.'

Fabrizio duwde zijn bord van de tafel en het brak met veel lawaai op de stenen vloer. 'Ik heb opeens geen honger meer,' zei hij.

Ciro schudde zijn hoofd alleen maar en gaf geen antwoord.

Fabrizio vroeg: 'Vertel me eens, Ciro, als ze zo'n goeie meid is, waarom heb ik haar dan een paar keer deze steeg in zien sluipen als ze denkt dat niemand het ziet, hè? Wat heeft ze hier te zoeken?'

Ciro weigerde iets te zeggen en staarde naar de scherven van het bord en de geruïneerde pizza.

'Komt ze soms om jou op te zoeken, of een andere man? Vertel me dat dan ten minste.'

Eduardo keek Fabrizio verbaasd aan. Het gesprek was heel snel van het standbeeld afgewend en ook de vijandigheid van de Russo's leek nu ergens anders op gericht.

'Je maakt van een mug een olifant.' Ciro's stem klonk rustig, maar hij was duidelijk boos.

'Ja, dat zeg jij. Maar waarom zou ik jou geloven? Zoals ik al zei, ik heb haar hier zelf een paar keer naartoe zien sluipen.'

'Ze sluipt niet.'

Fabrizio keek koppig. 'Een weduwe hoort hier niet te zijn. Haar echtgenoot, onze oudste broer, ligt nog maar net in zijn graf en nu al schendt ze zijn nagedachtenis. Onze familie wil niets meer met haar te maken hebben. En jij zou haar ook op afstand moeten houden.'

Beide mannen waren nu woedend en verhieven hun stem.

'Jij hoeft mij niet te vertellen wat ik wel of niet moet doen,' riep Ciro.

'Jij mag mijn familie niet beledigen,' sloeg Fabrizio terug.

'Hou op Raffaella te beledigen. Ze heeft niets verkeerds gedaan.'

Stefano maakte een einde aan de ruzie. Met opzet duwde ook hij zijn bord met pizza op de grond waar het kapot viel. 'Ik heb opeens ook geen honger meer,' verkondigde hij. 'Ciro, ik stel voor dat je Raffaella uit de Gypsy Tearoom houdt. Mijn broer heeft gelijk, dit is geen plek voor een vrouw die nog maar net in de rouw is.' Hij stond op, trok zijn jas aan en knikte naar Eduardo. 'Het was prettig u te ontmoeten, *signore*. Ik zie uw rapport met belangstelling tegemoet.'

Toen hij de Gypsy Tearoom verliet, liep Fabrizio vlak achter hem aan.

Gennaro zuchtte. 'Ik neem aan dat wij ook moeten vertrekken.'

'En deze pizza laten liggen?' Zijn broer Agostino schudde zijn hoofd. 'Ga maar als je wilt, maar ik blijf. En trouwens, iemand moet *signor* Pagano gezelschap houden tijdens zijn lunch, ja toch?' Hij prikte zijn vork in zijn pizza en grijnsde.

Eduardo keek naar de beide achtergebleven broers. Toen keek hij naar Ciro, die geknield de rommel aan het opruimen was.

'Het ziet ernaar uit dat Raffaella je in de problemen heeft gebracht.'

Ciro schudde ontkennend zijn hoofd. 'Maakt u zich niet druk, *signore*, dat heeft ze niet.'

Gennaro's lach klonk hol in de lege pizzeria. 'O, maar volgens mij toch wel. Je kunt maar beter uit haar buurt blijven, weet je. Fabrizio is zelf altijd min of meer verliefd op haar geweest. Volgens mij ontstaan er zeker problemen als ze hier nog eens komt.'

Gennaro boog zijn hoofd over zijn bord en schoof zijn pizza zo snel mogelijk in zijn mond. Hij was bang dat dit voorlopig zijn laatste maaltijd in de Gypsy Tearoom zou zijn.

19

Het was een koude middag, het leek alsof het zou gaan regenen en de zeemist bedekte de top van de berg waar het standbeeld moest komen te staan. Triento maakte zich klaar voor de winter. Er werd hout gehakt en tegen de beschutte kant van de huizen opgestapeld, dikke wollen jassen werden uit de mottenballen gehaald en op Villa Rosa was Umberto dikke stenen met één vlakke zijde aan het verzamelen. Als hij genoeg had, zou hij het dak op klimmen en ze gebruiken om de terracotta dakpannen te verzwaren voordat de eerste stormen de kust teisterden.

'We liggen hier precies in de baan van de wind,' vertelde hij Raffaella toen hij in een hoekje van de tuin de stenen op elkaar stapelde. 'We willen niet dat het halve dak weg is als de *americano* terugkomt.'

Raffaella was verbaasd, maar probeerde dat niet te laten merken. 'Wat bedoel je met terugkomt? Waar gaat hij dan naartoe?'

'Naar Napels natuurlijk. Je dacht toch zeker niet dat hij hier de hele winter bij ons zou blijven? Nee, hij blijft weg tot het voorjaar en Villa Rosa zal worden gesloten tot hij weer terugkomt.'

'Maar… eh…' stamelde ze.

Umberto had zich omgedraaid en liep nu naar de zee om nog meer stenen te zoeken. 'Blijf daar niet staan,' riep hij. 'Kom me helpen als je niets beters te doen hebt.'

Ze liep achter Umberto aan de trap af en probeerde te begrijpen wat hij haar net had verteld.

'Hij kan niet weggaan,' zei ze zachtjes. 'Wat moet ik dan?'

Umberto bleef even voor het houten hek onder aan de trap staan. Hij draaide zich naar haar om, fronsend. 'Tja, dat weet ik niet,' zei hij schouderophalend. 'Ik neem aan dat we je hier niet nodig hebben. Carlotta en ik kunnen wel voor onszelf zorgen. Misschien is het beter als je deze winter teruggaat naar je ouders en dan in het voorjaar weer in Villa Rosa komt werken?'

Raffaella was verbijsterd. Juist toen ze dacht dat ze een manier had gevonden om weer gelukkig te zijn, kwam er alweer een verandering in haar leven en ze kon er niets tegen doen. Ze nam de steen aan die Umberto in haar handen drukte en hield hem klem tegen haar buik terwijl ze de trap op liep.

'Dit hadden de priesters je moeten vertellen, vind ik,' hoorde ze hem nog roepen. 'Zij betalen immers je loon.'

Ze begon sneller te lopen om bij hem weg te zijn.

'Je mag hier wel blijven als je wilt,' riep Umberto nu. 'Ik weet zeker dat Carlotta dat wel gezellig zou vinden.'

Hij keek Raffaella na tot ze de hoek omsloeg met de zware steen in haar handen, vastbesloten helemaal naar boven te lopen zonder dat ze hem neer moest leggen. Hij voelde zich schuldig.

Iemand had haar moeten vertellen dat het maar een tijdelijk baantje was. Ze was een harde werker en verdiende een betere behandeling.

Hij vroeg zich af of het toch niet beter was dat ze wegging. Hij had wel gezien hoe ze naar de *americano* keek. Umberto had zo'n blik wel vaker gezien. De vorige keer had hij er niets aan gedaan en het was op een ramp uitgelopen. Hij wilde niet dat de geschiedenis zich herhaalde.

Hij klemde zelf ook een grote kei tegen zijn borst en begon de trap op te klimmen. Hij dacht bijna nooit meer aan die tijd. Hij had het uit zijn gedachten gebannen. Maar af en toe zag hij de blik op Carlotta's gezicht als ze de trap af rende naar de zee en dan wist hij weer dat zij het niet zo gemakkelijk kon vergeten.

Toen hij boven stond, zag hij dat de *americano* alweer terug was. Zijn auto stond op zijn gebruikelijke plekje en hij stond naast de oude granaatappelboom met Raffaella te praten. De kei die zij had meegenomen, lag op de grond tussen hen in. Umberto stapte de schaduw in en bleef naar hen kijken. Af en toe dreven hun stemmen met de wind mee naar hem toe en hij probeerde te verstaan wat ze zeiden. Hij hoorde alleen het laatste wat Raffaella riep voordat ze zich omdraaide en wegliep: 'Goed, tot ziens dan!'

Eerlijk gezegd wilde Eduardo zo snel mogelijk hiervandaan, want de winter had alle charme gestolen. De zon was achter de berg van Triento verdwenen en zou tot de lente niet te zien zijn. Het stadje had nu iets sombers en geheimzinnigs, iets ongezonds. Hij merkte wel dat de inwoners hem zijdelings aankeken en hem echt aanstaarden als ze dachten dat hij niet keek. Eerst had hij gedacht dat het nieuwsgierigheid was naar de vreemdeling en het standbeeld dat hij zou gaan bouwen, maar nu begon hij zich af te vragen of hun blikken niet iets vijandigs hadden. Fabrizio Russo's gepraat over de 'Ndrangheta had hem wakker geschud en hij vroeg zich af of die uitgestreken gezichten en bruuske knikjes misschien wel dreigend bedoeld waren.

En dan was er dat vreemde gedoe met dat meisje. Voor het slapengaan rookte hij meestal nog een laatste sigaar onder de granaatappelboom. Meestal kwam Raffaella hem dan opzoeken, nadat ze de keuken had schoongemaakt. Ze liet hem nooit zo dicht bij zich komen dat hij dat gestolen kusje van die eerste avond zou kunnen herhalen. Maar ze ging op een armlengte van hem af zitten luisteren als hij vertelde over zijn werk, het standbeeld en zijn dromen over grotere dingen.

Eduardo ontdekte dat hij zich elke avond al verheugde op haar gezelschap als hij nog in zijn eentje onder de granaatappelboom zat terwijl de rook van zijn sigaar zich in de koude lucht vermengde met de damp van zijn adem. Hij was net zo gefascineerd door het mysterie van haar verleden als door haar schoonheid. Soms stelde hij een vraag, maar ze leek nooit over zichzelf te willen praten of over haar echtgenoot die ze had verloren; ze vond het genoeg om te luisteren.

Elke avond, tenzij het nat en winderig was, hield Raffaella hem gezelschap. Dan praatten ze tot er sterren aan de heldere hemel verschenen en de maan de bergtop aanraakte. Hij had haar veel dingen verteld, maar misschien had hij haar niet verteld dat hij die winter terug zou gaan naar Napels. Hij wist het echt niet meer. Het had niet belangrijk geleken. En dus was hij overdonderd toen ze de stenen trap op kwam met die kei tegen haar buik gedrukt en als een kanonskogel op hem af kwam.

'U gaat weg,' zei ze buiten adem.

'Ja, ik moet terug naar Napels om de volgende fase van het project af te ronden.'

Ze liet de zware steen op de grond tussen hen in vallen. 'Dat wist ik niet. U hebt niets gezegd.'

Eduardo zag vanuit zijn ooghoekje een beweging en zag dat de tuinman nu ook boven was en naar hen keek. 'Komend voorjaar ben ik weer terug,' zei hij ongemakkelijk.

Ze wist niet wat ze moest zeggen. Ze keek hem alleen maar aan. Ze was zo plotseling woedend geworden. Haar woede had gebrand als een vuur in droge struiken en nu was hij verdwenen; er was niets meer van over. Ze voelde zich dom en beschaamd.

'Tot ziens dan.' Ze gooide de woorden naar hem toe, draaide zich om en liep snel naar de keuken van Villa Rosa.

Vanaf dat moment probeerde hij haar te ontlopen en zij speelde hetzelfde spelletje. Ze draaide haar rug naar hem toe als ze kon, of trok beschermend haar schouders op als hij langs haar heen liep. Hij bleef uit de keuken en nuttigde zijn laatste maaltijden in zijn eentje in de eetkamer. Het eten dat ze voor hem klaarmaakte, sprak de woorden uit die zij niet kon zeggen. Ze serveerde plakjes *melanzane*, bestreken met een saus van granaatappelsiroop en knoflook. Ze bestreek het varkensvlees dat ze roosterde met granaatappelsap en honing. Zelfs de dressing waarmee ze de salade aanmaakte, bevatte een heel klein beetje van die vrucht. Elke bitterzoete hap bevatte een boodschap voor hem.

Ten slotte had Eduardo zijn koffer gepakt en in zijn auto gezet. Hij was klaar voor de rit door de bergen naar Napels. Hij wist niet goed waar hij op wachtte, tenzij het een laatste kans was om even alleen met Raffaella te zijn. Maar de tuinman en zijn dochter leken wel overal te zijn die ochtend. Toen hij de keuken binnenkwam waar Raffaella koffie aan het zetten was en hij zijn keel schraapte om iets tegen haar te zeggen, verscheen Carlotta's bleke gezicht tussen hen in.

'Hebt u al ontbeten, *signore*? Kan ik een lunch voor u inpakken?'

Later liep hij op de binnenplaats langs Raffaella, maar Umberto was in de buurt iets aan het doen en bleef hem aankijken, zodat hij een ongemakkelijk gevoel kreeg.

Toen hij laat die ochtend op het punt stond om te vertrekken, hadden hij en Raffaella nog geen woord tegen elkaar gezegd. Hij zag dat ze door het keukenraam naar buiten keek toen hij door het hek reed.

Met een gevoel van opluchting stuurde Eduardo zijn auto de steile, smalle weg op, zodat hij wat afstand creëerde tussen hemzelf en de inwoners van Triento. Het zou nog maanden duren voordat het lente was. Wie weet wat er in de tussentijd allemaal kon gebeuren.

Raffaella was de vieze ontbijtbordjes stevig aan het boenen. Ze was niet van plan geweest om zich zo door de *americano* in beslag te laten nemen.

Hoewel ze wist dat het verkeerd was, was ze gaan rekenen op de tijd die ze samen doorbrachten. Ze voelde zich beter als hij er was, minder eenzaam en bang. Dan had ze het gevoel alsof ze gemakkelijker kon ademhalen.

En nu zou ze hem tot de lente niet terugzien. Ze boog haar hoofd en boende nog harder.

'Wat is er aan de hand?' vroeg Carlotta nieuwsgierig.

'Niets.'

'Als je je zorgen maakt over je baan, waarom vraag je mijn vader dan niet of hij met de priesters wil gaan praten?'

Raffaella nam niet de moeite te antwoorden.

'Ik zou het fijn vinden als je hier de winter bleef. Ik zal je missen als je vertrekt,' zei Carlotta. 'Het is fijn je hier te hebben. Het is hier beter als jij er bent.'

Raffaella keek haar aan. Er lag een ernstige uitdrukking op Carlotta's bleke gezichtje. Ze leek wel een kind dat moeite had woorden te vinden en iets te zeggen dat de moeite waard was.

'Hoezo is het hier dan beter?' vroeg Raffaella vriendelijk.

'Dat weet ik niet.' Carlotta probeerde het zo goed mogelijk uit te leggen. 'Ik denk dat het hier eenzaam is, alleen met mijn vader. Ik vind het fijn als je hier bent. Dan voel ik me gelukkiger.'

Raffaella glimlachte wrang. 'Ik vond niet dat je er gelukkig uitzag.'

Carlotta keek gepijnigd. Ze streek met een vinger over de potten granaatappelsiroop die op de keukenplanken stonden. 'Van al die vruchten blijft na het koken niet veel over, hè?'

Raffaella vond het ook prettiger om ergens anders over te praten.

'Maar wát er is, smaakt heerlijk en is alle moeite wel waard. Wacht maar tot je een paar gerechten hebt geproefd die ik volgend voorjaar voor de *americano* wil maken.'

Carlotta glimlachte kort naar Raffaella en keek haar even zijdelings aan, voordat ze de keuken uit glipte en de brede stenen traptreden afliep naar de zee.

20

Silvana staarde naar Alberto. Hij had zichzelf in een deken gewikkeld die hij van hun bed had gehaald en zat op zijn bank tegen de gevel van de bakkerij geleund. Zijn ogen waren bijna dicht. Ze wist niet zeker of hij sliep of naar haar keek.

Sinds de avond dat ze had geprobeerd hem te vergiftigen, was Alberto een andere man. Hij kwam nog steeds elke dag naar de bakkerij, maar hij interesseerde zich niet meer voor de zaak. Hij liet het allemaal aan haar over.

Al weken achter elkaar had Silvana als een gek gewerkt en hij zat maar op zijn bank. Terwijl zij juist sterk werd door het kneden van het deeg, versmolten zijn spieren in zijn lichaamsvet. Terwijl haar gezicht rood werd van de gloeiend hete oven, leek zijn gezicht elke dag bleker te worden. Het kon hem niets schelen hoe de broden uit de oven kwamen of hoe zij ze op de planken legde. Zelfs toen Patrizia Sesto wel een kwartier bleef roddelen en daarna vertrok zonder iets te kopen, nam hij niet de moeite er iets over te zeggen.

Elke dag klaagde Alberto dat hij zich gespannener en vermoeider voelde dan ooit tevoren. Silvana zag een paar keer dat hij over zijn borst wreef, alsof hij pijn had. Maar hij wilde per se elke dag naar de bakkerij schuifelen en daar op zijn bank zitten tot het tijd was om weer naar huis te schuifelen.

'Hij ziet er niet goed uit,' zei Alba Russo. 'Helemaal niet goed.'

'Ik weet het,' beaamde Silvana. 'Misschien moet ik wel proberen hem naar de dokter te sturen.'

Alba liet haar gebruikelijke afkeurende gesis horen. 'Dokters: wat voor nut hebben die? Doe maar een chilipepertje in zijn eten. Mijn grootmoeder riep altijd dat dat een uitstekende oppepper is.'

Maar Alberto had geen eetlust. Hij eiste dat ze zijn bord net zo vol schepte als vroeger, maar deed vervolgens niet veel meer dan erin prikken met zijn vork. Silvana merkte dat ze een beetje medelijden met hem kreeg als hij met een moedeloze blik zijn bord van zich af schoof.

Ze vond het extra werk in de bakkerij geen probleem. Ze vond het wel prettig om met het deeg te werken en de oven te vullen. Voor het eerst in jaren was Silvana trots op de bakkerij. Zelfs het dweilen van de vloer of het schoonmaken van de toonbank en de planken vond ze bevredigend. Ze vond het prettig om van een afstandje haar werk te bekijken en te bewonderen.

'Hou je nog eens op met al die drukte, vrouw?' gromde Alberto. Ze realiseerde zich dat hij toch door zijn halfgeloken oogleden naar haar had zitten kijken.

'Ik ben bijna klaar. Ga jij alvast maar naar huis, ik kom zo.'

Alberto schudde zijn hoofd. 'Ik wacht wel,' zei hij kortaf.

Toen ze naar huis liepen, verbaasde ze zich erover dat hij haar arm pakte. Het was al heel lang geleden sinds haar man haar had aange-raakt. Ze voelde dat hij op haar leunde tijdens het lopen.

'Weet je, ik zou je echt naar de dokter moeten brengen,' zei ze voorzichtig.

Hij gromde als antwoord.

Toen ze bij hun huis kwamen, worstelde hij zich de trap op naar boven. 'Ik ga naar bed,' hijgde hij voordat ze de voordeur zelfs maar dicht had kunnen doen. 'Je hoeft niet voor mij te koken, ik wil niet eten.'

Het was vreemd om een maaltijd klaar te maken zonder dat Alberto in zijn leunstoel achter haar ergens over zat te zeuren. Als hij had willen eten, zou hij niet blij zijn geweest met de eenvoudige soep die ze nu maakte. Het was niet veel meer dan kippenbouillon met selderij en vette *pancetta*, en gevuld met een beetje gebroken spaghetti. Ze at het in haar eentje op en hoorde hem snurken in de slaapkamer boven.

Het was al laat toen ze de trap op liep om te gaan slapen. Ze knikte snel naar het kruis aan de muur, sloeg een kruisje en fluisterde de paar woorden van het gebed waar ze altijd op vertrouwde. Toen gleed ze tussen de lakens en legde haar hoofd op het kussen naast haar snurkende echtgenoot.

Alberto begon in de loop van de nacht steeds luidruchtiger te snurken. Silvana lag klaarwakker naast hem te woelen. Als ze aan zijn arm trok, ademde hij één of twee keer stilletjes in en uit, maar begon daarna weer net zo hard te snurken als eerst.

Om een uur of twee die nacht klonk Alberto's gesnurk schor, gedempt. Zo had Silvana hem nooit eerder horen snurken. Ze werd er gek van. Ze trok de dekens over haar hoofd, stopte haar vingers in haar oren en begon te fluiten om het geluid buiten te sluiten.

Ze moest al fluitend in slaap zijn gevallen, want ze werd wakker van de stilte. Alberto snurkte niet meer. Ze kon hem zelfs niet horen ademen. Ze krulde zich op onder de dekens en genoot van deze laatste rustige momenten voordat ze op zou moeten staan.

Haar lichaam voelde stijf en beurs aan toen ze naar beneden ging om koffie te maken. Het harde werk in de bakkerij begon zijn tol te eisen.

'Alberto, wil je koffie?' riep ze. En toen luider: 'Alberto, hoor je me?'

Geen antwoord.

Ze schonk een kopje vol espresso en nam het mee naar boven. 'Hier, drink dat maar op. Daar word je misschien wakker van,' zei ze en zette het kopje op zijn nachtkastje.

Alberto had zijn hoofd niet boven de dekens uit gestoken. Hij lag nog steeds in dezelfde houding als toen ze uit bed was gestapt en maakte geen enkel geluid.

'Alberto, gaat het wel goed met je?' Voorzichtig raakte Silvana zijn schouder aan. Hij bewoog niet.

Ze trok de dekens van hem af en schrok toen ze hem zag. Haar echtgenoot lag koud en dood in bed, met een verwrongen gezicht en bolle ogen.

'Madonna *mia*, hij is dood, hij is dood,' jammerde ze. Ze zakte naast hem op het bed en trok haar schort over haar hoofd.

Silvana zat naast het lichaam van haar man zachtjes heen en weer te wiegen, nog steeds in paniek. Ze had er al een hele tijd gezeten, misschien wel uren, toen ze vaag hoorde dat er op de deur werd geklopt.

Eerst was ze te bang om open te gaan doen, maar toen werd het geklop harder en hoorde ze vrouwenstemmen haar naam roepen.

'Silvana, ben je thuis? Is alles wel in orde?'

'Ik kom eraan, ik kom al,' riep ze en stond met trillende benen op om open te gaan doen.

Patrizia Sesto en Anna Moretti stonden met een nieuwsgierig gezicht voor de deur.

'De bakkerij is nog dicht en alles is donker. We vroegen ons af wat er aan de hand was,' zei Patrizia en stapte de drempel over.

Anna bleef op de drempel staan. 'Er is iets mis, hè, Silvana?' vroeg ze zacht toen ze Silvana's gezicht zag. 'Wat is er?'

Silvana staarde hen aan en vertrouwde haar stem niet. 'Alberto is dood,' zei ze ten slotte. 'Hij is dood. Ik weet niet wat ik moet doen.'

Patrizia uitte een lange, hoge kreet. 'Dood? O, mijn god, wat is er gebeurd?' De tranen begonnen over haar wangen te stromen en ze legde één hand op haar hart.

Anna bleef op de drempel staan. 'Ik weet wel wat er moet gebeuren, Silvana,' zei ze kalm. 'Zal ik binnenkomen en je helpen?'

Silvana knikte. 'Ja, alsjeblieft,' zei ze alleen maar en stapte achteruit zodat Anna binnen kon komen.

Toen gebeurde er van alles, leek het wel. Silvana stond in de hal en keek naar Anna die naar boven liep om Alberto's ogen te sluiten. Patrizia bleef beneden en deed onhandige pogingen om haar te troosten, ze kneep in haar hand en drukte haar natte wangen tegen de hare, tot Anna riep dat er een priester en een dokter moesten komen en Patrizia wegging om hen te halen.

Het was een opluchting dat ze wegging. Langzaam liep Silvana naar boven, naar de slaapkamer, en zag dat Anna daar stond. Ze keek met een medelijdende blik naar het enorme lichaam van Alberto.

'Het spijt me, Silvana,' zei ze zacht. 'Hij heeft nu rust.'

'Ja, ik weet het.'

'Volgens mij moeten we het nu aan je zoons vertellen. Waarom vertel je me niet hoe ik hen kan bereiken? Dan zal ik het wel doen.'

Silvana schudde haar hoofd. 'Dat kun je niet doen.'

'Waarom niet?' vroeg Anna verbaasd.

Silvana's ogen werden groot en ze zei niets.

'De jongens moeten het weten, *cara*. Ik wil het met alle plezier voor je doen.'

'Je kunt het hun niet vertellen,' blaatte Silvana, 'omdat ik hem heb vermoord. Ik heb Alberto vermoord.'

Anna keek even verbijsterd en glimlachte toen. 'Ik weet zeker dat je dat niet hebt gedaan.'

'Nee, echt waar.' Silvana's stem klonk schril en haar toon was dramatisch. 'Ik heb hem vermoord. Ik ben een moordenaar en ze gaan me arresteren en dan sturen ze me naar de gevangenis. Dat is precies wat ik verdien.'

'Hoe heb je hem dan vermoord?' vroeg Anna zacht. 'Laat me eens zien wat je hebt gedaan.'

Silvana draaide zich om en liep naar beneden. Ze kwam buiten adem terug met een plant met donkergroene bladeren die ze uit haar tuin had gehaald. Er zat nog aarde aan de wortels.

Anna pakte de plant van haar aan. 'Heb je hem dit gegeven?'

Silvana knikte. 'Ja, in een salade. Maar niet meer dan een paar blaadjes en maar één keer.'

'Ik neem aan dat hij toen heel erg veel pijn in zijn maag had en moest overgeven?'

'Ja, dat is zo.'

Anna drukte de plant weer in haar handen. 'Je hebt hem ziek gemaakt, maar je hebt hem niet vermoord, Silvana. Daar zou meer voor nodig zijn geweest. Gooi die plant nu maar op de composthoop en vergeet het.'

'Echt waar?' vroeg Silvana hoopvol.

Anna pakte haar bij de arm en nam haar mee naar haar kledingkast. 'Ja, dat denk ik,' zei ze vastberaden. 'Straks vertellen we het wel aan je zoons. Eerst moeten we hier maar even in kijken en zorgen dat je iets passends aantrekt.'

'Ja ja,' beaamde Silvana. 'Ik heb allemaal goede kleren: een zwarte jurk, handschoenen, een vest en een jas. Ik heb zelfs zwarte oorringen. Die heb ik gehouden nadat mijn moeder was overleden. Ik weet zeker dat ze me nog passen.'

'Ja, dat denk ik ook,' beaamde Anna en keek naar de kleren. 'Je bent nog net zo slank als vroeger, Silvana. Je rouwkleren zullen je heel goed passen.'

Als een klein kind liet Silvana zich aankleden. Haar jurk werd over haar hoofd getrokken en Anna knoopte haar vest dicht en deed zelfs haar oorringen in.

'Dat is heel goed. Je ziet er perfect uit,' zei ze toen ze Silvana's handschoenen, jas en hoed alvast klaarlegde. 'De dokter zal zo wel komen en een overlijdensakte opmaken. En laten we maar hopen dat Patrizia padre Pietro heeft weten te vinden. We kunnen het wel aan hem overlaten om de begrafenis te regelen. Zie je wel, zelf hoef je amper iets te doen.'

'Hoe moet het met de bakkerij?' Silvana keek bezorgd.

'We zullen een briefje op de deur hangen om de mensen te laten weten dat je gesloten bent wegens een sterfgeval.'

Silvana knikte langzaam en toen stroomden de woorden uit haar mond. 'Ik haatte hem, Anna. Ik haatte hem al jaren. Het spijt me helemaal niet dat hij dood is.'

Ze hoorden dat er hard op de deur werd geklopt. 'Dat weet ik,' zei Anna snel. 'Je had het recht om hem te haten en daar hoef je geen spijt van te hebben. Maar nu ga ik de deur opendoen. Dat zullen de priester en de dokter zijn. En, Silvana?'

'Ja?'

'Je kunt met mij altijd over deze dingen praten, maar je moet dat niet aan iemand anders vertellen. Begrijp je dat?'

'Dank je wel.' Silvana klopte met een nerveus gebaar op haar zwarte kleren. 'Dank je wel voor alles.'

De dokter onderzocht Alberto nauwelijks. Hij keek van een afstandje neer op zijn lichaam, terwijl Silvana vertelde over de vreemde geluiden die haar echtgenoot die nacht had gemaakt. 'Zo heb ik nog nooit iemand horen snurken,' zei ze zenuwachtig.

De dokter knikte somber. 'Hartfalen,' verklaarde hij. 'Geen twijfel mogelijk. Je hoeft maar naar die man te kijken om te weten dat dit ooit zou gaan gebeuren. Hij heeft zichzelf dood gegeten.'

Silvana slikte. 'Denkt u dat het iets was dat hij heeft gegeten?'

'Volgens mij was het alles wat hij heeft gegeten, *signora*. Ik vrees dat hij al jaren bezig was zich dood te eten.'

De volgende bezoeker was padre Pietro. Hij legde vriendelijk een hand op Silvana's hoofd en vroeg of ze samen met hem wilde bidden. Samen knielden ze naast het bed en vroegen God om Alberto's ziel in de hemel op te nemen.

Die dag werd er vaker op de deur geklopt. Buren kwamen hun condoleances overbrengen en schalen met zelfgemaakt eten afgeven. Ze gingen aan haar keukentafel zitten en praatten op geschokte toon over Alberto's onverwachte dood. Silvana voelde zich een vreemdeling in haar eigen wereld. Ze zat er zwijgend bij en liet het gepraat van de vrouwen langs zich heen gaan.

Tussen de middag arriveerden de begrafenisondernemer en zijn assistent. Met veel moeite tilden ze Alberto van het bed en droegen hem de steile trap af naar beneden. Gelukkig arriveerde padre Matteo en hij hielp hen, anders hadden ze hem nooit door de voordeur gekregen.

Later die middag kwam Raffaella langs. Ze stond samen met haar moeder in de kleine hal en Silvana hoorde hen zachtjes met elkaar praten. Daarna kwam Anna de keuken in en vertelde de vrouwen die daar aan tafel zaten dat ze maar beter weg konden gaan.

'Natuurlijk, natuurlijk.' Alba Russo stond op en de anderen deden hetzelfde. 'Silvana, we komen morgen weer langs en dan moet je ons vertellen of we je kunnen helpen.'

Toen Anna de deur achter hen had dichtgedaan, schonk ze een glas rode wijn in en duwde dat in Silvana's hand.

Silvana nam een slok. 'Je bent heel lief voor me.'

'Waarom zou ik dat niet zijn?'

'Ik ben niet altijd je vriendin geweest. Of van Raffaella.'

Anna keek haar peinzend aan. 'Nee, dat is misschien wel zo,' beaamde ze. 'Maar het is nu niet het juiste moment om je daar druk over te maken. Drink je wijn op, Silvana, en ga dan slapen. Je moet wat rusten.'

Silvana deed wat haar was opgedragen. Ze liet zich uitkleden en klom tussen de schone lakens die op haar bed waren gelegd.

'Red je het wel in je eentje?' vroeg Anna.

'Ja, maak je maar geen zorgen. Het gaat wel.'

Toen Anna was vertrokken, strekte ze haar benen op de lege ruimte aan Alberto's kant van het bed. Hij was echt dood. Ze was even bang toen ze dacht aan de plant die ze in de composthoop had begraven. En toen rekte ze zich nog meer uit, tot ze bijna het hele bed in beslag nam, en voelde iets wat alleen maar opluchting kon zijn.

Alberto was dood en zij was eindelijk vrij.

21

De eerste keer dat Silvana haar huis verliet, was voor de begrafenis. Het was een gure, koude dag, met een striemende zeewind waardoor de toppen van de bomen ombogen. Padre Pietro struikelde over zijn woorden omdat hij snel klaar wilde zijn voordat de volle kracht van de storm hen zou treffen.

Haar zonen bleven bij haar, begeleidden haar gedurende de dienst en de begrafenis. Ze hoefde alleen maar te knikken en een bedankje te mompelen voor de condoleances die ze kreeg. Maar toch was Silvana blij toen het allemaal voorbij was en ze onder de dikke sprei kon kruipen die ze op haar bed had gelegd, haar ogen kon sluiten en kon luisteren naar de regen die tegen het raam sloeg.

Haar zonen hadden besloten dat ze hun vaders plaats in de bakkerij niet wilden innemen en dat kon ze hun niet kwalijk nemen. Ze hadden hun eigen leven opgebouwd, in de stad, en in hun ogen was Triento nu een slaperig, achtergebleven stadje.

'Kom met ons mee naar huis,' drongen ze aan. 'Laat je huis achter, vergeet de bakkerij en kom een tijdje bij ons wonen.'

Maar dat had ze geweigerd. Haar leven was hier, had ze gezegd.

Toen ze vertrokken, hadden ze haar omhelsd, net zoals toen ze nog klein waren. 'We komen snel weer terug. We zullen je niet te lang alleen laten,' beloofden ze.

'Maak je maar geen zorgen om mij, dat is niet nodig,' zei ze, ontroerd door hun bezorgdheid. Maar toen ze weg waren, kroop ze weer in haar bed en sloot de wereld buiten met haar dekens en dekbedden.

Anna Moretti kwam elke dag langs om te kijken hoe het met haar ging en om eten te brengen. Soms bleef ze even bij haar zitten en las dan een boek terwijl Silvana lag te soezen.

'Hoe moet het met de bakkerij?' vroeg Anna op een middag. 'Wil je die al snel weer openen?'

Silvana trok de deken om haar schouders. 'Daar had ik vandaag over willen nadenken, maar daar had ik de energie niet voor. Ik weet het niet, misschien volgende week. Misschien de week daarna.'

'Misschien is het beter om het eerder te doen?'

Silvana trok een grimas. 'Er is toch geen haast bij? Ik heb mijn hele leven gewerkt, ik mag nu toch wel een paar dagen uitrusten? En trouwens, ik kan de geur daar niet uitstaan.'

'Hou je niet van de geur van versgebakken brood?' Anna keek verbaasd.

'Nee, dat klopt. Het ruikt zo zoet en weeïg als je er de hele dag in zit. En het herinnert me aan Alberto.'

Daarna draaide Silvana zich om, ging met haar gezicht naar de muur liggen en sloot haar ogen. Ze zag niet dat Anna, voordat ze vertrok, rustig een sleutel van haar sleutelbos haalde en die in haar zak liet glijden.

Pas een paar dagen later, toen Alba Russo bij haar op bezoek kwam met een *focaccia* met bergzout en rozemarijn erop onder haar arm geklemd, ontdekte Silvana wat er was gebeurd.

'Volgens mij kun je je maar beter snel aankleden en een kijkje nemen in je bakkerij,' siste Alba.

Silvana pakte het brood van haar aan, kneep erin en rook eraan. 'Dat ziet er goed uit,' zei ze. 'Wie heeft dit gemaakt?'

'Anna Moretti en haar dochter natuurlijk. Die vent van de Gypsy Tearoom helpt hen erbij. Ze zijn heel druk bezig.'

Voor het eerst sinds dagen voelde Silvana weer een sprankje interesse voor de buitenwereld. 'Waarmee dan?' vroeg ze.

'Nou, gisteren hebben ze een brood gebakken met walnoten en chocolade erin. En vandaag is er rozemarijn*focaccia* en een ander brood gevuld met zoete uien. Ik heb geen idee wat Alberto daarvan zou denken.'

Silvana negeerde het feit dat de naam van haar overleden man werd genoemd. 'En verkopen ze het brood dat ze bakken?'

'Ja, ik nam aan dat jij hun toestemming had gegeven. Ze zijn er tot nu toe elke dag geweest en het stikt er van de klanten.'

Silvana hield de *focaccia* vast. De scherpe geur van de rozemarijn overstemde bijna de zoete geur van brood. Ze vroeg zich af hoe die andere broden zouden ruiken. Ze pakte haar zwarte jas van de haak bij de voordeur, liep achter Alba langs en ging naar buiten om dat zelf uit te zoeken.

Het tafereel in de bakkerij verbaasde haar. Er lagen onregelmatige stapels brood op de planken en de toonbank. Enorme *ciabatta*broden lagen boven op platte broden gevuld met *prosciutto* en geroosterde groenten. Knapperig witbrood concurreerde met slanke *panini*. Suikerbroden lagen naast zuurdeeg. De zoete bakgeur was overweldigend en zelfs nu het al zo laat in de ochtend was, haalde Raffaella nog steeds nieuwe broden uit de hete oven.

Silvana kon er niets aan doen. Ze begon te lachen.

Raffaella keek op. Hoewel ze al helemaal rood was van de hitte van de oven leek ze zelfs nog roder te worden toen ze merkte dat er iemand naar haar keek.

'Waar heb je dit allemaal geleerd?' Silvana gebaarde naar de rommelige stapels broden.

Raffaella ging rechtop staan en zette de plaat broden, gevuld met noten en gekruid met kaneel, op de toonbank. 'Mijn moeder vond enkele recepten en Ciro Ricci heeft de rest bedacht. Hij heeft ons laten zien hoe we met de oven moesten omgaan en heeft ons de eerste dagen geholpen. We hebben zoveel brood verkocht. Ik heb een kluisje vol met geld voor je.'

Silvana rook aan een van de warme broden. 'Alberto wilde nooit zoete broden bakken,' zei ze. 'Of gevulde broden. Daar was hij heel streng in. Alleen maar *focaccia*, knapperig witbrood en *ciabatta*.'

'Wilde hij niets anders proberen?' vroeg Raffaella geïnteresseerd.

Silvana haalde haar schouders op. 'Het was traditie, neem ik aan. Dat waren de enige broden die zijn familie altijd had gebakken. Bovendien,' voegde ze er nadenkend aan toe, 'denk ik dat hij er te lui voor was.'

'Mijn moeder dacht dat je het niet erg zou vinden als we wat nieuwe recepten uitprobeerden. Ze zei dat het het belangrijkste was om de zaak weer open te doen voordat de klanten wegbleven en hun brood ergens anders zouden gaan kopen.'

Silvana knikte. 'Je moeder had waarschijnlijk gelijk.'

Raffaella deed haar schort af en wreef het meel van haar handen. 'Nu jij je weer goed voelt, neem ik aan dat je het zelf weer wilt overnemen,' zei ze.

Silvana ging op de kruk naast de toonbank zitten en keek naar het brood. Ze deed haar best om er niet al te vermoeid uit te zien. 'Ik denk dat ik dat zou moeten doen,' beaamde ze.

'Je hoeft het niet in je eentje te doen, als je dat niet wilt.'

'Wie kan me dan helpen, nu Alberto dood is?' vroeg Silvana lusteloos.

'Ik.' Raffaella begon de broden die ze had gebakken op de al volle planken te stapelen. 'Ik kan je wel helpen.'

'Maar je hebt toch al een baan in Villa Rosa?'

'Nee, het huis is gesloten tot de lente en er is daar geen werk voor me. Ik zou je dus best elke ochtend met het bakken kunnen helpen.'

Silvana wist niet zeker of dat wel een goed idee was. 'Ik kan je niet veel betalen,' zei ze aarzelend.

'Dat geeft niet. Ik woon nu bij mijn ouders, dus heb ik niet veel nodig. En in het voorjaar ga ik weer naar Villa Rosa. Ze willen dat ik er ben als de *americano* terugkomt.' Raffaella wist dat ze elke keer als ze het over Eduardo had begon te blozen. Ze hoopte dat Silvana het niet zou merken. 'Als je dat wilt, kunnen we ook gewoon weer de broden bakken die Alberto altijd bakte,' zei ze snel. 'Dan bakken we gewoon weer *focaccia*, knapperig witbrood en *ciabatta*.'

Silvana dacht even na. 'Maar de mensen hebben deze broden toch gekocht?'

'Ja, we hebben het heel druk gehad. Iedereen was dol op het walnotenbrood met chocolade. Die waren al heel snel uitverkocht.'

'Dan kunnen we er maar beter mee doorgaan. Morgen kun je me laten zien hoe dat moet. Dan doen we het samen.'

Raffaella knikte glimlachend. '*Perfetto*, dat vind ik leuk.'

Het was vreemd voor Silvana dat er een andere vrouw achter de toonbank stond. Een enkele keer botste ze tegen Raffaella op als ze tegelijk hetzelfde wilden pakken, en een paar keer wilde ze een kritische opmerking maken als het meisje iets deed wat haar niet beviel, maar ze hield zich in.

De hulp van Raffaella bleek een zegen, want Silvana had maar zelden een rustig ogenblik. Elke klant die binnenkwam wilde even met haar praten en haar vertellen hoe erg ze het vond. Enkelen gingen op de kruk naast de toonbank zitten en vertelden wel een halfuur lang hoe erg ze het hadden gevonden toen ze hoorden dat Alberto zo plotseling was overleden.

Patrizia Sesto bleef het langst van allemaal. Ze fluisterde alsof Alberto nog steeds op zijn bank zat te luisteren. 'Hij is in de bloei van zijn leven gestorven, Silvana,' zuchtte ze. 'Wie had ooit gedacht dat zo'n grote sterke man zomaar, patsboem, dood zou gaan? Hij was niet eens ziek. Ik kan er maar niet bij.'

Silvana had er genoeg van om steeds maar weer dezelfde woorden te horen van allerlei verschillende mensen. Ze zei tegen Patrizia wat ze ook tegen alle anderen had gezegd.

'De dokter was helemaal niet verbaasd. Hij scheen te denken dat Alberto's hart al een hele tijd niet goed functioneerde, maar dat we dat nooit hadden gemerkt. En de laatste weken van zijn leven was hij ziek, weet je nog? Hij kwam amper van zijn bank af, hij zat daar maar en keek naar me als ik aan het werk was.'

Patrizia schudde treurig haar hoofd. 'Eerst Marcello, nu Alberto… Er is zoveel dood in Triento. Misschien is dat wel een boodschap van God dat Hij niet wil dat de priesters dat standbeeld op die berg laten zetten. Als dat zo is, wie zal dan de volgende zijn?'

Raffaella viel haar in de rede. 'Maar Marcello en Alberto hadden toch niets met het standbeeld te maken?'

'Dat is niet waar,' zei Patrizia. 'Marcello was een Russo en zijn familieleden staan achter het plan van dat standbeeld. Zij hebben invloed op de priesters. En Alberto was bij die vergadering waarop dat idee werd besproken. Hij was ervoor, dat heeft mijn man me verteld.'

Raffaella opende haar mond om ertegen in te gaan. Toen zag ze dat Silvana haar hoofd even schudde en dus hield ze haar mond.

'Het is arrogant dat zo'n klein stadje zo'n groot standbeeld wil bouwen,' zei Patrizia. 'Dat zegt mijn Angelo. Op de een of andere manier zullen we moeten boeten voor onze hoogmoed. Kijk toch eens naar jullie, zo jong nog en nu al weduwe. Dat is toch niet natuurlijk? Het zou het beste zijn om er nu mee op te houden, die *americano* te vertellen dat hij niet hoeft terug te komen en de bergtop kaal te laten zoals God en de natuur het hadden bedoeld. Vind je ook niet, Silvana? Ben je het niet met me eens?'

Silvana pakte een kaneelbroodje en brak het doormidden zodat de geur van gebakken kruiden en geroosterde noten vrijkwam. 'Heb je deze nieuwe broodjes al geproefd?' vroeg ze. 'Ik zal ze in een zak doen. Nee, je hoeft niets te betalen. Dit zijn monsters. Als je ze lekker vindt, kom je maar terug om er een paar te kopen.'

Patrizia was zo verbaasd dat ze gratis broodjes kreeg dat ze niets meer zei. Ze pakte de zak met zoete broodjes, gleed van de kruk en verliet de winkel voordat Silvana zich zou bedenken.

'Wat zou Alberto hebben gezegd als hij wist dat je het brood weggaf?' vroeg Raffaella toen Patrizia verdwenen was.

Silvana keek even naar de lege plank. 'Alberto is dood en ik kan doen wat ik wil,' zei ze vastberaden. 'Kom op, pak jij die kant van de bank. Dan brengen we hem achter in de winkel. Die hebben we hier niet meer nodig.'

Toen de bank weg was, leek de bakkerij ruimer en lichter. Later, toen Silvana alleen thuis was, ging ze in Alberto's leunstoel zitten. Tot haar verbazing ontdekte ze dat ze tranen in haar ogen had.

Ze vroeg zich af waar ze om huilde. Ze was niet verdrietig om het verlies van haar man, want er was niets van hem dat ze miste. Eigenlijk was ze ervan overtuigd dat ze een van de gelukkigste weduwen in Italië was. Waarom huilde ze dan? Ze dacht aan Anna Moretti die de sleutel van de bakkerij had gepakt en de winkel had geopend zonder het aan haar te vertellen. Zij en Raffaella hadden zo hard gewerkt en niet verwacht er iets voor terug te krijgen. De tranen begonnen sneller te stromen en eindelijk begreep Silvana waarom ze huilde. Al die tijd waren deze beide vrouwen haar vriendinnen geweest en ze had het niet eens gemerkt. Ze had de een onheus bejegend en was gemeen geweest tegen de ander en toch hadden ze haar weer een kans gegeven.

Silvana begroef haar gezicht in haar zwarte rouwjurk en begon hardop te huilen. Was iedereen maar zo vergevingsgezind als Anna en

Raffaella. Maar ze was bang dat ze niet nog meer herkansingen zou krijgen. Ze had fouten gemaakt en zelfs nu Alberto dood was, zou ze nog steeds met hem moeten leven.

22

Raffaella miste Villa Rosa meer dan ze had verwacht. Ze merkte dat ze zich afvroeg wat Umberto en Carlotta deden nu ze alleen waren. De winterse stormen zouden hen teisteren en de harde wind zou de planten en struiken in de tuin pletten. Umberto zou wel chagrijnig zijn en Carlotta eenzaam. Raffaella dacht vaak aan hen.

Ze dacht ook aan de *americano*. Hij zat altijd wel ergens in haar achterhoofd te wachten tot hij haar aandacht kon trekken.

Ze had het in elk geval druk met haar werk in de bakkerij, ook al gingen haar gedachten met haar aan de haal. Elke ochtend heel vroeg, ruim voordat het licht werd, kwamen zij en Silvana naar de bakkerij om broden te bakken. Elke dag probeerden ze iets nieuws uit, een brood met zaden of kruiden, of een brood met zwarte olijven erdoor. Met kerst maakten ze *panettone*, een lichtbruin brood met gedroogde vruchten en kruiden erdoor.

Silvana was alweer snel de oude geworden. Ze kletste met de klanten en liet haar stem dalen als ze niet wilde dat Raffaella hoorde wat ze zei. Alberto was verbazingwekkend snel vergeten. Zijn naam werd nog maar zelden genoemd.

Af en toe, als er veel werd geroddeld, vroeg Raffaella zich af wat ze daar deed. Haar moeder had haar gevraagd om haar oude grieven te vergeten en Silvana ruimhartig te helpen, en dat probeerde ze ook. Maar het was niet altijd gemakkelijk.

'Je moet geduld hebben,' zei Anna steeds weer. 'Je hebt het recht om haar te haten, maar dat is een reden temeer om haar te helpen.'

Raffaella vond dat niet logisch. Ze probeerde ertegen in te gaan, maar het had geen zin. Haar moeder weerlegde elk argument van haar met de woorden: 'Ja ja, ik weet wel hoe verschrikkelijk ze kan zijn. Dat

166

heb ik ook wel gezien. Maar je moet je eens afvragen hoe het komt dat ze zo is geworden.'

'Omdat ze met die vreselijke Alberto getrouwd was?'

'Misschien wel, maar je moet niet te snel conclusies trekken. Misschien is er wel een andere reden voor.'

Raffaella rolde met haar ogen.

Haar moeder glimlachte. 'Als je zo oud bent als ik, zul je wel weten dat de dingen zelden zo zijn als ze lijken. Er ontgaat je iets van Silvana, iets belangrijks. Je moet beter naar haar kijken. Misschien kun je haar wel op meer manieren helpen dan je denkt.'

'Help ik haar dan al niet genoeg?' gromde Raffaella. 'Wat wil je dat ik nog meer voor haar doe?'

Toch lette ze beter op Silvana. Eerst ontdekte ze niets bijzonders. Soms lachte ze vrolijker dan gepast was voor een weduwe. Dan weer leek ze afwezig en was het moeilijk om haar zwijgen te doorbreken. En toen, nadat ze haar ongeveer anderhalve week extra in de gaten had gehouden, ontdekte ze een patroon.

Twee keer per dag keek Silvana zenuwachtig naar de klok en begon dan naar buiten te staren, afwezig bezig met wat ze maar aan het doen was. Als de burgemeester, Giorgio Lazio, langs de winkel liep, zwaaide ze altijd door het raam naar hem en dan zwaaide hij terug en liep door. De burgemeester was een nauwgezette man en hetzelfde gebeurde elke ochtend en elke middag. Daarna leek Silvana altijd berustend.

Raffaella dacht terug aan de enkele keren dat ze die twee samen had gezien. Het had er altijd een beetje vreemd uitgezien, iets leek er niet te kloppen, ook al had ze nooit precies ontdekt wat dat was.

'De burgemeester lijkt een aardige man,' zei ze op een ochtend nadat hij langs de winkel was gelopen.

'Hm, ja, dat is zo,' beaamde Silvana.

'Hij was zeker knap toen hij jong was. Waarom is hij nooit getrouwd, denk je?'

'Ik heb geen idee.'

'Maar je kent hem vrij goed, toch? Ik heb je wel eens met hem zien praten.'

Silvana schudde haar hoofd. 'Nee, ik ken hem niet goed. Ik heb geen idee waarom je dat denkt,' zei ze en Raffaella dacht te zien dat ze bloosde.

'Maar je stond een keer met hem te praten toen ik de winkel in kwam, weet je nog?' drong ze aan.

Silvana leek geïrriteerd. 'Doe niet zo raar,' zei ze. 'De burgemeester kwam gewoon een brood kopen en ik kletste maar een beetje met hem.'

'En ik heb je een keer gezien toen je op de *piazza* met hem praatte,' bleef Raffaella aandringen. 'Je had je hand op zijn arm gelegd.'

Het bloed trok uit Silvana's gezicht en ze perste haar lippen stevig op elkaar. Ze draaide Raffaella haar rug toe en begon te rommelen met een stapel met bloem bestoven *ciabatta*broden. 'Dit brood gaan we nooit allemaal verkopen. Het is belachelijk dat we hier met z'n tweeën zijn. Het werk is bijna allemaal al gedaan. Waarom ga je niet naar huis? Ik weet zeker dat je moeder het heerlijk zal vinden je te zien.'

Raffaella realiseerde zich dat ze te ver was gegaan en voelde zich schuldig. Ze zou haar excuses moeten aanbieden, blijven en doorwerken, maar ze had een beter idee. Dit was wat haar moeder had bedoeld. Ze zou Silvana op een andere manier kunnen helpen dan alleen maar door brood te bakken en te verkopen.

'Goed hoor, als jij het niet erg vindt,' zei ze snel. Ze deed haar schort af en hing het aan de haak naast de oven. 'Dan zie ik je morgen, is dat goed, op de gewone tijd?'

Silvana knikte. 'Ja hoor, morgen. Nou, nog een fijne dag verder en doe de groeten aan je moeder.'

Raffaella verliet de bakkerij, maar liep niet de heuvel af naar het huis van haar ouders. Ze keek even achterom zodat ze zeker wist dat Silvana niet keek en glipte toen de steeg in naar de Gypsy Tearoom.

Halverwege bukte ze zich om de oude hond te aaien die zich in een reepje zonlicht lag te warmen. Ze krabde hem onder zijn kin toen ze hoorde dat Ciro Ricci haar riep.

'Raffaella, laat dat ouwe stinkende beest met rust.'

Ze keek op en lachte. 'Je bent echt dol op die hond, hè? Ik durf te wedden dat je hem restjes voert als je denkt dat niemand kijkt.'

Ciro glimlachte spijtig en er verschenen rimpeltjes in de zachte huid rondom zijn ogen. Raffaella vond dat hij er moe uitzag.

'Voel je je wel goed?' Ze maakte zich zorgen. 'Ik vind dat je er niet goed uitziet.'

'Nee hoor, ik voel me uitstekend. Er zijn wel wat dingen gebeurd de laatste weken, maar niets wat ik niet aankan.' Hij bracht haar naar een tafeltje vlak bij de warmte van de pizzaoven. 'Kom, ga lekker zitten. Neem wat koffie en *biscotti* en vertel me dan eens hoe het in de bakkerij gaat.'

Raffaella ging bij het vuur zitten en ontdeed zich van haar zwarte sjaal en handschoenen. 'Het gaat goed. Nogmaals bedankt dat je ons die eerste dagen hebt geholpen.'

'Dat vond ik leuk.'

'Ik vroeg me af of je nog iets voor me kunt doen.'

'Alles, Raffaella, dat weet je wel.'

Toen ze hem vertelde wat ze wilde, fronste hij. 'Weet Silvana wel dat je dit van plan bent?'

'Nee, dat moet geheim blijven. Dat is heel belangrijk.'

'Weet je wel zeker dat ze dat op prijs zal stellen?'

Raffaella dacht even na. 'Ja, ik denk het wel. Maar het is het proberen waard. En als het niet goed uitpakt, dan is er niets aan de hand. Nee toch?'

Ciro trok zijn wenkbrauwen op.

'Laten we het gewoon een keer proberen,' drong Raffaella aan. 'Je wilt Silvana toch wel helpen?'

'Silvana kan me niets schelen, ik doe het voor jou.' Hij keek haar zo aandachtig aan dat ze niet wist waar ze moest kijken. Hij keek naar haar zoals een hongerige man naar een van zijn pizza's kon kijken. 'Je weet toch dat ik alles voor je zou doen, hè?' zei hij zachtjes.

Ze glimlachte nerveus. 'Alleen dit maar,' zei ze. 'En het is niet echt voor mij, het is voor Silvana.'

De burgemeester hield van de regelmaat in zijn leven. Elke ochtend werd hij op dezelfde tijd wakker en dronk twee kopjes sterke espresso in hetzelfde café terwijl hij snel de krant doornam. Zijn secretaresse wist precies hoe laat hij op kantoor zou arriveren en ze legde zijn post in een bruine map op zijn bureau, zodat hij die eerst grondig kon doornemen voordat hij met de gewone werkzaamheden begon. Zijn huishoudster had zijn lunch al op tafel staan, praktisch op het moment dat hij thuiskwam, altijd een beetje pasta, wat vlees en salade. Als toetje nam hij altijd een appel, geschild en met een kartelmesje in partjes gesneden, samen met een stukje *pecorino*. Drie keer per week dineerde hij bij zijn moeder, die halverwege de berg woonde in het huis waarin hij was opgegroeid. De andere avonden bracht hij in zijn eentje door; dan zat hij voor de open haard te lezen of op zijn terras naar de zonsondergang te kijken, met een goed glas rode wijn bij de hand. Hij hield van deze regelmaat. Die vond hij aangenaam.

Nu was er een aanvulling op Giorgio's dagelijkse routine. Elke ochtend en middag stak hij de *piazza* over en keek door het raam van de bakkerij naar binnen. Silvana was er altijd en keek dan naar hem. Ze zwaaide naar hem en hij zwaaide terug en glimlachte. Het was een eenvoudige, stille groet en toch begon Giorgio er al naar uit te zien. Hij overwoog zelfs om zijn lunchtijd te vervroegen, zodat de bakkerij nog open zou zijn als hij er langsliep.

Giorgio had hard gewerkt om te worden wie hij was. Hij kwam uit een boerengezin dat de kost op het onvruchtbare land bij elkaar schraapte. Voor hem had het vooruitzicht van dat zware werk nooit enige aantrekkingskracht gehad. Hoewel de muren van zijn kantoor hem af en toe benauwden en hij verlangde naar de zon op zijn gezicht, was hij trots op wat hij had bereikt. Hij was de burgemeester van Triento, een welvarend stadje, en hij vatte zijn werk serieus op.

Hij was op Alberto's begrafenis geweest. Hij had Silvana en haar zoons gecondoleerd en was vertrokken zodra dat gepast was. Toen hij weer veilig thuis was, zat hij aan de tafel in zijn eenzame keuken en staarde naar de muur. Giorgio was in paniek. Hij was bang voor alle emoties die Silvana in hem opwekte.

Hij probeerde niet meer aan Silvana te denken; dat leidde hem af en hij kon zich niet meer zo goed op zijn werk concentreren. Zij was een weduwe, ze rouwde om haar echtgenoot en was onbereikbaar. Maar terwijl Giorgio met zijn fraaie zilveren vulpen documenten ondertekende, terwijl hij vergaderingen voorzat en ceremonies leidde, terwijl hij de nijpende problemen van het stadje oploste en ervoor zorgde dat het welvarend bleef, dacht hij al half aan het moment dat hij onderweg naar huis de *piazza* zou oversteken en door het raam van de bakkerij naar binnen zou kijken, waar Silvana al op hem stond te wachten.

In de vijfentwintig jaar dat Silvana met een andere man getrouwd was geweest, was Giorgio van haar blijven houden.

Silvana was alleen in de bakkerij en keek naar de klok die langzaam de seconden van de middag wegtikte. Eindelijk was het bijna zover. Ze keek even naar buiten en zag dat de *piazza* nog steeds verlaten was. De enige die ze zag, was Giuliana Biagio die met haar mand aan de arm over de keitjes stapte.

'O nee,' mompelde Silvana. 'Laat haar alsjeblieft niet hier naartoe komen.'

Maar Giuliana liep recht op de bakkerij af. Silvana keek naar de klok en realiseerde zich dat ze de winkel zou binnenkomen op het moment dat Giorgio de *piazza* op zou lopen. Ze bad dat de burgemeester deze keer te laat zou zijn.

'Patrizia Sesto zei dat je haar gratis brood hebt gegeven,' zei Giuliana toen ze de deur openduwde. 'Heerlijke broodjes met kaneel en noten. Ze heeft ze me laten zien.'

'O ja, dat is zo,' zei Silvana afwezig. Ze probeerde over Giuliana's schouder naar buiten te kijken. 'Vond ze ze lekker?'

'Dat denk ik wel. Wat aardig dat je ze zomaar weggaf. Zoiets is mij nog nooit overkomen.'

Silvana gaf geen antwoord. Ze was gebiologeerd door het tafereel dat zich voor het raam van de bakkerij ontvouwde. Giorgio stak de *piazza* over en Raffaella liep van de andere kant snel naar hem toe. Het was al een hele tijd geleden dat ze de bakkerij had verlaten en Silvana had geen idee waar ze al die tijd was geweest. Maar nu hield ze de burgemeester tegen, glimlachte naar hem en begon tegen hem te praten.

Silvana werd boos en jaloers. Ze had er bijna alles voor over om met Raffaella te ruilen. Ze vroeg zich af waar ze het over hadden met hun hoofd zo dicht bij elkaar.

'Ik heb nog nooit gratis broodjes gekregen,' zei Giuliana nog een keer. 'Ook al ben ik net zo'n goede klant als de anderen.'

Silvana werd boos. Ze pakte een paar broodjes en riep: 'Neem maar wat je wilt!' Ze pakte zuurdeegbrood met een dikke korst en zachte maanzaadbroodjes, propte ze in Giuliana's mand en duwde ze in haar handen. 'Neem ze allemaal maar, als je daar gelukkig van wordt. Hier, neem maar wat *focaccia* en wat van deze *tarallini*. Is dat genoeg? Nee? Neem dan nog wat.'

Giuliana's ogen werden groter. Ze klemde haar overvolle mand tegen haar borst en stapte zijdelings naar de deur.

'Nee, wacht, je hebt nog wat laten liggen. Neem deze!' Silvana pakte een plat brood en gooide dat naar haar toe. 'Neem er twee. Neem ze allemaal.'

Toen Giuliana de deur achter zich dichtsloeg, vlogen de broden ertegenaan.

Silvana stond te hijgen. Ze keek op van de rommel die ze had gemaakt en zag dat de burgemeester en Raffaella waren verdwenen. Ze liep snel naar de deur, keek links en rechts, maar ze kon hen nergens ontdekken. Teleurgesteld keek ze naar de broden op de grond. Dat zou ze allemaal weg moeten gooien. Ze knielde en begon de rommel op te ruimen.

23

Silvana had geen idee wat er met Raffaella aan de hand was. Ze leek anders vanochtend, gespannen en opgewonden, en ze liep zonder aanwijsbare reden te glimlachen.

'Waarom ben je zo vrolijk?' snauwde ze toen ze deeg stonden te kneden en de oven vulden. Maar het meisje haalde alleen haar schouders op en glimlachte weer.

Silvana wilde wanhopig graag weten waar zij en de burgemeester het over hadden gehad, maar ze kon het niet opbrengen het te vragen.

'Wat heb je gisteren gedaan?' vroeg ze in plaats daarvan.

Raffaella mompelde een vaag antwoord.

'Je moeder was wel blij zeker, dat je zo vroeg thuis was?' drong Silvana aan terwijl ze platen vol versgebakken broden uit de hete oven schoven.

Raffaella depte haar rode, warme gezicht met een doek. Ze keek verontschuldigend.

'Ik ben niet meteen naar huis gegaan,' gaf ze toe. 'Ik ben naar de Gypsy Tearoom gegaan, naar Ciro Ricci. Hij is zo goed voor ons geweest toen we de bakkerij voor de eerste keer openden en geen idee hadden wat we moesten doen. Ik wilde hem bedanken en daar had ik nog geen gelegenheid voor gehad.'

Silvana keek haar van opzij aan. Ze dacht aan Alba's vermoeden dat er iets speelde tussen het meisje en Ciro Ricci.

'Ben je daar lang gebleven?' vroeg ze.

'Ja, dat geloof ik wel. We hebben zitten praten. Ik mag *signor* Ricci graag. Hij is heel aardig.'

'Je moet wel oppassen. Je weet dat de mensen graag roddelen.'

Raffaella begon een grote mand met knapperige broden te vullen. Ze legde er een doek overheen en stopte die zorgvuldig in.

'Wat ben je aan het doen?' vroeg Silvana.

'*Signor* Ricci vroeg of ik vanochtend wat brood langs wilde brengen.'

'Heb je me niet gehoord?' vroeg Silvana ongeduldig. 'De mensen praten al over jou en die jongeman. Als je een beetje gezond verstand had, zou je uit de buurt blijven van hem en de Gypsy Tearoom. Je bent weduwe, Raffaella. Je bent nog steeds in de rouw en het is niet juist. Dat begrijp je toch wel?'

Raffaella hield haar de mand voor. 'Dan kun je dat brood maar beter zelf even brengen. Misschien zal men over jou niet zo snel roddelen.'

'Je hebt het hem beloofd, dus ik heb niet veel keus, hè?' snauwde Silvana. 'Geef maar hier. Ik blijf niet lang weg, Raffaella. Ik lever dit brood af en kom meteen weer terug. Ik weet wel hoe ik me netjes moet gedragen.'

Ze greep de mand en trok de zwarte wollen sjaal om haar schouders. Silvana liep de bakkerij uit in de richting van de steeg die naar de Gypsy Tearoom leidde. Ciro Ricci zou wel verbaasd zijn als hij zag wie het brood kwam brengen, dacht ze opgewekt. Hij verwachtte een knappe jonge weduwe en hij kreeg de oude, versleten weduwe.

Maar Ciro leek helemaal niet verbaasd te zijn. Hij glimlachte breed naar haar toen ze in de deuropening verscheen. 'Ah, prachtig, je komt me het brood brengen. Kom, dan maak ik in ruil daarvoor een lekker kopje sterke koffie voor je. Het duurt maar even. Kom binnen en ga zitten. Kom binnen, kom binnen.'

'Nee nee, ik heb geen tijd, ik heb het druk. Bedankt, maar nee.' Silvana probeerde weg te lopen, maar Ciro greep haar schouder en duwde haar zachtjes maar vastberaden naar de afgeschermde tafel in een hoekje.

'Dit vind je vast wel een prettig plekje. Kom, ga zitten.'

'Nee, ik kan…' Silvana zweeg toen ze zag wie er al aan het tafeltje achter het scherm zat. Giorgio had zijn krant voor zich op de tafel uitgespreid en nam genietend een paar slokjes van zijn eerste espresso van die dag.

Hij keek haar aan en glimlachte. 'Goedemorgen.'

'O… goedemorgen.' Ze staarde hem aan en wist niet goed wat ze nu moest doen.

Ciro duwde haar zachtjes in een stoel. 'Ga jij hier maar zitten. Fijn apart achter dit scherm. Je kunt een kopje espresso drinken, een beetje kletsen, wat je maar wilt. Niemand die je hier ziet.'

Silvana keek de burgemeester aan. 'We kunnen hier geen koffie drinken. Dat hoort niet zo.'

Giorgio keek ernstig. 'Je hebt gelijk, het hoort niet zo. Het is alleen maar een kopje koffie, Silvana, verder niets. Misschien kom ik hier elke ochtend wel voor mijn kopje espresso en als je Ciro dan brood komt brengen en we hier een minuut of tien achter het scherm gaan zitten – daar is toch niets verkeerds aan?'

Silvana was wanhopig. 'Dat wil ik heel graag, Giorgio, maar ik ben weduwe en ik ben in de rouw en de mensen zullen gaan roddelen.'

'Niemand hoeft het te weten.' Hij glimlachte naar haar. 'Alleen maar een kopje koffie, Silvana. Volgens mij moeten we er gewoon van genieten.'

24

De winter hield Triento in zijn greep. De wind blies door de smalle straatjes en er hingen regenwolken boven de berg.

Raffaella's dagen leken allemaal op elkaar. Elke ochtend vond ze het weer moeilijk haar warme bed uit te komen waarin ze samen met haar zusje Teresa sliep, en de steile, donkere heuvel op te klimmen naar Groot Triento.

Zodra de ovens brandden, waren zij en Silvana opgelucht. Terwijl het buiten lichter werd, werd het warmer in de winkel en raakte de lucht verzadigd van de zoete, aangename geur van gebakken brood. Raffaella keek vaak naar buiten om te zien of het stormde en bad dan voor haar vader die in zijn vissersboot op zee was.

Zodra de laatste broden uit de oven waren gehaald en op de planken waren gelegd, vulde ze een mand met broden voor de Gypsy Tearoom. Silvana deed dan snel haar schort af en als de mand gevuld was, stond zij al klaar om te vertrekken. Elke ochtend bleef ze een paar minuten langer weg en als ze terugkwam rook ze altijd naar koffie en had ze rode wangen en een gelukkige blik in haar ogen.

Raffaella zei er nooit iets over en Silvana nam haar nooit in vertrouwen. Maar Ciro vertelde dat hij hen soms hoorde lachen achter hun scherm en dat het soms heel stil was.

Verder was er niets veranderd. De burgemeester liep nog altijd twee keer per dag langs het raam van de bakkerij naar en van zijn kantoor in het stadhuis en Silvana hield altijd op met wat ze aan het doen was om naar hem te zwaaien.

Raffaella keek altijd naar haar en realiseerde zich dat ze haar ogen niet van Silvana kon afhouden. Ze zag hoe geluk iemand op een kalme manier kon veranderen. Silvana bewoog zich door de bakkerij alsof ze een muziekje hoorde. De lijnen in haar voorhoofd leken zachter te worden, haar krullen ontsnapten aan de spelden die ze gebruikte om ze op hun plek te houden en dan liet ze ze gewoon om haar gezicht dansen. Iemand die haar niet goed kende, zou geen verandering zien, maar Raffaella zag de verandering heel duidelijk.

In eerste instantie was ze blij geweest met het resultaat van haar plannetje en onder de indruk van haar eigen slimme idee. Elke keer dat ze Silvana met de mand aan haar arm naar de Gypsy Tearoom zag lopen, was ze opgewonden. Een week of twee later ontdekte ze tot haar verbazing dat dit opgewonden gevoel plaats had gemaakt voor een gevoel van melancholie. Dit was dus alles wat Giorgio en Silvana mochten hebben, een paar gestolen ogenblikken samen. Het leek zo onbeduidend.

Ze werd nog wanhopiger als ze dacht aan de dromen die zijzelf had gehad en het leven dat ze had kunnen hebben. Het leven waarin ze samen met Marcello oud werd, zijn kinderen kreeg die zelf weer kinderen kregen. In plaats daarvan was ze hier, een eenzaam dom meisje dat zich vastklampte aan de herinnering van de gesprekken in het duister onder de granaatappelboom met een onbekende. Zoveel verschil was er dus niet tussen haar en Silvana.

Raffaella was diep in haar trieste gedachten verzonken toen Carlotta de winkel binnenkwam. Het was nog vroeg in de ochtend en er waren geen andere klanten. Ze had de koude windvlaag moeten voelen toen de deur werd geopend en het geluidje dat dit maakte, maar ze was zo in gedachten verzonken geweest dat ze Carlotta pas zag toen ze per ongeluk opkeek en merkte dat ze niet langer alleen was.

'O!' Raffaella schrok. 'Jij bent het! Wat doe je hier? Heb je nieuws? Heb je gehoord wanneer de *americano* weer terugkomt?'

'Nee, er is geen nieuws.' Carlotta's gezicht was even bleek als het hare. 'Mijn vader vertelde dat je hier werkte en toen dacht ik dat ik maar even bij je langs moest gaan om dag te zeggen. Ik heb deze winter zelf brood gebakken. Het zal dus wel eens heerlijk zijn om een brood te eten dat door iemand anders is gebakken.'

'Nou, hier hebben we brood genoeg, dat zie je wel.' Raffaella wees trots naar de volgeladen planken. 'Het lekkerst vind ik dat brood met gedroogde basilicum en zongedroogde tomaten. Het is een recept dat mijn moeder ergens heeft gevonden. Zal ik een plakje voor je afsnijden, dan kun je zelf proeven hoe lekker het is.'

'Je vindt het leuk om hier te werken, hè? Ik neem aan dat dit betekent dat je niet terugkomt naar Villa Rosa.'

Raffaella zweeg even, met het broodmes in de hand. 'Nee, dit is alleen maar tijdelijk. Om Silvana uit de brand te helpen,' zei ze snel. 'Zodra je iets meer weet over de *americano*, kom ik terug naar Villa Rosa. Dat heb ik padre Pietro ook verteld. Hij is waarschijnlijk vergeten om het door te geven.'

'Hoe moet het dan met Silvana?'

'Die redt het wel, denk ik.' Raffaella wilde Carlotta vertellen over Silvana's stiekeme ochtendkoffie met de burgemeester. Hun ontmoetingen duurden nu een halfuur of langer, en vaak kon je de burgemeester horen fluiten terwijl hij langs de bakkerij liep, te laat voor zijn werk. Het was zo'n heerlijk geheim dat ze het wanhopig graag wilde delen, maar iets hield haar tegen.

In plaats daarvan sneed ze een plak brood af, waardoor er zomerse geuren vrijkwamen, een vleugje basilicum en tomaat. 'Proef maar voordat Silvana terug is. Ze is brood aan het bezorgen, maar zal zo wel terugkomen. Eet het dus maar snel op.'

Raffaella was net een stuk brood aan het inpakken, toen Silvana terugkwam. Ze vroeg zich af of Carlotta zou opmerken dat de oudere vrouw energieker uit haar ogen keek, zelfverzekerder liep en haar schouders rechter hield.

'Neem me niet kwalijk, maar ik ben opgehouden,' riep Silvana. 'Goedemorgen, Carlotta. Wat doe jij hier zo vroeg?'

'Een broodje kopen, meer niet,' antwoordde Carlotta verlegen.

'En hoe is het in Villa Rosa?' Silvana bond haar schort vast en stapte vastberaden achter de toonbank. 'Hebben jullie dit jaar veel last gehad van de stormen?'

'O ja, het is vreselijk geweest.'

'Is het huis nog in orde?' vroeg Raffaella bezorgd.

'Het huis is in orde, maar de tuin is helemaal kapot gewaaid. Mijn vader denkt dat de oude granaatappelboom deze lente niet zal uitlopen. Volgens hem is de winter te veel voor die boom geweest.'

'Nee!'

'We kunnen er niets aan doen.'

'En een extra stut onder de takken?'

'Mijn vader zegt dat we hem zo niet kunnen redden.'

'Maar ik ben dol op die oude boom.'

'Ik ook,' zei Carlotta. 'We hebben al een jonge boom om hem te vervangen, maar het zal niet hetzelfde zijn.'

Carlotta pakte het brood van de toonbank en klemde het tegen haar borst. Ze zag er magerder uit dan ooit. Ze had haar dikke haar onder een rode wollen muts gestopt en daaronder leek haar gezicht mager en bleek.

'Bedankt voor het brood,' zei ze. 'Ik laat het je wel weten als we iets van de *americano* horen. En maak je maar geen zorgen. Ik zal niet toestaan dat mijn vader die oude granaatappelboom omhakt, tenzij ik zeker weet dat hij het niet redt tot aan de lente.'

Toen ging ze weg en Raffaella voelde zich nog somberder worden. Op de een of andere manier leek het een slecht voorteken dat die oude granaatappelboom langzaam dood stond te gaan in de wind en de regen, een teken dat de inwoners van Triento ongeluk stond te wachten.

'Arme meid.' Silvana keek naar Carlotta die tegen de wind op tornde en de *piazza* overstak. 'Ik heb medelijden met haar.'

'Waarom?'

'Ze ziet er zo breekbaar uit.'

Raffaella was verrast. Ze had nooit gedacht dat Silvana iemand was die ooit medelijden met iemand anders zou voelen.

'Ze is ook heel breekbaar,' zei ze. 'En als ze glimlacht, lijkt ze heel triest.'

'Nou, dat verbaast me niet na alles wat ze heeft meegemaakt.'

'Wat bedoel je?' vroeg Raffaella.

'Dat weet je toch zeker wel? Je hebt toch wel gehoord wat er met Carlotta is gebeurd?'

Raffaella schudde haar hoofd. 'Nee. Vertel eens.'

'Nou, het is ongeveer vijf jaar geleden, de laatste zomer dat de Barbieri's naar Villa Rosa zijn gekomen. Carlotta zal een jaar of negentien zijn geweest en ze was veel knapper dan nu. Maar toch kun je het Umberto niet kwalijk nemen, hoe zou hij…' Silvana zweeg. 'Heb je dit echt nog nooit gehoord?'

'Nee.'

Silvana keek haar aan en er verscheen een vreemde uitdrukking op haar gezicht.

'Vertel me dan wat er is gebeurd,' drong Raffaella aan.

'Ik denk niet dat dat goed is,' zei Silvana ten slotte. 'Het is Carlotta's verhaal en als zij wil dat je het weet, moet zij het je maar vertellen.'

'Maar je weet toch dat je me kunt vertrouwen. Ik kan wel een geheim bewaren.'

Silvana keek haar peinzend aan. 'Ik heb je nog nooit bedankt hè, Raffaella?' zei ze langzaam. 'Ik ben je dankbaar voor alles wat je voor me hebt gedaan. Dat je me hier hebt geholpen en voor dat andere…'

Raffaella viel haar in de rede. 'Je hoeft me niet te bedanken. Ik ben blij dat ik hier was en je kon helpen.'

'Ik ook.'

'Goed dan, wil je het me vertellen?' Raffaella wilde het nu dolgraag weten. 'Wat is er vijf jaar geleden met Carlotta gebeurd?'

'Nee, ik denk het niet. Misschien zal ze het je zelf nog wel eens vertellen.'

'Maar ik beloof je dat ik…'

Nu hoorde Raffaella wel dat de deur van de bakkerij openzwaaide en ze voelde de koude windvlaag toen Alba Russo binnenkwam.

'Ik heb brood nodig,' zei Alba hooghartig. 'Maar vraag je meid om me niet een van die enorme broden te geven, Silvana, dan moet ik het maar weggooien. Ik wil een kleine. Ik heb immers nog maar drie zonen thuis.'

'Hoe gaat het met u, *signora* Russo?' vroeg Raffaella toen ze een witbroodje begon in te pakken.

'Zorg dat ze opschiet, Silvana. Ik heb heel veel te doen vandaag.'

Toen Raffaella het brood over de toonbank schoof, probeerde ze de blik van haar schoonmoeder te vangen, maar Alba weigerde haar aan te kijken.

'Zet dat brood maar op mijn rekening, Silvana,' riep ze. 'Ik zal aan het einde van de week met je afrekenen.'

Raffaella voelde dat ze woedend werd. Ze had haar schoonmoeder nooit gemogen, maar ze had ter wille van Marcello geprobeerd om met haar op te schieten. Nu was Marcello er niet meer en hoefde ze niet langer beleefd te doen. Raffaella negeerde de waarschuwende blik van Silvana en liet haar woede de vrije loop.

'Ik vroeg hoe het met u ging, *signora* Russo,' zei ze, nadrukkelijker nu.

Alba keek haar even aan. 'Met mij gaat het goed, Raffaella,' antwoordde ze koeltjes. 'Ik zou denken dat je dat wel kon zien. Geef me nu mijn brood, dan ga ik.'

Raffaella merkte dat ze het brood op de toonbank nog steeds vasthield en dat haar nagels in de zachte korst staken. Ze zag dat Alba het wilde pakken en voelde een scherpe ruk toen ze het brood greep.

Alba verliet de winkel met een ruk van haar hoofd waardoor haar krullen alle kanten op sprongen. Raffaella keek hoe ze de *piazza* overstak, onderweg naar padre Matteo en padre Simone knikte, en een beetje onzeker over de keitjes liep doordat ze per se op hoge hakken wilde lopen.

'Tja,' zei Silvana.

'Wat tja?'

'Ik vraag me af wat je die vrouw hebt aangedaan dat ze je zo erg haat.'

'Ik heb geen idee. Met haar zoon trouwen, neem ik aan.'

'Het moet meer zijn. Stefano's vrouw haat ze niet,' zei Silvana.

'Ze geeft mij de schuld van Marcello's dood, dat weet je toch.'

'Maar ze haatte je al voordat hij ziek werd.'

'O ja?'

Silvana knikte. 'Ze heeft nooit een goed woord voor je over gehad.'

'Ik weet het echt niet. Ik weet zeker dat ik het niet heb verdiend.'

'Je moet iets gedaan hebben.'

'Ik zweer het, echt niet.'

Raffaella dacht er de hele dag over na. Hoe langer ze aan Alba dacht, hoe bozer ze werd. Het was zo oneerlijk. Ze had echt haar best gedaan met de Russo's, maar al vanaf dat ze Alba en haar man Roberto had leren kennen, had ze geweten dat zij haar niet goed genoeg vonden voor hun oudste zoon. Ze had alleen maar met hem mogen trouwen omdat ze hun zoon de vrouw die hij liefhad niet konden ontzeggen.

Zonder Marcello's broers zou hun gezinsleven rampzalig zijn geweest. Agostino en Gennaro waren lief tegen haar en zelfs Stefano behandelde haar vriendelijk als zijn vrouw niet in de buurt was. Maar vooral de jongste broer, Fabrizio, was heel attent. Vaak kwam hij naar de linnenwinkel om met haar te kletsen als er geen klanten waren. Hij was donker en knap, net als Marcello op die leeftijd. Raffaella vond het prettig als hij haar vertelde over zijn wensen en verlangens, ze had dan het gevoel dat ze de oudere zuster was die hij niet had.

Op een keer had Fabrizio haar hand gepakt en een andere keer was hij haar achternagelopen naar het achterkamertje waar ze de linnenvoorraad bewaarden. Ze had gedacht dat hij haar wilde kussen. Maar hij was jong en in de war, dacht ze, en ze had die incidenten al bijna meteen uit haar hoofd gebannen.

Ze miste Fabrizio. Het was al maanden geleden dat hij met haar had gepraat en ze vroeg zich af waarom. Soms ving ze even een glimp van hem op als hij de *piazza* overstak naar de bar op de hoek. Hij nam nooit de tijd om even te blijven staan om met haar te praten. Hij keek zelfs nooit haar kant op.

'Je moet iets hebben gedaan,' zei Silvana nog een keer aan het einde van de dag, terwijl ze de planken en de toonbank schoonveegde en Raffaella de vloer dweilde. 'Waarom zou die familie je anders zo haten?'

Hardhandig drukte Raffaella het water boven de emmer uit de mop. 'Ik heb een zuiver geweten,' zei ze. 'Ik heb niets gedaan waar ik me voor hoef te schamen.' Maar ze kon Silvana niet aankijken terwijl ze dat zei. En ze was blij toen het tijd was om haar schort aan het haakje naast de oven te hangen en haar dikke zwarte sjaal om te slaan. Toen stapte ze naar buiten, de koude wind en striemende regen in, en liep het steile pad naar Klein Triento af.

Het was gezellig in haar moeders keuken. De luiken waren gesloten tegen de zeewind en de houtkachel brandde. Maar tijdens de wandeling naar beneden had Raffaella het koud gekregen en ze dacht dat ze nooit weer warm zou worden.

'Ik kan niet wachten tot het lente is. Er komt nooit een eind aan deze winter,' gromde ze.

Haar vader Tommaso en haar broer Sergio zaten in de keuken te kaarten, terwijl haar moeder Anna bij het fornuis in de saus stond te roeren en vlees aan het braden was. Na alle zoete geuren in de bakkerij liep het water Raffaella in de mond toen ze de kruidige geur van schroeiend vlees rook.

'Ik heb honger! Wat eten we?' Ze tilde de deksels op en nam een paar hapjes van dit en van dat, tot haar moeder haar wegjoeg met de theedoek.

'Ga je zusje maar helpen met haar huiswerk. Ga weg!'

Teresa had haar schoolboeken over de tafel uitgespreid en zat in de marge van een bladzijde figuurtjes te tekenen. Raffaella ging vlak bij haar zitten en keek over haar schouder.

'Wat moet je leren?' vroeg ze.

Teresa keek haar aan en schudde kort haar hoofd. 'O, niets hoor,' zei ze snel.

'Toe nou, wat dan? Zeg op!'

Teresa zuchtte. 'We bestuderen belangrijke standbeelden in de wereld,' zei ze moeizaam, 'zoals het Vrijheidsbeeld in New York en dat van Jezus de Verlosser op de berg Corcovado in Rio de Janeiro. Daar moet ik een project over doen.'

Tommaso en Sergio keken op van hun kaarten.

'Ik heb dat project niet zelf uitgekozen, hoor,' zei Teresa verdedigend. 'Mijn leraar zei dat ik dat moest doen.'

Tommaso gooide zijn kaarten op tafel en sloeg er met zijn vuist op.

'Ik wilde mijn project over katten doen, maar dat mocht niet,' zei Teresa met een klein stemmetje. 'Het moest over standbeelden gaan.'

Sergio schudde zijn hoofd. 'Het begint,' zei hij.

'Doe niet zo belachelijk.' Anna draaide zich om. 'Er begint helemaal niets. Het is gewoon een project voor school, meer niet.'

Tommaso pakte het schoolboek van zijn dochter. 'Sergio heeft gelijk. Het begint. Ze hersenspoelen onze kinderen zodat ze alleen nog maar aan standbeelden denken. Het is al bijna lente en dan is die *americano* weer terug. Dan kruipen er allemaal technici, bouwvakkers en allerlei andere mensen over de top van de berg.'

Sergio staarde hem aan. 'Wat ben je van plan eraan te doen?'

'Ik kan toch niets doen? Ik heb er de hele winter over na zitten denken, maar ik kan echt niets doen.'

Anna keek naar haar man, met de pollepel in de hand. Ze zag wel dat hij borrelde, net als haar sauzen.

'Ik kan alleen maar de zee op gaan, vis vangen en me met mijn eigen zaken bemoeien, terwijl dat beeld op de berg wordt gebouwd,' klaagde Tommaso. 'Of we dat nu leuk vinden of niet, elke dag dat we om de havenmuur heen varen en de landtong ronden, zien we dat ding daarboven – een ontsiering van het landschap, hè, Sergio?'

'Misschien… en misschien niet, papà.'

'Wat bedoel je?'

'Er zijn nog meer mensen in dit stadje behalve jij… Misschien is er wel iemand die er iets tegen doet.'

'Wat dan?'

'Dat weet ik niet. Wat ik wel weet, is dat de lente misschien wel een paar verrassingen in petto heeft voor Triento.'

Raffaella werd steeds opgewondener. De lente was altijd al haar meest geliefde seizoen geweest. Ze verheugde zich op alles: wilde bloemen plukken in de bermen; op de markt jonge aspergescheuten, tuinbonen en artisjokken kopen; de zon uit zijn winterse schuilplaats achter de berg vandaan zien kruipen om de keitjes van Triento's vochtige straten op te warmen.

En de komende lente had meer beloftes in zich dan anders. Nu de dagen langer en warmer werden, kwam het moment dichterbij waarop de *americano* terug zou keren in Villa Rosa. Ze verlangde ernaar hem weer te zien, maar zag er ook een beetje tegenop. Ze vroeg zich af of hij deze winter even lang en eenzaam had gevonden als zij.

'Het is al bijna lente, hè?' zei ze zacht.

Haar vader staarde naar de foto's van allerlei standbeelden in het boek van Teresa. Hij schonk zichzelf een glas rode wijn in en dronk het in een paar slokken leeg.

'Ja, dat is zo,' zei hij plechtig en wreef in zijn vermoeide ogen. 'En zoals je broer al zei, deze lente heeft waarschijnlijk een paar verrassingen in petto.'

25

Carlotta wist altijd dat het echt lente werd als de granaatappelbomen begonnen te bloeien. Als de rode bloemblaadjes nog in knop zaten, leken ze op dikke rode chilipepertjes, maar de bloemen waren felgekleurde trompetten met gele meeldraden. Carlotta plukte de bloemen nooit omdat ze in de vaas niet lang goed bleven, maar ze vond het heerlijk om onder de oude granaatappelboom op de binnenplaats te zitten en naar de rode bloemen te kijken.

En precies zoals haar vader had voorspeld, weigerde de oude boom koppig om knoppen te krijgen en te gaan bloeien. Carlotta vond wat kunstmest en strooide een dikke laag op de grond, maar de takken bleven kaal. Op de lagergelegen terrassen zaten de bomen vol kleurrijke bloesem. Maar dit was de boom waar Carlotta echt om gaf.

'Wees nou reëel, die boom is dood,' zei Umberto. Hij was bonen aan het plukken en stopte ze in zijn mand. 'Deze winter heeft hem de das om gedaan. Mij ook trouwens.'

'Geef hem alsjeblieft nog één kans. Misschien heeft hij nog niet door dat het al lente is, maar ik weet zeker dat hij gauw gaat uitlopen. Je moet hem nog wat tijd geven.'

'Carlotta, morgen pak ik mijn bijl en hak ik hem om. De *americano* kan elk moment terugkomen en als hij terugkomt wil ik dat er een jonge, sterke boom staat.'

'Wacht toch alsjeblieft tot het einde van de week,' smeekte Carlotta. 'Ik heb Raffaella beloofd dat je hem pas zou omhakken als we zeker weten dat hij dood is.'

Umberto zuchtte. 'Maar ik weet het zeker,' zei hij. 'Zekerder dan dat kan niet.'

Carlotta klauterde over het lage muurtje dat om de boom heen stond en sloeg haar armen om de kromme oude boomstam. Hoewel ze een andere kant op keek, zag Umberto toch dat ze tranen in haar ogen had.

Hij voelde zich schuldig en siste ongeduldig: 'Goed dan, tot het einde van de week. Maar als hij dan nog geen tekenen van leven vertoont, gaat hij om.'

Raffaella merkte dat het lente was toen ze op een ochtend de laatste broden uit de oven haalde. Er hing een verstikkende lucht in de winkel en ze kon bijna niet ademen. Ze voelde het zweet op haar hoofd prikken en langs haar voorhoofd in haar ogen lopen.

'Mijn god, Silvana, wat is het hier heet!' klaagde ze.

'Doe de ramen en de deur dan open,' antwoordde Silvana. 'Laat maar snel de frisse lucht binnen, anders vallen we nog flauw.'

Raffaella deed de deur open en hielp Silvana toen om Alberto's oude houten bank die achter in de winkel stond naar buiten te brengen en tegen de gevel te zetten. Ze vielen erop neer en wuifden zich koelte toe en ademden dankbaar de koele lucht in.

'Weet je,' zei Silvana, 'ik werd altijd razend als Alberto hier ging zitten zodra hij klaar was met bakken. Maar nu begrijp ik het geloof ik wel. Als we het nu al zo warm krijgen vlak bij de oven, hoe moet het dan in de zomer?'

Raffaella zei niets. In de zomer zou ze in de keuken van Villa Rosa aan het werk zijn. Ze zou koel blijven door het zeewindje dat door de open ramen naar binnen waaide terwijl ze Eduardo's eten aan het koken was.

'Oef.' Silvana zwaaide zichzelf weer koelte toe. 'Ik moet zo brood bij de Gypsy Tearoom afleveren en kijk eens hoe ik eruitzie. Ik zal eerst even wat koud water op mijn gezicht spatten. Zo kan ik er niet naartoe.'

Raffaella bleef buiten. Ze zat op de bank, op precies dezelfde plek waar Alberto vroeger altijd zat te kijken naar iedereen die langskwam. De marktkooplieden waren op de *piazza* bezig hun kraam op te bouwen en schikten hun kaas, salami en groenten, en wensten elkaar goedemorgen.

'O, Vincento! Denk je nou echt dat iemand die uien van je wil kopen? Die zijn al zo oud dat ze alleen nog goed zijn voor de composthoop, beste vriend.'

'Ach, Gino! Die kaas van jou stinkt net zo erg als de scheten van mijn pa. En ik durf te wedden dat ie niet veel beter smaakt!'

Raffaella glimlachte. Iedereen droeg al dunnere kleren en geen jas en sjaal meer. En hoewel het buiten nog fris was, kon ze de warmte van de zon al op haar gezicht voelen. Het was lente.

Silvana kwam eraan met haar mand vol brood aan de arm. Ze stak kordaat de *piazza* over naar de Gypsy Tearoom. Ze keek even om en riep: 'Ik ben zo weer terug.' Raffaella knikte haar toe en glimlachte weer.

Padre Pietro liep snel voorbij, nog steeds ingepakt in dikke lagen wol; omdat hij al zo oud was, had hij het nu nog koud. En toen zag ze Fabrizio Russo, met donkere kleren aan; hij sloop tussen de marktkramen door, met gebogen hoofd en een gespannen uitdrukking op zijn gezicht.

'Fabrizio,' riep ze. 'Hé, Fabrizio. Kom eens hier, kom even!'

Hij kwam naar haar toe, maar bleef op een afstandje staan, een beetje van haar afgewend. Hij knikte beleefd en zei: '*Buongiorno*, Raffaella. Hoe gaat het met je?'

'Goed hoor. Maar weet je, ik heb je gemist. Ik heb je de hele winter niet gezien. Waar heb je gezeten?'

Hij haalde zijn schouders op. 'Overal en nergens.'

'Waarom kom je nooit meer even langs voor een praatje?'

Hij keek haar aan en ze vroeg zich af hoe hij in vredesnaam tegelijkertijd zo boos en zo verdrietig kon kijken. 'Alles is veranderd, Raffaella. Ja toch?'

'Marcello is dood. Bedoel je dat?' vroeg ze uitdagend.

'Nee, dat bedoel ik niet. Maar volgens mij weet je het best. Je weet heel goed wat ik bedoel.'

'Nee, echt niet,' zei ze, boos nu. 'Waarom vertel je het me niet? Wat voor vreselijks heb ik gedaan dat niemand van de Russo's nog met me wil praten?'

Hij sloeg zijn ogen neer en staarde met een nietsziende blik in de richting van de steeg die naar de Gypsy Tearoom leidde. 'Je had mijn broers nagedachtenis moeten respecteren,' zei hij zacht. 'Ik weet niet wat er speelt tussen jou en Ciro Ricci. Dat wil ik ook niet weten. Maar het was te snel, Raffaella. Ik weet wel dat je jong en knap bent, maar je had moeten wachten.'

Hij draaide zich om en liep snel weg.

'Fabrizio, wacht!' riep ze. 'Je vergist je. Laat het me uitleggen…'

Maar hij nam niet de moeite zich om te draaien.

Opeens voelde het buiten kouder aan en Raffaella trok haar sjaal om zich heen. Net toen ze naar binnen wilde gaan, zag ze een beweging aan de overkant van de *piazza*. Silvana kwam naar haar toe gerend; haar zwarte rok wapperde achter haar aan en haar mand zat nog steeds vol brood.

'Raad eens wat er is gebeurd?' riep ze toen ze naar Raffaella rende. 'Iemand heeft een steen door het raam van de Gypsy Tearoom gegooid.'

'Wat?'

'Echt waar!' Silvana was helemaal buiten adem. 'Ik wilde net het brood aan *signor* Ricci afgeven toen er een steen door het raam werd gegooid. De glassplinters vlogen alle kanten op. Het maakte een vreselijk geluid en veroorzaakte een nog vreselijker troep. Ik schrok me dood, echt waar. Mijn hart gaat tekeer als een gek.'

'Wie heeft hem gegooid? Heeft Ciro hem te pakken gekregen?'

'Nee, de dader is weggerend. Het was een man, dat weet ik wel. Ik heb zijn gezicht niet gezien, maar ik zag wel dat hij donkere kleren aan had.'

Raffaella dacht aan Fabrizio, helemaal in het zwart gekleed, zoals hij tussen de marktkramen door was geslopen. 'Gaat het wel goed met Ciro?' vroeg ze.

'Arme *signor* Ricci. Hij leek helemaal van slag.' Silvana liet zich op de bank zakken en begon te fluisteren. 'Weet je… er zat een briefje om de steen gewikkeld.'

'Wat stond erop?'

'Dat weet ik niet. *Signor* Ricci heeft het me niet laten zien, maar hij werd helemaal bleek toen hij het las. Het ziet er misschien niet goed voor hem uit, misschien heeft hij iemand beledigd.'

Silvana hoefde niet meer te zeggen. Raffaella wist, net als ieder ander die in Triento was opgegroeid, heel goed welke families de macht in het stadje in handen hadden. Hun naam werd zelden genoemd, maar de 'Ndrangheta bepaalde hun leven. Zolang ze maar kregen wat ze wilden, hoefde je je niet al te veel zorgen om hen te maken. Silvana moest bijvoorbeeld elke week een envelop met geld afgeven aan een man die bij de bakkerij langskwam. Zij en Alberto betaalden al jaren beschermingsgeld. Zij beschouwden het als een extra belasting. Maar af en toe verzette iemand in het stadje zich tegen dit systeem en weigerde te betalen. En dan liet de 'Ndrangheta even zien waarom zij de meest gevreesde mensen in Italië waren.

'Ik hoop maar dat *signor* Ricci niet iets stoms heeft gedaan,' mompelde Silvana. 'Sommige mensen voelen zich heel gauw op hun teentjes getrapt.'

Raffaella rilde. Ze was nu koud vanbinnen en vanbuiten. Stel dat zij er op de een of andere manier verantwoordelijk voor was dat Ricci in gevaar was? De Russo's waren een machtige familie en zij kenden de juiste mensen. Ze dacht terug aan de uitdrukking op Fabrizio's gezicht toen hij met tegenzin met haar had staan praten. Ze wilde dat ze wist wat er op het briefje stond dat iemand om een steen gewikkeld door het raam van de Gypsy Tearoom had gegooid.

De burgemeester kwam heel laat op zijn werk. Hij had Ciro Ricci geholpen het raam van de Gypsy Tearoom dicht te spijkeren. Die arme Ciro had zo getrild dat hij amper een hamer kon vasthouden en dus had Giorgio het voor hem gedaan en nu liep hij achter op zijn schema.

Fronsend keek hij op zijn horloge toen hij snel de *piazza* overstak. Zijn hele dag was in de war door deze vandalistische actie. En nu werd hij alweer opgehouden. Hij werd tegengehouden door een priester: padre Pietro liep tussen de marktkramen door en keek hem verwachtingsvol aan.

'Is het waar?' vroeg de priester en Giorgio knikte.

'Hebben zij het gedaan?' De stem van de oude priester was altijd zacht, maar nu klonken zijn woorden als een ademtocht.

'Misschien wel,' antwoordde Giorgio grimmig. 'Maar hij zegt dat er geen enkele reden voor is.'

'Het is hier al zo lang zo rustig. Alsjeblieft, God, zeg me dat dit nu niet gaat veranderen.'

'Het is maar een kapotte ruit, hoor,' probeerde Giorgio hem gerust te stellen. 'Er is niemand gewond geraakt.'

'Er was ook een briefje bij, hoorde ik. Wat stond erop?'

Giorgio zuchtte. 'Ja, er was een briefje. Daar stond op: *Je zult er spijt van krijgen.*'

'Dat is een slecht teken,' zei padre Pietro opgewonden. 'Het *festa* is volgende week. Denkt u dat ze dan ook moeilijkheden zullen veroorzaken?'

Giorgio klopte de oude priester op zijn schouder. 'U hoeft zich niet bezorgd te maken, padre. Het *festa* zal geweldig zijn, zoals altijd,' zei hij troostend. Maar later, toen hij achter zijn glanzende houten bureau in het stadhuis zat, kon de burgemeester een sterk gevoel van onrust niet onderdrukken. Hij was erg geschrokken toen de steen door het raam van de Gypsy Tearoom werd gegooid. Hij vroeg zich af wat er nog meer zou gaan gebeuren.

Carlotta had de bijl zelf gepakt en hem aan haar vader gegeven. Ze had al meer dan een week gewacht en gehoopt, maar de oude granaatappelboom was nog steeds kaal. Ze begon ertegen op te zien om naar hem te kijken, nutteloos en krom in het midden van de anders zo vrolijke binnenplaats van Villa Rosa.

'Hak hem vandaag maar om. Dan zijn we ervan af,' zei ze tegen Umberto.

Hij nam de bijl van haar aan. 'Tja, als je het zeker weet…' zei hij aarzelend.

'Hij is toch dood?'

'Ja, hij is dood. En het is alleen maar een boom, *cara*. Ik zet er wel een andere neer.'

Hij zwaaide met zijn bijl en Carlotta balde haar vuisten toen het ijzer met een doffe dreun in het oude hout terechtkwam. Umberto trok hem los en maakte zich klaar voor de volgende slag. Toen zag hij de tranen die over zijn dochters wangen stroomden en liet de bijl zakken.

'Huil niet alsjeblieft,' zei hij smekend.

'Sorry hoor, ik kan er niets aan doen.' Carlotta veegde over haar natte wangen. 'Hij heeft er altijd gestaan, dat is het probleem. Ik zal hem missen als hij weg is.'

Umberto hield de bijl losjes vast. Hij kon niet weer in de boom hakken zolang Carlotta huilend stond te kijken. Hij keek naar de wond die hij al in de oude knoestige stam had gemaakt en probeerde haar te troosten. 'Het is alleen maar een boom,' herhaalde hij hulpeloos. 'Maar ik kan hem niet omhakken als jij daar zo ongelukkig van wordt.'

Carlotta begon weer te huilen. Ze drukte haar zakdoekje tegen haar wang en rende langs hem heen met een vertrokken, bleek gezichtje. Umberto hoefde zich niet om te draaien om te weten waar ze naartoe ging. Ze liep naar het pad dat naar de zee leidde en ze zou waarschijnlijk uren wegblijven.

Umberto begon de boom om te hakken. Dat zou niet veel moeite kosten. Daarna zou hij de stronk moeten uitgraven en de grond voorbereiden voor de jonge boom die de oude moest vervangen. Hij vroeg zich af of hij Carlotta zou vragen hem te helpen.

Umberto had zijn dochter wel eens eerder zo overstuur gezien. Meestal betekende dit dat ze dagenlang in gedachten verzonken was en geen woord zei. Hoe meer hij probeerde haar eruit te halen, hoe stiller ze werd. Hij vond de eenzaamheid afschuwelijk, maar hij wist uit ervaring dat hij Carlotta maar beter tijd kon geven om haar melancholieke gevoelens kwijt te raken.

Nou ja, het *festa* zat eraan te komen. Hij zou proberen haar zover te krijgen dat ze er naartoe ging. Misschien zouden de drukte en de vrolijkheid op straat haar afleiden van haar verdrietige gedachten.

'Het is maar een boom,' mompelde hij en sloeg nog één keer met zijn bijl in de stam. Toen zag hij de oude granaatappelboom omvallen.

26

De lente was Raffaella's meest geliefde seizoen en het *festa* was het leukste van alles. Ze vond het heerlijk dat iedereen weer buiten ging leven. Nadat ze de hele winter in huis bij het vuur hadden gezeten, gingen de inwoners van Triento weer naar buiten. Ze troffen elkaar op de *piazza*, dronken samen espresso en vertelden elkaar verhalen. De voorpret in de periode voor het *festa* was leuker dan voor Kerstmis. Al weken van tevoren kon Raffaella voelen dat de opwinding begon te groeien.

Als kind had ze vooral genoten van de eerste dag van het *festa*. Dan droegen zij en de andere kinderen uit het stadje witte kleren. De meisjes hadden wilde bloemen in hun haar gevlochten en de jongens hadden een hoorn bij zich waar ze op konden blazen. Dan vormden ze een processie achter het grote gouden beeld van Triento's beschermheilige, San Bonifacio, dat de priesters van zijn gewone plekje op het altaar van de Santa Trinità naar de eenvoudige kerk Santo Spirito droegen.

Tijdens de zeven dagen die het *festa* duurde, werd het beeld naar alle zeven kerken van het stadje gedragen. De mis werd opgedragen en er werden kaarsen gebrand voor de doden. Er werd altijd veel gezongen en er werden preken gehouden, en op de laatste avond werd er feestgevierd.

Elk jaar gebeurde er min of meer hetzelfde. De mensen gingen de straat op, er waren kraampjes die gegrilde varkenswangetjes met vers citroensap, brokken verse kokosnoot en stukken noga, *torrone,* verkochten. Een fanfarekorps speelde op de *piazza* en tussen de huizen en lantaarnpalen hing feestverlichting. Meestal was er een reizende kermis en de kreten van de angstig gillende mensen in de attracties echoden door het stadje. Om middernacht werd er vuurwerk afgestoken. Raffaella genoot van het plezier op het gezicht van de mensen die naar het vuurwerk keken, naar de zilver- en goudkleurige explosies.

Dit jaar had ze het grootste deel van het *festa* bekeken vanuit de deuropening van de bakkerij. Ze ving een glimp op van het beeld van San Bonifacio dat door de straten werd gedragen en zag vanuit de verte dat de zigeuners hun kramen opzetten. Maar vaak moest ze alweer snel naar binnen om een klant te helpen. Raffaella had het gevoel dat er een geweldig feest aan de gang was waarvoor zij geen uitnodiging had ontvangen.

'Op de laatste dag van het *festa* doe ik de bakkerij vroeg dicht,' zei Silvana onverwacht op een middag.

'Echt waar?' Raffaella klonk enthousiast.

'Ja natuurlijk. Wie zou ons tegen moeten houden? We kunnen doen waar we zin in hebben.'

Raffaella kon zich niet inhouden: als een opgewonden kind omhelsde ze zichzelf en wipte van de ene voet op de andere. 'Dan kan ik alle kramen bekijken en naar de processie gaan als ze San Bonifacio terugbrengen naar de Santa Trinità,' zei ze. 'En dan kan ik het fanfarekorps zien en naar het vuurwerk kijken.'

Silvana glimlachte naar haar. 'Ja, dat is zo.'

Toch hadden ze een schuldig gevoel toen ze op de laatste dag van het *festa* het brood van de planken haalden en ze het 'gesloten'-bordje op de deur hingen.

'Weet je dit wel zeker?' vroeg Raffaella. 'Je hebt de winkel tijdens het *festa* nog nooit dichtgedaan. Misschien loop je zo wel omzet mis.'

Silvana keek naar de *piazza*. De burgemeester bekeek de versiering van de muziektent vlak bij de fontein. De mensen dromden door de straten, kochten bij de kraampjes snoep voor hun kinderen en bleven met vrienden en buren staan praten.

'Al die jaren dat ik getrouwd was, heb ik vanuit mijn winkel naar het *festa* gekeken,' antwoordde ze rustig.

Ze hoorden dat er op de hoorns werd geblazen ten teken dat San Bonifacio alweer op weg was. 'Ga maar gauw, anders mis je de processie,' zei Silvana. 'Toe maar, ik ruim hier wel op.'

Raffaella deed snel haar schort af en gooide het in een hoekje. 'Oké, tot gauw,' riep ze en liep snel de winkel uit in de richting van het hoorngeschal.

Voor de kerk stond al een hele menigte en Raffaella ontdekte dat haar zusje Teresa erbij was. Ze droeg een witte zijden jurk en had een slordige krans gele lentebloemen op haar hoofd.

Toen Raffaella dichterbij kwam, bliezen de jongens steeds harder op hun hoorns en verschenen de in het wit geklede priesters die het zware gouden beeld van San Bonifacio droegen. Ze hadden het op een breed houten platform gemonteerd dat ze onhandig op hun schouders balanceerden. De jonge, sterke padre Matteo liep vooraan en leek het gewicht amper te voelen, terwijl achteraan de oude padre Pietro wankelde onder zijn zware last.

Raffaella hoorde gitaarmuziek en toen de zang van de meisjes die achter het standbeeld aan liepen en meezongen. Langzaam trok de processie de steile weg op naar de kerk van Santa Trinità.

Terwijl de processie voortbewoog, ontdekte Raffaella Carlotta ergens aan de rand van de menigte. Ze was bleek en had een sombere uitdrukking op haar gezicht.

Raffaella worstelde zich door de menigte tot ze naast Carlotta liep. 'Ben je alleen? Waar is je vader?' vroeg ze terwijl ze haar een vluchtig kusje op beide wangen gaf.

'Hij heeft me afgezet en is toen weer teruggereden naar Villa Rosa. De lente is het drukste seizoen in de tuin. Ik zou hem eigenlijk moeten helpen, maar hij stond erop dat ik naar het *festa* zou gaan.' Carlotta keek fronsend om zich heen. 'Ik ben er al vaker bij geweest en het is elk jaar hetzelfde. Wat heeft het voor zin?'

Raffaella greep haar hand. 'Toe nou. Ga mee een ijsje eten, dan lopen we daarna even langs alle kraampjes. Kom mee, dat is leuk.'

Carlotta had niet veel zin, maar Raffaella gaf haar de kans niet om nee te zeggen. Ze trok haar met zich mee naar de bar op de hoek waar ze het lekkerste ijs verkochten en bleef tegen haar kletsen. 'Ik neem twee bolletjes, één pistache en één chocolade. Wat neem jij? Volgens mij ben jij dol op aardbei. Klopt dat?'

'Ik vind aardbei inderdaad wel lekker,' beaamde Carlotta. 'Maar soms vind ik het te zoet. Dan vind ik citroen lekkerder.'

'Nou, dan neem je ze toch allebei? Het is immers *festa*!'

Ze gingen aan een tafeltje voor de bar zitten, aten hun ijsje op en keken naar de voorbijgangers. Raffaella kende de meeste mensen wel van gezicht; die kende ze al haar hele leven. Ze zwaaide met haar lepel naar hen als ze haar kant op keken.

Toen zag ze Stefano Russo aan komen lopen, met zijn vrouw Angelica aan zijn arm. Zij hadden haar ook gezien, dat wist ze zeker, maar ze liepen door terwijl ze de andere kant op keken. Toen ze al veel verder waren, keek Angelica achterom.

'Dat is je schoonzus toch?' vroeg Carlotta en likte haar lepel af. 'Waarom kijkt ze zo naar je?'

'Wie weet? Die hele familie schijnt iets tegen me te hebben.'

Carlotta vroeg nieuwsgierig: 'Waarom is dat zo?'

Raffaella voelde dat ze boos werd. 'Ze geven mij de schuld van Marcello's dood en nu hebben ze besloten dat ik me niet netjes genoeg gedraag. Ik neem aan dat ze verwachtten dat ik eeuwig binnen zou blijven zitten huilen. Maar volgens mij is het helemaal niet nodig dat ik me zo gedraag om zoals het hoort om mijn echtgenoot te rouwen.'

Carlotta keek ernstig en zei: 'Dat vind ik ook. Sommige mensen vinden het prettig om heel veel lawaai te maken als ze rouwen, al dat gekrijs en gejammer tijdens een begrafenis. Maar de mensen die het verdrietigst zijn, zijn vaak de stilste. Sommige mensen blijven jarenlang verdrietig zonder dat iemand dat merkt.'

Raffaella keek haar even scherp aan. Ze vroeg zich af of Carlotta op het punt stond haar in vertrouwen te nemen. 'Als je verdrietig bent, kan het een beetje helpen als je iemand in vertrouwen neemt,' moedigde ze haar aan. 'Tenminste, dat heb ik gemerkt. Ik praat altijd met mijn moeder. En jij? Wie neem jij in vertrouwen?'

Carlotta schraapte met haar lepel over de bodem van haar ijsbakje en fronste. 'Mijn moeder stierf toen ik nog heel jong was. Ik kan me haar amper herinneren. Mijn vader heeft me opgevoed.'

'Praat je dan met hem?'

Carlotta vertrok haar gezicht weer. 'Ja,' zei ze onzeker.

'Maar er zijn vast ook dingen die je hem niet kunt vertellen. Ja toch?'

Carlotta zei niets en dus drong Raffaella aan: 'Je kunt mij altijd in vertrouwen nemen. Als je ergens verdrietig om bent, als je ergens over wilt praten, dan kun je dat altijd met mij doen.'

Het leek alsof Carlotta wel iets wilde zeggen, maar ze had haar gevoelens al zo lang weggestopt, dat ze niet wist hoe ze moest beginnen. 'Ik heb je wel gemist hoor, deze winter,' zei ze ten slotte. 'Het zal fijn zijn je weer op Villa Rosa te hebben als de *americano* terug is.'

'Wanneer is het zover? Weet je al wanneer hij van plan is terug te komen?' Raffaella probeerde niet al te verlangend te klinken.

'Nee, we hebben nog niets gehoord.'

'Maar de lente is al bijna voorbij. En hij heeft me verteld dat hij voor de lente terug zou zijn.'

'Ja, dat is zo.' Carlotta haalde haar schouders op. 'Hij is nog in Napels, denk ik. Maar je hebt toch geen haast, hè? Je kunt toch in de bakkerij blijven werken zolang je wilt?'

Raffaella legde haar lepel naast haar lege ijsbakje. 'Ja, maar ik ga veel liever terug naar Villa Rosa. Het is al maanden geleden dat ik er was. Ik weet al bijna niet meer hoe het eruitziet.'

'Er is wel wat veranderd,' zei Carlotta aarzelend.

'Wat dan?'

'De oude granaatappelboom is doodgegaan,' zei Carlotta met trillende stem. 'Mijn vader moest hem omhakken.'

'Nee toch!' Raffaella dacht aan al die uren die ze onder de boom naar de *americano* had zitten luisteren. 'Dan zal de binnenplaats er wel heel leeg uitzien.'

'Ja, dat klopt. Maar mijn vader gaat er een nieuwe boom planten. Daarom is hij vandaag thuisgebleven. Als ik thuiskom, zal hij wel klaar zijn.'

Zwijgend bleven ze zitten, terwijl het *festa* om hen heen doorging. Raffaella's vrolijke bui was verdwenen. Het was weliswaar alleen maar een oude granaatappelboom, maar op de een of andere manier was hij verbonden met alle prettige dingen die na Marcello's dood waren gebeurd. En nu was de boom omgehakt en de *americano* verdwenen, misschien wel voor altijd. Ze vroeg zich lusteloos af wat de toekomst voor haar in petto had.

Carlotta was degene die het gekrijs hoorde dat vanaf de andere kant van het stadje opklonk.

'Luister… de kermis is zeker open,' zei ze. 'Zullen we er naartoe gaan?'

Raffaella probeerde haar opgewekte stemming terug te halen. 'Als jij dat wilt,' zei ze, niet bijster enthousiast. 'Maar je had gelijk, het zal allemaal wel net zo zijn als vorig jaar.'

Ze baanden zich een weg tussen de drommen mensen door die lachend en kletsend de straten verstopten, met hun kinderen die krampachtig hun ballon en hun snoepgoed vasthielden.

Raffaella ontdekte Francesca Pasquale, Triento's verkeersagent. Ze blies hard op haar fluitje toen een auto probeerde zich een weg door de menigte te banen. Ze zag dat Patrizia Sesto haar mandje bij een zigeunerkraampje vulde met chocolade-*torrone*. En ze zag haar broer Sergio met een groot glas bier in zijn hand, grappend en grollend met een paar vrienden.

Het fanfarekorps was gearriveerd en de burgemeester gaf hun een hand en heette hen welkom. Silvana was niet ver uit de buurt. Raffaella zag dat ze bij een groepje vrouwen stond.

Ze liepen door. Het gekrijs werd luider en ze zagen de gekleurde feestverlichting. Raffaella merkte dat ze net zo enthousiast werd als vroeger. Als kind had ze het heerlijk gevonden om rondjes te draaien in de kermisattracties. Maar nu was ze weduwe, nog steeds in de rouw, en ze hoorde met beide voeten op de grond te blijven staan en toe te kijken hoe andere mensen vrolijk gillend rondjes draaiden.

Het werd een koude avond toen de zon eenmaal onder was gegaan en het was helemaal niet leuk om toe te moeten kijken hoe andere mensen plezier maakten. 'Laten we maar teruggaan naar de *piazza*. Dan kunnen we naar het muziekkorps luisteren.'

Ze pakte Carlotta's hand, zodat ze elkaar in de drukte niet kwijt konden raken, en verliet het kermisterrein. Ze liepen terug naar de *piazza*. Opeens hoorde Raffaella voor en achter zich geschreeuw. 'Hoor je dat? Wat is er aan de hand?' vroeg ze en ging harder lopen.

Toen ze de hoek om sloegen, zagen ze een oranje gloed aan de nachtelijke hemel. 'Wat is daar…' Raffaella zweeg toen allemaal mensen in paniek langs hen heen renden. Snel trok ze Carlotta veilig een portiek in. 'Wat is er aan de hand?' riep ze tegen de doodsbenauwde menigte.

'Brand, brand!' schreeuwden ze in paniek.

'Waar? Wat staat er in brand?'

Raffaella voelde Carlotta trillen en sloeg haar armen stevig om haar heen. 'Blijf hier. Kalm blijven. Dan ga ik uitzoeken wat er aan de hand is, goed?'

'Niet weggaan, misschien is het wel gevaarlijk…'

Het was al te laat. Raffaella was weggeglipt en liep dicht tegen de gevels gedrukt tegen de stroom mensen in. Ze kon de brandlucht al ruiken en voelde de rook in haar keel branden, maar ze bleef doorlopen.

'Ga weg! Brand! Brand!' riepen de mensen hysterisch, maar ze negeerde hen.

Toen ze bij de *piazza* kwam, zag ze dat de burgemeester in de muziektent in een megafoon stond te schreeuwen. 'Rustig blijven allemaal, kalm blijven,' riep hij, tevergeefs. 'De brandweer is onderweg. Geen paniek alstublieft.'

Silvana was de enige die hem gehoorzaamde. Ze stond onder de muziektent, in haar eentje. Maar er was geen enkele kans dat Raffaella de drukke *piazza* kon oversteken om bij haar te komen. Ze zou onderweg onder de voet worden gelopen.

De avondlucht voelde niet langer koud aan en Raffaella begreep dat ze nu vlak bij de brand was. Ze zag Ciro Ricci langs haar heen rennen met twee emmers boordevol water.

'Ciro, wacht,' riep ze hem na en hij bleef even staan.

'De Gypsy Tearoom staat in brand,' zei hij grimmig. 'Het brandt als een fakkel. Als niemand er iets aan doet, staat straks de hele stad in brand.'

'Stop.' Ze greep hem bij zijn mouw en hield hem tegen. 'Met die twee emmers zul je het vuur nooit kunnen doven. Zet die emmers neer en kom met me mee.'

'Laat me los, Raffaella,' smeekte hij. Hij was bijna in tranen. 'Ik moet de pizzeria redden. Dat is alles wat ik heb.'

Raffaella voelde iets langs haar benen strijken en zag dat het de oude gele hond was. Rillend van angst probeerde hij onder haar rok te kruipen om te ontsnappen aan het lawaai en de geur van het vuur.

'Doe niet zo stom. Zelfs deze oude hond weet dat het de hoogste tijd is om te maken dat je wegkomt. Kom mee, Ciro, alsjeblieft.' Ze trok aan zijn mouw. 'Kom op.'

Met tegenzin zette hij de emmers neer en liet zich door haar meetrekken naar de portiek waar ze Carlotta had achtergelaten. Opgelucht zag ze dat Carlotta er nog steeds stond; ze durfde zich niet te bewegen en de tranen biggelden over haar wangen.

'Kom, we gaan de heuvel op, dan kunnen we goed zien wat er aan de hand is,' zei Ciro moeizaam.

'Ja, maar wees voorzichtig. Iedereen lijkt wel gek geworden.'

Het was moeilijk om in het donker iets te zien, met alle zwarte rook die van de Gypsy Tearoom opdwarrelde, maar ze hoorden wel dat de brandweer eraan kwam en zagen dat de oranje gloed langzaam verstierf en de rook meer op stoom begon te lijken. Ze stonden met z'n drieën op een kluitje en zeiden amper iets tegen elkaar. De oude gele hond stond achter Ciro, met zijn neus tegen zijn broek.

'Lieve god, ik hoop maar dat er niemand gewond is,' zei Ciro ten slotte.

'Hoe is het gebeurd?' vroeg Raffaella zacht.

'Ik weet het niet zeker. Ik was pizza's aan het bakken en er kwamen steeds meer klanten. Buiten stonden allemaal mensen op een tafeltje te wachten. Opeens riep iemand "Brand! Brand!" en was het een chaos. Ze begonnen allemaal te rennen en te duwen en iedereen raakte in paniek. Volgens mij zijn ze allemaal naar buiten gekomen, maar dat weet ik niet zeker.'

Raffaella begreep er niets van. 'Dus het was niet de pizzaoven die in brand vloog?'

'Nee, echt niet. Ik was daar vlakbij aan het werk en er was niets aan de hand.'

Carlotta leek verdoofd. Ze hurkte neer en begroef haar gezicht in de stijve, vieze vacht van de oude hond.

'Als het de oven niet was, wat dan wel?' vroeg Raffaella. 'Misschien heeft iemand de brand wel aangestoken.'

Ciro keek grimmig. 'Heb je het gehoord, over die steen die laatst door mijn ruit is gegooid? Misschien heeft dezelfde persoon dit wel gedaan.'

'Maar wie dan?' Raffaella dacht weer aan Fabrizio's vreemde gedrag en begon zich ongemakkelijk te voelen. 'En waarom?'

Ciro haalde zijn schouders op. 'Ik weet het niet zeker. Maar er gebeuren dingen in dit stadje die ik maar beter niet kan weten. En bepaalde mensen zijn boos op me.'

'Wie?' vroeg Raffaella weer, maar hij legde een vinger op zijn lippen.

'Geloof me, dat wil je niet weten. Maar nu ga ik de heuvel weer af om te zien of ik iets kan doen. Jullie kunnen maar beter naar huis gaan. Het is een vreselijke avond geweest. Ga maar snel naar huis, dan ben je veilig.'

27

Silvana vond het heel moeilijk om niet alleen aan zichzelf te denken toen ze naar de zwarte, nog steeds rokende puinhopen van de Gypsy Tearoom keek. Geen stiekeme kopjes koffie meer 's ochtends voor haar en de burgemeester. Geen stiekeme ontmoetingen. Ze kon nog steeds het hoekje zien waar Ciro achter het scherm een tafeltje met twee stoelen voor hen had neergezet. Alles was veranderd in as.

Al heel vroeg die ochtend waren de mensen gekomen om zich te vergapen aan de schade die het vuur had veroorzaakt en ze fluisterden over de mogelijke dader.

Het was een wonder dat niemand in de vlammenzee was gedood of doodgetrapt toen de menigte in paniek was geraakt.

'God moet wel voor ons hebben gezorgd,' zei padre Pietro dankbaar. 'Dit had op een ramp kunnen uitlopen.'

'Nou, voor *signor* Ricci ís het een ramp,' zei Silvana. 'Wat moet hij nu doen? Hoe moet hij de kost verdienen?'

Ze zag dat Ciro met de burgemeester en padre Matteo stond te praten. Hij was als eerste ter plekke geweest om te kijken wat er uit de puinhopen kon worden gered. Er was maar heel weinig over, voor zover Silvana het kon beoordelen. De stenen pizzaoven stond er nog steeds, ongelooflijk zwart, er zaten gaten in de muren waar de ramen hadden gezeten en alle prachtige oude keramische tegels waren gescheurd.

'Hij zal wel herbouwen. Dat is zijn enige kans,' zei padre Pietro. 'De stad zal hem moeten helpen.'

'Dat wordt nog een grote klus, denkt u niet. Dat zal heel veel tijd kosten.' Silvana liet haar stem dalen. 'Misschien is het wel waar wat de mensen zeggen, padre.'

'Wat zeggen ze dan?'

'Dat de stad vervloekt is. Dankzij de plannen voor dat standbeeld. Eerst is Marcello Russo doodgegaan, toen mijn man en nu is Ricci's bron van inkomsten vernietigd. We worden gestraft voor onze hoogmoed. Of God is boos of de duivel lacht ons uit.'

Padre Pietro keek alsof hij niet goed wist wat hij hierop moest zeggen. Hij was een oude, vermoeide man. Hij had zichzelf al regelmatig vervloekt omdat hij zijn dromen om God te eren met een standbeeld op de berg aan anderen had verteld.

'De plannen voor dat standbeeld op de berg zijn te hoogdravend,' zei hij. 'Misschien hadden we tevreden moeten zijn met hoe het was. Maar het is nu te laat om ermee op te houden.'

'En als ons nog meer ellende te wachten staat?' Silvana keek naar de burgemeester en bedacht dat ze hun dagelijkse gesprekken ontzettend zou missen. 'Moeten er nog meer mensen lijden?'

Padre Pietro zuchtte. Hij had geen gemakkelijk antwoord voor Silvana. 'Laten we bidden dat dit niet het geval is,' zei hij alleen maar.

Hij werd gered van dit lastige gesprek door de komst van Anna Moretti. Ze had rode wangen en was nog steeds buiten adem doordat ze de heuvel op was geklommen.

'Moeder van God, arme Ciro, wie zou hem dit aan willen doen?' vroeg ze toen ze zag wat er van de Gypsy Tearoom was overgebleven. 'Heeft iemand een vermoeden?'

'Nee,' antwoordde Silvana. 'Het is een raadsel.'

Ze stonden een tijdje bij elkaar, terwijl er mensen kwamen en gingen. Het leek juist om Ciro hun medeleven te betonen, maar ze konden niets verzinnen dat passend leek. Ze stonden nog steeds zwijgend te kijken toen Tommaso Moretti eraan kwam.

'Wat ben je van plan?' riep hij naar Ciro. 'Wat ga je doen?'

Ciro haalde zijn schouders op. 'Wat kan ik doen? Kijken of ik aan geld kan komen om alles weer op te bouwen, neem ik aan.'

'Ik kom je helpen. Als ik niet op zee ben, zal ik je helpen bouwen. En mijn zoon Sergio ook.'

'Dank je wel, Tommaso, maar dat hoeft echt niet.' Ciro leek verbijsterd.

'Maar ik wil het doen.'

De burgemeester zei: 'Ik ook, Ciro. Het is al een tijdje geleden sinds ik fysiek werk heb gedaan, maar ik kan me wel nuttig maken. Met genoeg vrijwilligers kunnen we je zaak binnen de kortste keren herbouwen zonder al te veel kosten, dat weet ik zeker.'

Silvana's stem was hoog van opwinding: 'Ik kan niet bouwen, maar ik kan wel bakken. Ik zal alle vrijwilligers te eten geven.'

'En ik kom haar helpen,' zei Anna.

Ciro was bijna sprakeloos van dankbaarheid. 'Dank je wel, dank je wel,' was het enige wat hij kon uitbrengen.

'Om eerlijk te zijn, Ricci, doe ik dit niet voor jou.' Tommaso ging voor de menigte staan en keek hen aan. Hij verhief zijn stem niet, maar dat hoefde ook niet, want iedereen luisterde aandachtig naar hem.

'Wie dit ook heeft gedaan, moet weten dat de inwoners van Triento dit niet zullen accepteren,' zei Tommaso. 'We moeten één front vormen. Als een Amerikaan een standbeeld op een berg kan bouwen, dan kunnen wij de Gypsy Tearoom herbouwen. Als je dus iets kunt inbrengen – materialen, je tijd, je ervaring – kom dan zo snel mogelijk bij me langs.'

De mensen om hem heen begonnen te mompelen. Enkelen hadden niet veel zin hun tijd eraan te besteden. Padre Pietro realiseerde zich dat het zijn taak was om de mensen op andere gedachten te brengen. Hij verzamelde energie en probeerde meer vertrouwen uit te stralen dan hij voelde.

'God zegent iedereen die een helpende hand uitsteekt bij dit project. Jullie zullen worden beloond voor je grootmoedigheid. Alles wat je geeft, krijg je terug, en meer.'

Hij had hun aandacht gevangen.

'Er wordt gezegd dat Triento vervloekt is,' zei hij, luider nu. 'Dat de duivel ons uitlacht. Maar laat me jullie eraan herinneren dat de duivel niets te zoeken heeft in een stad waar de ziel van de mensen zuiver is en goed. Laten we daarom samen bidden en dan samen aan het werk gaan.'

Silvana boog haar hoofd en vouwde haar handen. Ze bad hartstochtelijk en hoopte maar dat God luisterde. De gelukkigste momenten van haar leven had ze in dit geblakerde gebouw beleefd. Ze keek weer op, ving de blik van de burgemeester en hij bleef haar lang aankijken. Hij bad ook vurig, dat wist ze zeker. Geen van beiden was bereid afstand te nemen van hun geluk. Ze hadden er al zo lang op gewacht. Nu zouden ze weer wachten.

28

Raffaella bleef wachten op bericht dat het tijd was dat ze terugkwam naar Villa Rosa, maar het kwam nog steeds niet. Ze was inmiddels meer dan ongeduldig. Als het niet zo druk was geweest in de bakkerij, zou ze nu al helemaal gek zijn.

Het was heel druk geweest vanaf het moment dat ze waren begonnen aan de herbouw van de Gypsy Tearoom. Elke ochtend heel vroeg hielpen zij en haar moeder Silvana met het bakken van enorme ronde broden gevuld met vlees, kaas en gegrilde groenten, die ze tussen de middag in manden naar de mannen brachten die met de bouw bezig waren.

'Het is belangrijk dat ze sterk blijven,' zei Silvana toen ze de manden vulden. 'Hoe meer we hun te eten geven, hoe sneller ze gaan bouwen.'

Raffaella's vader was er ook vaak. Van een oude krant had hij een hoed gemaakt en die zette hij zwierig op zijn hoofd. Zijn handen werden ruw en zijn gezicht stoffig, maar hij floot tijdens het werk. Niemand had hem ooit zo gelukkig gezien.

Dat ging niet op voor haar broer Sergio: hij had domweg geweigerd mee te helpen de Gypsy Tearoom te herbouwen en daarop volgde de ergste ruzie die Raffaella ooit had meegemaakt in het kleine huisje op de rotsen.

Uiteindelijk had Sergio toegegeven, maar hij verscheen maar heel af en toe en leek nooit iets te doen. 'Het is in elk geval niet zo dat het lastiger is zijn kleren schoon te krijgen,' zei Anna op scherpe toon. 'Ik weet niet wat er mis is met die jongen. Volgens mij doet hij niet veel, want je vader komt altijd helemaal smerig en uitgeput thuis.'

Raffaella had de Russo's nooit bij de vrijwilligers gezien. Ciro zei weliswaar dat ze hem een briefje hadden gestuurd waarop ze hadden geschreven dat ze het te druk hadden met hun zaak, maar hun afwezigheid wekte wel argwaan.

'Voelen ze zich soms te goed om te helpen?' vroeg Angelo Sesto bitter.

'Padre Simone en padre Matteo zijn er niet te trots voor om hun mouwen op te stropen en een handje te helpen,' zei Tommaso. 'Nee, volgens mij is er iets anders aan de hand met die jongens van Russo. Mijn schoonzoon Marcello was de enige goeie van het stel.'

Het verbaasde Raffaella hoe snel de bouw vorderde. Wat in het begin een onmogelijke taak had geleken, leek nu mogelijk. Ciro werd met de dag vrolijker. Hij werkte het hardst van iedereen. Hij was er vanaf het eerste ochtendgloren, en Raffaella zag dat zijn armen gespierder werden en zijn schouders breder.

Elke dag als zij met de lunchmanden aankwam, legde hij altijd zijn gereedschap neer om even een praatje met haar te maken.

'Die jongen vindt je aardig,' zei haar moeder op een middag toen ze terugliepen naar de bakkerij.

'Dat weet ik,' zei Raffaella verlegen.

Anna raakte even de zwarte stof van haar dochters jurk aan. 'Je bent nu nog in de rouw, dat weet ik wel, maar dat hoeft niet eeuwig te duren,' zei ze zacht.

Raffaella hapte naar adem. 'Ik vind het veel te vroeg om nu al aan andere mannen te denken,' zei ze.

Anna knikte. 'Dat weet ik wel. Ik zeg alleen maar dat je niet de rest van je leven zwarte kleren hoeft te dragen en om Marcello moet rouwen. Je bent jong en je zou het geluk weer moeten vinden als de tijd rijp is en je er klaar voor bent.'

Silvana had gehoord wat ze zeiden. 'En ik dan?' vroeg ze. 'Ik ben oud. Bedoel je soms dat ik het niet verdien om gelukkig te zijn?'

Anna keek haar peinzend aan. Ze kende Silvana al heel lang. Ze hadden samen op school gezeten en waren een paar maanden na elkaar getrouwd. Ze had wel gezien dat Silvana het al die jaren samen met Alberto niet gemakkelijk had gehad en was blij geweest dat ze niet in haar schoenen stond. De vrouw van een visser had een zwaar leven.

Als het stormde was Anna altijd bang dat Tommaso's boot de haven niet zou halen. Maar ze was nog nooit jaloers geweest op de bakker van Silvana.

'Jij verdient het ook om gelukkig te zijn, natuurlijk,' zei ze vriendelijk.

Raffaella wilde zelf ook iets dergelijks zeggen, maar op een zacht bedankje na hadden zij en Silvana nooit gepraat over haar stiekeme ontmoetingen met de burgemeester. Het zou dus verkeerd zijn er nu over te beginnen.

'Alberto zou toch niet van je verwachten dat je eeuwig in de rouw zou blijven?' vroeg ze daarom maar.

'Ach, Alberto.' Silvana's stem klonk bitter. 'Hij heeft zich nooit om mijn geluk bekommerd in die vijfentwintig jaar dat we getrouwd waren. Waarom zou hij zich dan druk maken om mijn geluk nu hij dood is?'

'Maar stel nu dat je verliefd zou worden op iemand nadat de rouwperiode voorbij is?' vroeg Raffaella. 'Er is toch geen enkele reden waarom je niet weer zou trouwen?'

Anna keek even naar haar dochter. 'Eerlijk gezegd zouden een paar mensen zich wel verbazen. Mensen vinden het heerlijk om te roddelen. Maar weet je, Silvana, je hebt helemaal geen familie meer in Triento. Je zoons zijn weggetrokken en je mist de bescherming van een man. In zekere zin zou het logisch zijn om na een gepaste periode weer te trouwen. Ik weet zeker dat de mensen dat na een tijdje ook zouden vinden.'

'Denk je niet dat ze het een schandaal zouden vinden?'

'Ze zullen er even over kletsen, denk ik, maar een schandaal, nee.' Anna schudde de kruimels uit de lunchmanden en zette ze in een hoekje van de bakkerij, zodat ze niet in de weg stonden. Ze vroeg zich af op wie Silvana verliefd was geworden. Dat zou ze haar dochter vragen als ze samen de heuvel af liepen.

'Raffaella, Raffaella, kom snel!' Carlotta stond in de deuropening, helemaal buiten adem en met grote schrikogen.

'Wat is er aan de hand? Wat is er gebeurd?'

'De *americano* is terug en ik heb nog niets voorbereid voor zijn komst. Het huis is niet klaar en ik heb niets om zijn avondeten te bereiden. Je moet meekomen om me te helpen!'

Raffaella was al bezig haar schort af te doen. 'Oké, rustig maar. Ik kom eraan. Laten we snel wat boodschappen doen en dan zo snel mogelijk naar Villa Rosa gaan.'

Carlotta had grote ogen en ze was nog bleker dan anders. 'We moeten meer boodschappen in huis halen, want de *americano* is niet alleen.'

Raffaella verspilde geen tijd met het stellen van vragen. Ze pakte een mand en liep naar de markt. Ze liep behendig tussen de kramen door en kocht alleen de meest verse producten. Haar blijdschap omdat de *americano* terug was, werd steeds groter. Maar die blijdschap werd getemperd door een vaag voorgevoel. Ze dacht terug aan de opgelaten sfeer tussen hen voordat hij vertrok en ze hoopte dat hij dat vergeten zou zijn.

En ze vroeg zich af wie de mensen waren die hij mee naar Villa Rosa had genomen en wat ze hier zouden gaan doen. Omdat ze dat zo snel mogelijk wilde weten, deed ze vlug inkopen en haastte zich om erachter te komen.

29

Raffaella zag het meisje eerst. Ze zat op de binnenplaats van Villa Rosa en droeg een badjas. Haar lange natte haar had ze in een tulband gewikkeld die ze van haar handdoek had gemaakt. Ze was knap, had een lichtbruine huid, hoge jukbeenderen en schuinstaande ogen. En ze lachte.

'We moeten wel gek zijn om in deze tijd van het jaar te gaan zwemmen.' Weer liet ze een tinkelend lachje horen. 'Dat overleven we niet, dat is waar. Mamma heeft gelijk.'

'Zeg niet dat ik je niet heb gewaarschuwd.' De vrouw die naast haar zat was haar evenbeeld, alleen was ze ouder en ronder. Ze droeg een crèmekleurig wollen broekpak en haar ogen waren verborgen achter een zonnebril. Ze rilde een beetje. 'Juli en augustus zijn de enige maanden waarin je op Villa Rosa kunt zwemmen. Dan is de temperatuur van het zeewater het hoogst.'

'Maar het is heerlijk vandaag, echt waar.' De *americano*, die alleen een zwembroek droeg, stond zijn blote borst af te drogen. 'Ik ga straks misschien nog weer even. Weet je zeker dat ik je niet kan overhalen om mee te gaan?'

Ze lachten en schudden het hoofd. Het meisje met de tulband stak een sigaret op. Eduardo leek opgetogen. Hij negeerde de interruptie toen Umberto's oude auto eraan kwam rijden en nam niet de moeite om te kijken toen Raffaella en Carlotta eruit klommen, beladen met hun manden en stapels eten.

'Ah, geweldig. We zullen niet doodgaan van de honger.' Het meisje met de tulband nam een lange trek van haar sigaret. 'Daar komt je huishoudster aan, Eduardo, kijk.'

Eduardo keek op en glimlachte naar Raffaella. Ze wilde dat ze terug kon kruipen in de auto en zich kon verstoppen. Al voordat het licht was geworden, was ze aan het werk geweest; ze had broden in de hete oven gebakken en klanten geholpen. Er was geen tijd geweest om een borstel door haar verwarde bos haar te halen en ze was zich ervan bewust dat haar gezicht glom en haar kleren aan haar klamme huid plakten.

Het meisje met de tulband tikte as op de grond en bestudeerde haar gemanicuurde nagels. 'Wil je ons misschien iets te drinken brengen, en wat olijven?' vroeg ze Raffaella zonder haar aan te kijken. Ze had Carlotta en Umberto geen blik waardig gekeurd. Ze deed net alsof ze lucht waren.

Raffaella behield haar waardigheid. '*Signor* Pagano, welkom terug op Villa Rosa,' zei ze beleefd.

'Het is fijn om weer terug te zijn,' antwoordde Eduardo. 'We hebben bezoek, zoals je ziet. Laat me je voorstellen aan Olivia Barbieri en haar dochter Claudia. Dit is Raffaella, de beste kok in heel Zuid-Italië.'

De oudere vrouw knikte even naar haar en wendde toen haar blik weer af, ongeïnteresseerd. De jongere vrouw bleef haar aankijken en Raffaella dacht dat ze een uitdaging in haar ogen zag.

'Tja, dan ga ik die drankjes en de olijven maar halen.' Raffaella keek de *americano* even aan. Hij glimlachte weer naar haar en gebaarde toen dat ze wel kon gaan. 'Ja, ja, drankjes en olijven, dat zou geweldig zijn. Dank je wel, Raffaella.'

De keuken van Villa Rosa zag er onveranderd uit. Alles stond daar waar ze het had achtergelaten, netjes opgeruimd. Potten granaatappelsiroop stonden op de planken in de provisiekast. Iemand had er kleurige etiketten op geplakt, met Raffaella's naam erop.

'Zo te zien heb je het druk gehad,' zei ze.

Maar Carlotta luisterde niet. Ze maakte nog geen aanstalten om de olijven te pakken of een schaaltje om ze op te serveren. In plaats daarvan stond ze met een stuurse blik door het raam naar buiten te kijken.

'Ken je hen?' vroeg Raffaella.

'O ja. Hun familie is eigenaar van het huis. Ze kwamen hier vroeger elke zomer. Maar ik begrijp niet waarom ze nu weer terug zijn.'

'Je mag hen niet, hè?'

'Ze hebben me nooit veel aanleiding gegeven om hen te mogen.'

Raffaella was verbaasd. Carlotta was zo'n vriendelijke vrouw en ze zei nooit iets vervelends over andere mensen. Ze vroeg zich af wat die Barbieri-vrouwen hadden gedaan dat Carlotta hen haatte.

Ze haalde wat groene olijven uit de olie en deed ze in een schaaltje. 'Hoelang is het geleden dat je hen hebt gezien?'

'Vijf jaar.'

'En hoe zijn de andere leden van deze familie?'

'*Signor* Barbieri is rijk. Hij vond het heerlijk om hier grote feesten te houden en veel mensen om zich heen te hebben. Ze hadden ook een zoon…' Carlotta zweeg.

'Wat was hij voor iemand?' drong Raffaella aan.

'Anders dan de anderen. Volgens mij vond hij al die luidruchtige feesten maar niets.'

Raffaella deed een halfhartige poging om haar rok strak te trekken en haar verwarde haar glad te strijken. Ze pakte het dienblad met de glazen, wendde zich tot Carlotta en vroeg: 'Hoelang denk je dat ze zullen blijven?'

Carlotta fronste. 'Ik wou dat ik dat wist.'

De glazen rinkelden op het dienblad toen Raffaella het meenam naar buiten. 'Dat zullen we snel genoeg te weten komen,' zei ze. 'Eerst zal ik dit maar even naar hen toe brengen en dan zal ik aan het avondeten beginnen.'

Raffaella draaide het deksel van een pot granaatappelsiroop en snoof de geur van de siroop op. Ze doopte het puntje van haar pink in de volle, donkerrode massa en likte het eraf.

'Is het nog steeds goed? Hoe smaakt het?' vroeg Carlotta nieuwsgierig.

'Het is nog steeds goed. Niet te bitter en niet te zoet.' Ze proefde nog een beetje. 'Smaakt als een scherpe, fruitige melasse.'

'Wat ga je ermee doen?'

'Dat weet ik nog niet zeker.' Raffaella had op winteravonden de recepten van haar moeder overgeschreven, maar ze was zo snel naar

Villa Rosa gegaan dat er geen tijd was geweest om naar huis te rennen om ze te halen. Ze moest uit haar hoofd iets klaarmaken.

Wat ze ook zou maken, ze zou het eten doordrenken met granaatappelsiroop. Ze wilde dat de smaak ervan in Eduardo's mond bleef hangen. Elk hapje dat hij nam, zou hem herinneren aan de avonden die ze samen onder de granaatappelboom hadden doorgebracht.

Raffaella wilde hem in het granaatappelsap dopen. Ze maakte kip met een saus van granaatappels en walnoten. Ze voegde de siroop toe aan de saladedressing en roerde het door een gerecht van tuinbonen met rode ui. Ze deed een paar druppels in de licht mousserende *prosecco* die ze als aperitief dronken en voegde het toe aan het nagerecht: stukjes fruit en bessen.

Eduardo wilde graag buiten eten, met uitzicht op de bergtop waar zijn standbeeld binnenkort op zou prijken.

'Maar het is te koud,' klaagde Olivia. 'Laten we vragen of de tuinman de open haard in de eetkamer voor ons wil aansteken. En dan kan je huishoudster kaarsen op de eettafel zetten. Dat zal gezellig zijn, zo met ons drietjes.'

'O nee, laten we buiten blijven,' smeekte Claudia. 'Als het nodig is kunnen we altijd vragen of ze ons dekens en sjaals komen brengen.'

'Het is niet warm meer buiten en het wordt alleen maar kouder als het donker wordt. We gaan naar binnen,' besloot haar moeder.

Raffaella was blij dat ze niet hoefde toe te kijken terwijl ze zaten te eten. Ze stuurde Carlotta naar de eetkamer om het eten op te dienen. Gerecht na gerecht was doordrenkt met granaatappelsap. Het zag er allemaal heerlijk uit. Maar de schalen kwamen bijna onaangeroerd terug naar de keuken, koud en gestold. Het leek alsof ze alleen maar in hun eten hadden zitten prikken.

'Wat is er aan de hand?' siste ze tegen Carlotta. 'Vinden ze het niet lekker?'

'De *signora* eet nooit veel. Ze is bang voor haar lijn. En Claudia heeft het te druk met haar pogingen indruk te maken op de *americano* om veel te eten.'

'En hij? Wat doet hij?'

'Hij geniet van alle aandacht, denk ik. Hij eet ook niet veel. Maar je moet al dat eten niet weggooien, hoor.' Carlotta zag dat Raffaella wanhopig naar de etensresten keek. 'Mijn vader en ik zullen het wel graag opeten, ook al hebben zij dat niet gedaan.'

'Misschien heb ik het overdreven. Ik heb waarschijnlijk te veel granaatappelsiroop gebruikt en is de smaak niet meer goed. Morgen zal ik allereerst naar huis gaan om mijn recepten op te halen.'

'Het eten is goed,' zei Carlotta nog eens. 'Ze hebben het gewoon te druk met andere dingen om dat te merken.'

Met een vertrokken gezicht pakte Raffaella een schaal en voordat Carlotta haar kon tegenhouden, schraapte ze de inhoud in de afvalbak.

Het was een lange dag geweest en Raffaella was zo moe dat haar ledematen zwaar aanvoelden en haar botten pijn leken te doen. Toch kon ze niet slapen. Ze vroeg zich af of de *americano* zijn oude gewoonte weer zou oppakken om 's avonds onder de granaatappelboom op de binnenplaats een sigaar te roken.

Geen van beide Barbieri-vrouwen zou hem op zo'n kille avond gezelschap houden. Hij zou alleen zijn, áls hij er al was. Dit was haar kans om een paar woorden met hem te wisselen.

Het was niet moeilijk om onopgemerkt Umberto's kleine huisje uit te glippen. Ze had geleerd om zich in het donker stilletjes te verplaatsen. De maan zat halfverscholen achter de wolken en er waren schaduwen genoeg om zich in te verstoppen.

Het was maar een korte wandeling de trap op en door de poort naar de binnenplaats van Villa Rosa. Raffaella liep langzaam en zonder geluid te maken en tuurde door het donker of ze naast de jonge granaatappelboom een glimp kon opvangen van het oranje puntje van een brandende sigaar. Het was verwarrend, omdat alles er nu zo anders uitzag. De gebogen oude boom had altijd een groot, donker silhouet, maar de jonge boom die er nu stond, was rank en dun. Heel even was Raffaella gedesoriënteerd.

'*Signore*,' waagde ze te roepen, maar wel fluisterend. 'Bent u daar?'

Geen antwoord. Ze snoof diep en dacht dat ze de geur van een sigaar rook.

'*Signore?* Ik ben het, Raffaella.'

Ze ontdekte een donkere schaduw op het lage muurtje dat rondom de boom stond, maar toen ze dichterbij kwam, zag ze dat het een lege gieter was die Umberto daar had laten staan. De *americano* was er niet. Ze luisterde aandachtig of ze nog geluiden in het huis hoorde, maar het was stil.

Misschien zaten ze nog waar Carlotta hen had achtergelaten en genoten ze bij de open haard van koffie, cognac en *biscotti*. Maar waarschijnlijk waren ze moe geweest en al naar bed gegaan.

Raffaella was niet van plan snel op te geven. Misschien had de *americano* zijn sigaar opgestoken en was hij naar de zee gelopen. Misschien zat hij wel op de rotsen en keek hij naar het maanlicht dat op de golven speelde.

Voorzichtig liep ze de stenen treden van de trap af en hield zich vast aan de takken van de bomen die ernaast stonden. Toen ze dichterbij kwam, dacht ze dat ze meer hoorde dan het geluid van de golven die op de rotsen sloegen, ook al wist ze niet zeker of het een mens of een dier was. Toen ze de laatste bocht van het pad omsloeg, zag ze het vage schijnsel van een stormlamp. Haar hartslag versnelde. Hij moest het wel zijn.

Ze krabbelde over de rotsen in de richting van het licht en gleed een paar keer uit.

'Wie is daar? Wie is daar?' De angstige stem was van een vrouw, niet van een man.

'Ik ben het, Raffaella. Maar wie is daar? Carlotta, ben jij dat? Wat doe jij hier op dit tijdstip?' Haar stem was bars van teleurstelling.

'Dat kan ik jou ook wel vragen.' Carlotta's stem klonk vreemd, schor en laag.

'Til die lamp eens op. Laat me je gezicht eens bekijken. Zit je te huilen? Carlotta, wat is er aan de hand? Vertel het me alsjeblieft.' Haar woede sloeg om in bezorgdheid. Raffaella ging op een vlakke steen zitten. 'Wat is er gebeurd dat je zo verdrietig bent?'

'Niets. Het is niet belangrijk.' Carlotta verborg haar gezicht in haar handen.

'Ik vind het wel belangrijk. We kennen elkaar inmiddels toch al zo goed dat we elkaar onze geheimen kunnen vertellen?'

'Jij vertelt me jouw geheimen ook niet.' Carlotta's stem klonk gedempt en toch meende Raffaella er een beschuldigende toon in te horen.

'Wat bedoel je?'

'Ik ben heus niet gek, hoor. Ik heb je 's avonds wel met de *americano* zien praten, terwijl je dacht dat je verstopt zat achter de takken van de oude granaatappelboom. Ik heb je heel vaak samen met hem gezien.'

'Echt waar?' Raffaella was verbijsterd. 'Je zat ons te bespioneren.'

'Ik heb jullie niet bespioneerd, ik kwam gewoon langs. En ik heb niemand er ooit iets over verteld. Ik heb je geheim bewaard, ook al heb je me jouw geheim niet toevertrouwd.'

'Het was niet zo dat ik je niet vertrouwde.' Raffaella dacht terug aan die keren zat zij en Eduardo tot middernacht bij elkaar hadden gezeten. Hoe was het mogelijk dat ze niet had geweten dat Carlotta er was, in de schaduw. 'Maar ik had er niet mogen zijn. Dat was verkeerd. En ik neem aan dat ik me ook wel schaamde. Maar we hebben alleen maar gepraat, Carlotta. Dat weet je toch wel? Alleen maar gepraat.'

Carlotta antwoordde niet. Er hing een pijnlijke stilte tussen hen en ze luisterden naar de golven die op de rotsen sloegen.

Enige tijd later begon de lantaarn te flikkeren. 'Jij bent niet de enige die zich moest schamen,' zei Carlotta aarzelend.

'Wat bedoel je?'

De lantaarn flikkerde weer en sissend doofde de vlam helemaal.

'Verdorie.' Raffaella kon niets meer zien. 'Het is pikdonker. Als de wolken niet verdwijnen, kunnen we de weg over de rotsen niet terug-vinden.'

'Maak je geen zorgen, ik weet de weg wel. Ik heb al zo vaak over de rotsen gelopen dat ik geen lamp nodig heb.'

'Waarom ben je hier dan zo vaak geweest?'

Carlotta haalde eens diep adem. 'Hier ga ik naartoe om na te den-ken en ik zit hier graag te bidden. En als ik verdrietig ben, is er nie-mand die me hier kan zien.'

'Waardoor word je dan verdrietig?'

Het was zo donker dat ze elkaars gezicht niet konden zien. Op de een of andere manier vond Carlotta het daardoor gemakkelijker om te praten.

'Weet je nog dat ik je vertelde dat Claudia Barbieri een broer heeft? Hij heet Alessandro en is heel anders dan zij. Vroeger, toen ze hier elke zomer waren, kwam hij me altijd opzoeken. We gingen hier na het donker altijd stiekem naartoe. Dan zaten we samen bij de zee en dan praatte hij uren achter elkaar. Eerst was ik heel verlegen, maar Alessandro trok zich daar niets van aan. Hij zei dat hij het wel leuk vond, omdat ik zo heel anders was dan al die rijke meisjes in Napels die hij kende.'

Ze zweeg en Raffaella hield haar adem in en probeerde haar zwijgend aan te moedigen om door te gaan met haar verhaal.

'Hij gaf me een heel speciaal gevoel.' Carlotta's stem was nog maar een gefluister. 'Op een avond zei hij tegen me dat hij van me hield en toen kusten we elkaar. De avond daarna zei hij dat hij met me wilde vrijen en dat liet ik toe. Ik vond er niet veel aan. Het ging er ruw aan toe en ik vond zijn warme adem op mijn huid verschrikkelijk. Maar hij vond het heel lekker en ik wilde hem een plezier doen en dus liet ik het hem doen, steeds weer.'

'En toen werd je zwanger?'

'Hoe weet jij dat? Heeft iemand je dat verteld?'

Raffaella zocht en vond Carlotta's hand. 'Niemand heeft me dat verteld. Maar daardoor ben je zo ongelukkig, hè? Wat is er met je baby gebeurd?'

Carlotta probeerde antwoord te geven. Na een tijdje zei ze: 'Het brak mijn vaders hart toen ik het hem vertelde. Hij stuurde me naar het klooster in de bergen en daar is mijn dochter geboren. Ik heb haar Evangelina genoemd en de nonnen lieten haar een week of twee bij me, zodat ik haar kon zogen. Toen hebben ze haar weggehaald en ik heb haar nooit weer gezien.'

'En hoe zit het met Alessandro? Heeft hij niet aangeboden met je te trouwen?'

'Nee, dat zou zijn familie nooit goed hebben gevonden. Toen ik uit het klooster kwam, was hij al weg. Dat was de laatste keer dat iemand van de Barbieri's naar Villa Rosa is gekomen, tot nu toe.'

'En waar hebben ze je baby naartoe gebracht? Ben je daar ooit achter gekomen?'

'Mijn vader zei dat de nonnen een goed tehuis voor haar zouden zoeken. Ze zou nooit weten dat ik haar moeder was en dat zou veel beter voor haar zijn. Hij smeekte me dat ik zou proberen haar te vergeten, maar dat kan ik niet. Altijd als ik een meisje van haar leeftijd zie, blijf ik staan en vraag me af of het Evangelina is. Elke dag moet ik aan haar denken. En daarom ga ik hiernaartoe.'

'Mijn god, Carlotta. Het spijt me zo voor je.'

'Ze was een prachtige baby. Soms huilde ze even, maar ze hield er altijd mee op als ik haar optilde.'

'Heb je ooit geprobeerd om haar te vinden?'

'Hoe moet ik dat doen? Waar moet ik dan beginnen? En mijn vader heeft gelijk. Het is zo waarschijnlijk beter voor haar.' Carlotta klonk terneergeslagen.

Raffaella gaf een kneepje in haar hand. Ze was verdrietig en boos. Hoe kón Umberto Carlotta overhalen haar baby weg te geven? Waarom had hij zich niet verzet tegen de Barbieri's?

'Je mag mijn vader niet de schuld geven. Hij dacht dat hij de juiste keuze maakte.' Carlotta had haar gedachten geraden. 'Het huis waar we in wonen is eigendom van de Barbieri's en het geld dat we verdienen met het verzorgen van Villa Rosa komt van hen. Hij had geen andere keus dan me naar de nonnen te sturen. En het heeft zijn hart gebroken, net als het mijn hart heeft gebroken.'

Raffaella omhelsde haar stevig.

'Ik ben blij dat ik het je heb verteld. Je hebt gelijk, het is prettig om bepaalde dingen te bespreken.'

'Ik wilde dat ik meer kon doen dan alleen maar luisteren.' Raffaella vroeg zich af of het moeilijk zou zijn om Evangelina te vinden. 'Ik wil je heel graag helpen.'

'Niemand kan iets doen.' Carlotta rilde. 'Het is al laat en koud. We kunnen beter teruggaan. Hou mijn hand maar stevig vast, dan gaan we. Ik loop wel voorop.'

30

De ochtendzon bescheen de roze muren van Villa Rosa. De hemel was blauw en de zee nog blauwer. Umberto had drie potten met afrikaantjes voor het keukenraam gezet en hun gouden kopjes bewogen in een licht briesje. Deze plek had er nog nooit zo perfect uitgezien, maar Raffaella voelde zich zo ongelukkig dat ze niet zag hoe mooi het allemaal was.

Ze was laat wakker geworden en toen ze bij Villa Rosa aankwam, was de auto van de *americano* al verdwenen. Claudia Barbieri lag op de binnenplaats te zonnen, met een stapel tijdschriften naast zich en een sigaret in haar hand. Raffaella dwong zichzelf beleefd te doen.

'*Buongiorno, signorina*. Kan ik een ontbijtje voor u klaarmaken?'

'O, alleen maar een kopje espresso, denk ik.' Claudia glimlachte en liet daarbij haar witte, regelmatige gebit zien. Deze ochtend deed ze haar best aardiger te doen. 'Is het hier niet schitterend? Ik heb geen idee waarom we hier zo lang niet zijn geweest.'

'Weet u zeker dat u niets wilt eten, *signorina*?'

Claudia trok haar neusje in rimpels. 'Eten? O god, nee. Niet om deze tijd. Alleen koffie, meer kan ik nu niet verdragen. Graag sterke koffie met veel suiker.'

'En uw moeder, wil zij ook koffie?'

'Zij slaapt nog. En Eduardo is er niet.' Claudia klonk verdrietig. 'Hij is op een belachelijke tijd opgestaan en naar de berg vertrokken. Ik ben dus helemaal alleen.'

Raffaella had haar best gedaan er goed uit te zien vanochtend. Haastig had ze haar haar opgestoken en een paar krullen losjes laten hangen om haar gezicht te verzachten. Maar naast Claudia Barbieri voelde ze zich slonzig en lelijk.

Claudia's natuurlijke schoonheid was onberispelijk vervolmaakt. Ze had lange, slanke armen en gouden armbanden om haar polsen. Haar kleding was duur en haar haar vakkundig geknipt. Haar gelakte vingernagels hadden de kleur van koraal en haar teennagels hadden dezelfde kleur.

'Misschien komt Eduardo straks wel terug om te zwemmen, denk je niet?' Ze schonk Raffaella nog een glimlachje. 'Het wordt een warme dag.'

'Pas dan maar op dat u niet verbrandt.'

'O, maar mijn huid verbrandt niet in de zon, hoor. Ik word zo bruin als een kokosnoot.' Claudia schudde haar kleren van zich af. 'Maar nu je er toch bent, kun je wel wat zonnebrandolie op mijn rug smeren. Dan droogt mijn huid niet uit in de zon en wordt hij niet helemaal rimpelig.'

Raffaella voelde zich ongemakkelijk. Ze pakte de fles geurige olie en wreef die op Claudia's gladde rug en schouders. 'Hm, dat is lekker. Dat doe je heel goed,' zei het meisje.

'Wanneer heb je de *americano* leren kennen?' Raffaella had gehoopt dat ze een gesprek kon ontwijken, maar de nieuwsgierigheid werd haar te machtig.

'O, een maand of drie geleden geloof ik. Mijn vader hoorde dat hij in Napels was en besloot dat hij de man die in dit huis woonde, wilde leren kennen en dus heeft hij hem uitgenodigd om te komen lunchen. Eduardo is heel charmant, vind je niet? We zijn allemaal dol op hem.' Claudia giechelde. 'En volgens mij vindt hij ons ook heel aardig.'

'We dachten dat hij al weken geleden naar Villa Rosa zou komen.'

'Ja, dat weet ik. Hij bleef het maar voor zich uit schuiven. Misschien vond hij het erg ons te verlaten.' Claudia draaide zich om en nam de fles aan van Raffaella. 'Maar toen kwam mamma op het idee om met hem mee te gaan naar Villa Rosa. En nu zijn we hier.'

'Hoelang blijven jullie?'

'Mamma zei dat we een paar weken zouden blijven, maar het is hier zo ontspannend dat ik hier wel de hele zomer zou kunnen blijven. Het is heerlijk om weg te zijn bij al die feesten en diners en voor de verandering eens een eenvoudig leven te leiden.'

De moed zonk Raffaella in de schoenen. 'Maar hoef je dan niet terug naar huis?'

Claudia haalde haar schouders op. 'We gaan ons waarschijnlijk wel vervelen, vooral als Eduardo hele dagen op die berg zit.' Ze begon zonnebrandolie op haar benen te smeren en bewonderde de manier waarop ze in de zon begonnen te glanzen. 'Ik zal een manier moeten verzinnen om hem hier op Villa Rosa te houden, denk je niet?'

Eduardo voelde zich vrij toen hij in zijn eentje de weg op reed die naar de bergtop leidde. Claudia was een leuke meid, maar hij had wel heel stom moeten zijn om niet te merken dat haar moeder haar zo ongeveer onder zijn neus duwde.

Het probleem was dat vrouwen je zo afleidden. Het werk op de berg zou binnenkort beginnen en hoe zou hij zich op zijn werk moeten concentreren als Olivia en Claudia hem belaagden met voorstellen voor uitstapjes en maaltijden en luie middagen in de tuinen van Villa Rosa?

Het standbeeld, daar ging het om. Eduardo had de hele winter zorgvuldig de basale plannen voorbereid en hij had er nu nog meer vertrouwen in dat het werk kon worden geklaard. De rapporten van de architecten waren positief en de priesters hadden het ontwerp goedgekeurd. Nu was hij degene die ervoor moest zorgen dat dit project zou worden afgerond. En daarom mocht hij zijn aandacht niet laten afleiden.

Toen Olivia Barbieri had voorgesteld dat zij en haar dochter met hem mee zouden gaan naar Villa Rosa, had hij dat voorstel niet kunnen afwimpelen. Het was immers hun huis. En het zou echt prettig zijn om 's avonds gezelschap te hebben, mensen met wie hij tijdens het diner kon praten in plaats van afhankelijk te zijn van zijn avondlijke gesprekjes met dat dorpsmeisje.

Toen hij de bocht nam, kon Eduardo de kale bergtop zien. Hij was er zo aan gewend om zich voor te stellen hoe die bergtop er met standbeeld uit zou zien, dat het hem bijna verbaasde dat de bergtop kaal was.

Maar dat zou niet lang zo blijven, bezwoer hij zichzelf. Al heel gauw zou hij, als hij door die bocht kwam, Jezus op zich neer zien kijken. Dat was zijn doel en de dag waarop hij dat doel zou bereiken, zou de mooiste dag van zijn leven zijn.

Claudia lag nog steeds op de binnenplaats in de zon te bakken toen Raffaella op haar oude Vespa met een dikke wolk uitlaatgassen achter zich aan Villa Rosa verliet. Ze reed langs de bouwvallige stenen huisjes waar oude boertjes hun kostje bij elkaar scharrelden op hun kleine stukjes land. Enkelen hadden kippen en een stuk of twee varkens, anderen hadden een ommuurde wijngaard zodat ze hun eigen wijn konden maken. Allemaal verbouwden ze groenten, op elk stukje beschikbare grond. Ze verbouwden grote tuinboonplanten waarvan de bonen begonnen te rijpen en gespikkelde artisjokken die net in knop kwamen. Tomatenplanten klommen langs houten latwerken met kruiden ertussen. De groene knoflookscheuten schoten de grond uit en de bloemen van rijen uien knikten elkaar toe.

De weg liep langs olijfbomen en citroenboomgaarden, en liep vlak langs de kust. Het was een prachtige rit, maar Raffaella was zo in gedachten verzonken dat ze er niet van kon genieten. Haar gesprek van gisteravond met Carlotta bleef maar in haar hoofd rondspoken.

Als ze omhoog had gekeken in plaats van naar de weg voor haar, had ze een glimp kunnen opvangen van het klooster waar de baby, Evangelina, was geboren. Het stond hoog in de bergen en zo ver van Triento dat de nonnen vrijwel nooit bezoek kregen. Toch was het geen gesloten orde. De nonnen gaven les op de scholen in Triento en hielpen de dokter in zijn kliniek. Maar zodra ze achter de muren van hun klooster waren, hadden ze hun privacy.

Tijdens haar ritje dacht Raffaella aan Carlotta die eenzaam en bang voor haar baby had gezorgd die ze niet had mogen houden. Ze probeerde zich voor te stellen hoe ze had gehuild toen ze Evangelina de laatste keer uit haar armen haalden en begon weer boos te worden.

Ze wilde wel naar het klooster gaan en op de deur kloppen tot de nonnen naar buiten kwamen en haar zouden vertellen wat ze wilde weten: waar was Evangelina nu, welk gezin had haar opgenomen en hoe kon ze haar vinden?

Maar de nonnen zouden haar zeker wegsturen. Raffaella dacht terug aan de nonnen die ze als lerares had gehad, de meesten streng en onbuigzaam, en herinnerde zich hoe ze haar met hun magere vingers hadden onderzocht als ze naar de kliniek kwam met hoofdluis of krabbend aan vlooienbeten. Nee, de nonnen zouden haar niet vertellen waar Carlotta's baby was, maar toch... er moest een manier zijn om haar op te sporen.

Raffaella reed Triento binnen en meteen door de heuvel af naar het huis van haar ouders om haar receptenboek en een paar schone kleren op te halen. Daarna moest ze boodschappen doen. Pas toen ze haar mand tot de rand toe vol had gepropt met de beste voorjaarsgroenten van de markt, het malste vlees en de verste kaas, stopte ze even bij de bakkerij om dag te zeggen.

Haar moeder stond achter de toonbank, maar er was geen spoor van Silvana.

'Ze is naar de Gypsy Tearoom,' vertelde Anna zodra de andere klanten weg waren. 'Ze is daar heel vaak, heb ik gemerkt, maar alleen als de burgemeester meehelpt met bouwen.'

Raffaella lachte. 'Wat goed van je dat je haar helpt,' zei ze. Ze weigerde erop in te gaan.

'Nou, het betekent wel dat ik die heuvel elke dag op moet,' gromde haar moeder. 'Maar hier hoor je natuurlijk ook alles. Er gebeurt niets in dit stadje zonder dat Silvana er vijf minuten later iets over hoort.'

'Ja, ze is dol op roddels. Maar toch vertelde ze me niet alles.'

'O nee, ze kan heel goed haar mond houden als ze wil, dat is zeker,' beaamde Anna.

'Bijvoorbeeld,' zei Raffaella voorzichtig, 'ze weigerde me iets over Carlotta te vertellen, ook al smeekte ik haar erom.'

'Wat weigerde ze je te vertellen?' Haar moeder wendde haar blik af en begon met haar hand bloem van de toonbank te vegen.

'Volgens mij weet je dat wel, ja toch?'

Anna zuchtte. 'Je bedoelt zeker over de baby?'

Raffaella knikte.

'Ja, dat wist ik. Die arme meid, we hadden allemaal zo'n medelijden met haar. Ze was zo'n onschuldig ding zonder moeder die haar kon beschermen. Die jongen van Barbieri heeft misbruik van haar gemaakt volgens mij. Maar die familie gaf Carlotta de schuld. Ze beschuldigden haar ervan dat zij hem had verleid. Umberto raakte daardoor bijna zijn baan kwijt en dat zou een ramp zijn geweest.'

'Waarom heb je me dit niet eerder verteld?'

'Waarom heb je me niets over Silvana en de burgemeester verteld?'

Raffaella lachte weer. Haar moeder was altijd te ad rem. 'Oké, oké, jij wint. Maar, mamma, wat vind je ervan als ik Carlotta zou helpen om haar dochter te vinden? Waar moet ik beginnen?'

'Dat zal niet eenvoudig zijn. Volgens mij zullen de nonnen je nooit iets vertellen. En misschien woont ze niet eens meer in de buurt. Soms sturen ze die baby's naar rijke gezinnen.'

'Er moet een manier zijn om haar op te sporen.'

Haar moeder twijfelde. 'Zelfs als dat zo is, weet je dan wel zeker dat dat goed is? Dat kind woont al jaren bij een gezin dat haar heeft geadopteerd. Stel je eens voor hoe jij je op die leeftijd zou hebben gevoeld als iemand je had verteld dat ik je echte moeder niet was en zou proberen je weg te halen.'

'Maar hoe moet het dan met Carlotta?'

'Het is zielig voor haar, dat bestrijd ik ook niet.'

'Ik wil gewoon iets doen om haar te helpen.'

'Je helpt haar al. Je bent haar vriendin. Volgens mij kun je niet meer doen dan dat.'

Haar moeder had wel gelijk, maar toen Raffaella op haar Vespa terug-reed naar Villa Rosa werd ze steeds somberder. Het leek wel dat, wat ze ook probeerde te doen, er een deur voor haar neus werd dichtgeslagen. Misschien was ze onder een ongelukkig gesternte geboren, want andere mensen leken zonder de minste pech door het leven te zeilen. Neem Claudia Barbieri. Ze was rijk en knap, en kon alles krijgen wat ze wilde. Ze kon zich niet voorstellen dat haar ooit iets zou overkomen waardoor ze haar voorhoofd zou moeten fronsen. Ondertussen waren zij en Carlotta de dingen waar ze het meest van hielden kwijtgeraakt. Het was heel oneerlijk allemaal.

Geen van de Barbieri-vrouwen was te zien toen ze door de poorten van Villa Rosa reed. De binnenplaats was verlaten, op Umberto na, die in de tuin bezig was.

'Aha, Raffaella, *buongiorno*,' zei hij. 'Wat vind je van mijn jonge granaatappelboom? Hij groeit goed, hè?'

'Ja, zeker.' Ze knikte beleefd.

'Toen ik hem plantte zag hij er lang niet zo goed uit, weet je. De eerste weken leek hij weg te kwijnen en het blad begon op te krullen. Ik dacht echt dat hij dood zou gaan, maar toen, net toen ik de moed al had opgegeven, moet hij echt zijn aangeslagen. Hij kwam helemaal bij. En moet je hem nu eens zien.' Umberto deed een paar stappen achteruit om de boom goed te kunnen bewonderen. 'Hij is prachtig.'

'Maar niet zo prachtig als die oude boom, in elk geval nu nog niet,' zei Raffaella. 'Ik was erg verdrietig toen Carlotta me vertelde dat hij dood was gegaan.'

'Niet zo verdrietig als zij was, dat weet ik zeker. Ze was zo gehecht aan die boom dat ze om hem treurde als om een mens. Ze is heel gevoelig, die Carlotta van mij.'

Umberto zag er bijna komisch uit, zoals hij daar stond met zijn vieze oude hoed in zijn hand geklemd. Hij was zijn valse gebit alweer kwijt en praatte met zijn hand verontschuldigend voor zijn mond.

'Het is goed dat jij hier bent,' zei hij onhandig. 'Ze heeft niet eerder een vriendin gehad. Het heeft heel veel voor haar betekend… en voor mij ook.'

Raffaella wilde hem heel graag van alles over de baby vragen. Umberto wist misschien wel waar het kind was. Ze zocht wanhopig naar een manier om het te berde te brengen.

'Carlotta is soms heel verdrietig,' begon ze.

Umberto knikte. Hij leek in de stemming voor vertrouwelijkheden. 'Het was een ramp dat Carlotta's moeder stierf toen ze nog zo jong was,' zei hij en staarde naar de blauwe streep zee aan de horizon. 'Mijn vrouw is verdronken, weet je. Ze was er dol op om bij de rotsen te zwemmen. Op een dag is ze daar gaan zwemmen en niet weer teruggekomen.'

'O, maar dat is afschuwelijk.'

'Ja, het was heel afschuwelijk. Mijn vrouw kon goed zwemmen, maar de zee was die dag heel wild. Als ze door een hoge golf tegen een rots is geslagen en bewusteloos is geraakt, had ze natuurlijk geen kans. Dat is er volgens de politie gebeurd. Ze hebben haar lichaam een eindje verderop langs de kust gevonden.' Umberto vertrok zijn gezicht toen hij eraan terugdacht. 'Een hele tijd was ik woedend op haar omdat ze was gaan zwemmen terwijl het niet veilig was. Arme Carlotta, ik vrees dat ik toen geen goede vader voor haar was. Ze was amper drie toen het gebeurde.'

'Kan ze zich haar moeder eigenlijk wel herinneren?' Raffaella was verbijsterd.

'Nee, niet echt. Ze zegt dat ze zich alleen nog kan herinneren dat ze samen onder de oude granaatappelboom zaten en bloemenslingers maakten.'

'Was ze daarom zo dol op die boom?'

Umberto knikte. 'Ik wilde dat ik hem voor haar had kunnen redden. Maar zijn tijd was gekomen.' Hij aarzelde even, keek naar de boom in plaats van naar Raffaella en zei toen verdrietig: 'Ik ben alles wat Carlotta nog heeft. Wat moet er met haar gebeuren als mijn tijd is gekomen?'

Raffaella vroeg zich af of het nu het goede moment was om haar vraag te stellen. 'Hoe zit het met Carlotta's baby?' vroeg ze snel. 'Ze heeft een dochter ergens, toch? Misschien kunnen we haar vinden.'

Umberto wierp even een snelle blik op het huis en zei zacht: 'Dat is onmogelijk.'

'Carlotta denkt nog elke dag aan Evangelina.'

Umberto wreef met zijn ruwe hand over zijn ogen. 'Dat weet ik,' zei hij met trillende stem. 'Maar het is te laat. Dat kind heeft nu een ander gezin. Carlotta is haar moeder niet meer. Het is heel erg, maar zo is het.'

'Woont ze nog altijd in Triento?'

Umberto schudde zijn hoofd. 'Ik weet het niet. De nonnen hebben haar weggebracht. En altijd als ik naar haar vroeg, vertelden ze me alleen maar dat ze veel mensen had die van haar hielden en in een heel groot huis woonde.'

'Niet in Triento dus… hier staan geen grote huizen.'

'Ze is weg, Raffaella, dus denk maar niet dat je haar kunt vinden. Geef Carlotta geen hoop. Laat de dingen zoals ze zijn. Het leven is misschien niet perfect, maar het kan slechter.'

Hij pakte de oude gieter die hij onder de boom had laten staan en schuifelde naar de moestuin. Hij had zijn hoed over zijn ogen getrokken en ze kon zijn gezicht niet goed zien, maar toen ze hem tussen de rijen jonge tomatenplantjes zag lopen, wist Raffaella zeker dat hij huilde.

31

Carlotta zat met gesloten ogen te luisteren naar het vertrouwde geluid van de zee die tegen de rotsen sloeg. De warme vingers van de zon raakten haar bleke wangen aan. Gisteravond was de eerste keer sinds jaren dat ze over Evangelina had gepraat. Het had een nieuwe glans gegeven aan de herinneringen. Haar baby, genesteld in de kromming van haar arm, een warm bundeltje dat aanvoelde alsof het nog steeds deel van haar lichaam uitmaakte. Haar hoofdje was bedekt met zacht, donker donshaar en haar ogen, als ze ze opende, waren donker en ernstig.

Twee weken lang had Carlotta Evangelina in haar armen gehouden en geprobeerd elk moment in haar geheugen te griffen. Alleen als ze zelf moest gaan slapen, legde ze haar neer, maar dan trok ze de wieg tot vlak naast haar bed zodat ze de zachte ademhaling van haar baby kon horen en wakker zou worden als ze zou gaan huilen.

Die laatste ochtend hadden de nonnen haar wat kleertjes gegeven die ze de baby moest aantrekken. Gebreide sokjes voor haar voetjes, een minuscuul wit jasje en een mutsje om haar hoofd warm te houden. Ze had haar nog een laatste kus gegeven, heel zacht op haar voorhoofd, en toen waren haar armen leeg geweest.

Haar lichaam vergat al heel snel dat ze een baby had gebaard. Haar melk droogde op en het extra gewicht op haar wangen en buik verdween. Als ze in de spiegel keek, zag ze de oude Carlotta weer. Maar in gedachten bleef de kleine Evangelina bij haar en toen de jaren voorbijgingen, stelde ze zich voor hoe ze zou zijn veranderd.

Ze dacht niet aan Evangelina als een baby, maar als een mooi meisje met zacht donker haar en wijze bruine ogen. Misschien een beetje verlegen, zoals ze zelf als kind was geweest, en misschien had ze een bleke huid en een dun en onhandig lichaam. Maar in Carlotta's gedachten lachte ze bijna altijd en droeg ze kettingen van bloemen uit de tuin.

Ze bad elke dag tot God en vroeg Hem Evangelina veilig en gezond te houden. Soms droomde ze dat ze haar even op straat zou zien, maar nooit, tot vandaag, had ze durven bidden voor een kans om haar weer eens in haar armen te mogen houden en voorzichtig een kusje op haar voorhoofd te kunnen geven.

Carlotta kneep haar ogen stijf dicht tegen het felle zonlicht en beeldde zich in dat er een klein meisje naar haar toe rende, met haar armen naar voren, gillend van verrukking. Ze zou haar optillen en haar kleine lichaam tegen zich aan drukken, haar gezicht in haar haren begraven om te kijken of haar hoofd nog steeds een beetje rook zoals toen ze nog een baby was.

Het was een heerlijke droom, maar Carlotta zag geen enkele mogelijkheid deze te realiseren. De nonnen waren de enigen die konden weten waar haar kind terecht was gekomen. Een paar nonnen waren aardig geweest toen ze in het klooster was gekomen, beschaamd en met een dikke buik. Ze hadden extra eten op haar bord geschept en gefluisterd dat ze sterk moest zijn. Maar anderen waren niet zo aardig geweest. Ze hadden haar de vloeren laten boenen en de kachels laten uitvegen, tot de ochtend waarop de weeën waren begonnen. Ze waren met grimmige gezichten bij haar gebleven toen ze tijdens de bevalling had geschreeuwd van de pijn. En op de dag dat ze Evangelina van haar af hadden gepakt, hadden ze haar deur op slot gedaan en haar daar in haar eentje laten huilen.

Hoe ze ook zou bidden en smeken, ze wist zeker dat ze haar niet zouden vertellen aan wie ze haar baby hadden gegeven. Of wie haar de wollen sokjes had uitgetrokken en haar mutsje had afgedaan. De nonnen zouden het nog steeds weten – zij vergaten nooit iets – maar ze hielden hun geheimen geheim. Ergens was een klein meisje dat Evangelina heette, met donker haar en bruine ogen en Carlotta was ervan overtuigd dat ze haar nooit terug zou zien.

De tuinen van Villa Rosa groeiden op aarde die de kleur had van kaneel. Umberto bleef fit en sterk doordat hij de aarde elk plantseizoen omspitte met zijn spade. Al veertig jaar lang had hij de aarde op deze terrassen bewerkt. Hij kon zich de eerste tijd nog wel herinneren, toen de grond vol stenen zat en droog was en hij de planten had moeten verleiden om in zo'n ongastvrije omgeving te wortelen. Zijn vrouw, Mina, had hem geholpen met het cultiveren van de kruiden en de groenten. In de late namiddag, als ze warm en stoffig was, vond ze het heerlijk om van de rotsen af de zee in te duiken. Umberto had haar gesmeekt om voorzichtig te zijn, maar zelfs toen Carlotta nog een baby was, had Mina geweigerd haar zoutwaterbad op te geven.

Elke dag van hun huwelijkse leven hadden ze ruziegemaakt en dat was niet anders geweest op de dag dat ze was verdronken. Umberto herinnerde zich harde woorden en gebroken serviesgoed, maar hij had zich nooit kunnen herinneren waar hun ruzie over ging. Ze was een opvliegend persoontje, zijn Mina, en ook knap. Hun hele leven had zij de touwtjes in handen gehad. Toen zij was overleden en hij in zijn eentje hun aanhankelijke, schuwe kind moest opvoeden, had hij zelf ook wel in zee willen springen om nooit weer boven te komen. In plaats daarvan had hij zichzelf door de jaren heen gesleept: hij werkte in de tuin, zorgde voor het eten en zag toe hoe zijn dochter een verlegen jonge vrouw werd.

Het was bijna een opluchting geweest toen Alessandro zijn aandacht op haar had gericht. Eindelijk was er wat kleur op haar wangen verschenen en Umberto had Carlotta vaker horen lachen dan voor of na die tijd. Hij vermoedde wel dat het meer was dan een gewone vriendschap, maar hij duwde die gedachte opzij en dacht aan andere dingen. Er waren veel tekenen geweest die hij had genegeerd. En toen Carlotta dus naar hem toe was gekomen, met grote ogen en in paniek en hem smeekte om advies, was hij geschrokken, maar niet helemaal verrast geweest.

Hij had de baby die zijn dochter Evangelina noemde nooit gezien. De nonnen hadden overal voor gezorgd en hij was daar dankbaar voor. Carlotta had nachtenlang gehuild, maar hij had geduld met haar gehad en hij was ervan overtuigd dat de tijd alle wonden zou helen. Het duurde even voordat hij zich realiseerde dat ze ergens anders naartoe ging met haar verdriet. Het brak zijn hart, elke keer als hij haar de stenen trap naar de zee af zag rennen. Dan kwam ze terug met rode ogen en zei niets. Maar gevoelens van spijt en schuld losten niets op, want de baby was weg. En het enige wat Umberto kon doen, was dat wat hij altijd al had gedaan: hard werken in de tuin, met zijn schop de gekleurde aarde omspitten, elk seizoen en elk jaar planten en oogsten.

Hij liep met zijn mand naar de lagergelegen rijen hoog opgeschoten tuinbonen en plukte de laatste vette, groene peulen. Misschien kon Raffaella ze vandaag in de keuken gebruiken. Misschien wilde ze ze wel pureren voor een soep of serveren met citroensap, knoflook en plakjes *pancetta*. Of ze kon ze blancheren en doppen en er een salade van maken met brokjes *pecorino* en knapperige rode ui. Of misschien zou ze ze alleen maar fijnstampen met heel veel zwarte peper en een beetje zout.

Hij had het eerst fijn gevonden toen het meisje naar Villa Rosa kwam, want Carlotta had die winter ongelooflijk eenzaam geleken. Maar nu begon hij te twijfelen. Hij hoopte dat Raffaella het te druk zou hebben om problemen te veroorzaken, ondanks al haar goede bedoelingen.

Hij fronste toen hij een stengel van een tuinboonplant afbrak. Het werd tijd de planten eruit te trekken, de aarde om te spitten en opnieuw te beplanten. Je was nooit klaar met je werk in een tuin. Hij keek naar de lange rijen verwelkte planten en probeerde zichzelf wijs te maken dat hij zich niet oud en moe voelde. Hoeveel jaren zou hij nog in deze bruine aarde moeten werken? Hoeveel keren moest hij nog oogsten?

Raffaella pakte haar mand uit en sloeg haar receptenboek open. Vanavond wilde ze absoluut dat de schalen leeg waren als ze terugkwamen in de keuken. Dit diner zou het beste diner zijn dat ze ooit had gekookt. Het eten zou onweerstaanbaar zijn.

Terwijl Raffaella boven de pannen hing, dacht ze na over Umberto en Carlotta en over hoeveel verdriet ze in hun leven hadden gehad. Was het leven maar zo simpel als koken. Ze wilde dat ze een recept had dat haar kon vertellen wat ze moest doen.

Ze zag Carlotta boven aan de trap verschijnen en naar de keuken lopen. Terwijl ze langs de granaatappelboom liep, raakte ze de takken aan. Raffaella wist instinctief waar ze was geweest.

'Je gezicht is een beetje rood,' riep ze. 'Heb je in de zon gezeten?'

Carlotta drukte met haar hand tegen haar wangen en voelde de warmte van haar huid. 'Het was zo heerlijk beneden dat ik er langer ben gebleven dan ik van plan was,' zei ze verontschuldigend. 'Ik had niet door dat het al zo laat was.'

Er hing een vreemde sfeer tussen hen toen ze in de keuken aan het koken en schoonmaken waren. Geen van hen wilde als eerste terugkomen op hun gesprek van de vorige avond.

Raffaella was de eerste die de stilte verbrak. 'Ik blijf maar denken aan je baby en dat er een manier moet zijn om haar terug te vinden.'

'Denk je dat echt?' vroeg Carlotta hoopvol.

Raffaella dacht eraan dat haar moeder en Umberto hadden geprobeerd haar te ontmoedigen. 'Natuurlijk denk ik dat,' zei ze koppig. 'We hoeven alleen maar te verzinnen hoe we dat moeten doen.'

'Hoe moeten we dan beginnen?'

'Met de nonnen. Een andere mogelijkheid is er niet. Een van hen moeten we toch kunnen overhalen om ons iets te vertellen?'

Carlotta dacht hierover na. 'Herinner je je zuster Benedicta nog?' vroeg ze aarzelend.

'Ja, natuurlijk. Ze gaf les op school. Volgens mij doet ze dat nog steeds.'

'Ze heeft me altijd vriendelijk behandeld. Op een keer, jaren geleden al, kwam ik haar tegen op de *piazza*. Ze bleef staan om met me te praten en toen durfde ik naar Evangelina te vragen.'

'En, wat zei ze?'

'Niet veel. Alleen maar dat ze heel gelukkig was en dat ze een goede moeder had en heel veel zusters.'

'En hoe zit het met haar vader?'

'Dat heb ik haar ook gevraagd en toen gaf ze een heel gek antwoord…'

'Ja?'

'Ze zei: "God is haar vader, Carlotta", en dat was dat, toen liep ze snel weg.'

'God is haar vader,' herhaalde Raffaella. 'Ik neem aan dat ze bedoelde dat haar vader was overleden en dat God nu voor haar zorgde.'

'Ja, dat denk ik wel.' Carlotta leek niet overtuigd. 'Maar de manier waarop ze dat zei was vreemd, en toen liep ze snel weg alsof ze er spijt van had dat ze iets had gezegd.'

'Nou, dan moeten we maar met zuster Benedicta beginnen. We kunnen maar het beste naar school gaan en kijken of we haar kunnen vinden.'

'Wanneer?'

Raffaella deed haar schort af, draaide het gas uit en deed de deksels op de pannen.

'Laten we nu maar gaan. Kom op, ik start de Vespa alvast, dan kun jij je hoed pakken. We zijn zo weer terug. Je vader zal waarschijnlijk niet eens merken dat we weg waren.'

De school van Triento stond aan de rand van het stadje, naast de kerk van Santa Trinità. Het was een oud gebouw met grote bomen en hoge muren eromheen. Toen ze het gietijzeren hek openduwde, zag Raffaella dat er niet veel was veranderd. Er waren nog steeds lage bankjes onder de bomen en een grasveld waar de jongens konden voetballen.

Net zoals de meeste meisjes in Triento was Raffaella van school gehaald toen ze dertien was. Ze had het fijn gevonden om weg te gaan. De zonnestralen kwamen zelden voorbij de schaduwen van de bomen en het gebouw was vochtig en duister. Ze herinnerde zich dat ze zich hier gevangen had gevoeld, ingesloten door tafeltjes en schoolborden en ontzettend bang voor de besnorde gezichten van de nonnen die de school leidden.

Hun voetstappen echoden toen ze door de gang liepen, langs de kluisjes en de toiletten, op zoek naar zuster Benedicta. Raffaella rilde, want de school rook zelfs nog hetzelfde, naar kleine kinderen en muffe boeken en het spul dat ze gebruikten om de klassen aan het einde van de schooldag mee schoon te maken.

'Ik haatte het hier,' siste ze.

'Ik ook,' fluisterde Carlotta.

Ze vonden het klaslokaal van zuster Benedicta helemaal achter in het schoolgebouw. Het was het vrolijkste lokaal van allemaal, dankzij de schilderijen en wandkleden die ze aan de muren had gehangen. Een groepje kleine kinderen zat rustig aan hun tafeltjes en de non stond bij het schoolbord met een krijtje in de hand hun iets uit te leggen.

Raffaella en Carlotta bleven buiten het lokaal staan wachten tot zuster Benedicta de bel pakte die op haar bureau lag en drie keer luidde ten teken dat de les afgelopen was. De kinderen pakten hun boeken en schooltassen en daarna was het lokaal gevuld met het geluid van hoge opgewonden stemmetjes.

'Rustig, rustig, niet rennen,' riep de non hen achterna toen haar leerlingen de gang op renden.

Zuster Benedicta was niet veel veranderd. De jaren hadden haar gezicht verzacht en toen ze naar Carlotta en Raffaella glimlachte, verschenen er allemaal rimpeltjes rondom haar ogen. Maar ze was nog steeds mooi en haar eenvoudige donkerblauwe habijt en witte sluier konden dat niet helemaal verhullen.

'Hallo, wat doen jullie hier? Jullie willen me toch niet vertellen dat jullie na al die jaren besloten hebben dat je toch nog iets wilt leren?' De non glimlachte weer naar hen. Haar stem was warm, en haar blik bemoedigend en open. Toch wist Raffaella niet goed hoe ze moest beginnen. Ze voelde zich weer een kind, onhandig en zwak.

'Ik... ik... ik dacht.' Ze struikelde over haar woorden. Blozend wendde ze zich tot Carlotta. 'Vertel zuster Benedicta waarom we hier zijn.'

Carlotta bleef vreemd kalm. 'We zijn hier omdat ik al heel lang heel ongelukkig ben en ik dacht dat u me misschien kon helpen,' zei ze met een heldere, vaste stem.

De glimlach verdween van het gezicht van de non en ze leek op haar hoede. 'Ik begrijp het niet. Hoe kan ik je helpen?' vroeg ze, maar Raffaella wist zeker dat ze al wist wat ze wilden.

'Ik ben al heel lang ongelukkig,' herhaalde Carlotta. 'Het enige waar ik aan kan denken, is mijn dochter, Evangelina. Als u me iets zou kunnen vertellen over wat er met haar is gebeurd, wat dan ook maar, dan zou ik u heel dankbaar zijn. Ik wil haar alleen maar zien, om zeker te weten dat het goed met haar gaat. Ik weet wel dat ze nu een andere moeder heeft, maar als ik haar nog één keer zou kunnen zien, zou ik me een beetje beter voelen.'

De non schudde haar hoofd. 'Je weet dat ik je niets mag vertellen. Je hebt je baby opgegeven, Carlotta. Dat was het beste, geloof me. Het enige wat ik je kan vertellen, is dat Evangelina gelukkig is en gezond. Je hoeft je geen zorgen om haar te maken.'

'Ziet u haar wel eens?' vroeg Carlotta gretig.

Zuster Benedicta voelde aan het kruisje dat om haar hals hing. 'Ik heb haar gezien, ja. Dat is zo.'

'Ze woont hier dus in de buurt? Zit ze hier op school? Is ze een van uw leerlingen?'

'Nee, nee. Hou alsjeblieft op, Carlotta. Dat mag je me niet vragen, want ik mag je vragen niet beantwoorden.'

'Vertelt u me dan alstublieft één ding. Woont ze in een goed gezin?'

De non aarzelde. 'Het zijn heel gelovige mensen, goede katholieken die veel bidden en hard werken,' zei ze omzichtig. 'Er is helemaal geen reden voor om je ongelukkig te voelen, want je mag erop vertrouwen dat ze goed voor je dochter zorgen, fysiek en psychisch.'

'Ik begrijp niet waarom ik haar niet mag zien. Als ik nu eens naar het klooster zou gaan en met de moeder-overste zou praten? Denkt u dat zij me zal helpen?' Carlotta's stem trilde. 'Ik ben ook heel gelovig. Ik bid elke dag voor mijn dochter.'

Zuster Benedicta's hand sloot zich om het kruisje dat op haar borst hing en ze hield het stevig vast. 'Ga niet naar het klooster, Carlotta. Daar ben je niet welkom,' zei ze snel.

'Maar als ik…'

'Ga niet naar het klooster,' herhaalde de non. Ze verzamelde de boeken en papieren op haar bureau en verliet het klaslokaal toen even snel als haar leerlingen hadden gedaan. Bij de deur draaide ze zich nog even naar hen om en zei zacht: 'Het spijt me. Vergeef me.'

Het was heel stil in het lokaal toen ze was vertrokken. Carlotta ging op een stoeltje zitten en sloeg haar handen voor haar gezicht. Raffaella pakte een krijtje en begon iets op het schoolbord te schrijven.

'Dat was hopeloos. We zijn niets te weten gekomen,' zei Carlotta ten slotte met een verdrietige, gedempte stem.

'Dat ben ik niet met je eens. Volgens mij weten we nu heel veel.'

'Hoe bedoel je?' Carlotta keek op en las de woorden op het schoolbord. 'Wat heb je opgeschreven?'

'De dingen die we over Evangelina weten. Alle aanwijzingen die we hebben. Lees dit eens en vertel me dan wat je denkt.'

Carlotta keek naar de woorden en las ze toen hardop voor. 'Ze woont in een heel groot huis, ergens in de buurt van Triento, met veel mensen die van haar houden. Ze heeft een moeder en heel veel zusters. God is haar vader. En haar hele familie bestaat uit gelovige katholieken.'

Raffaella veegde het schoolbord schoon. 'Waar in Triento kun je een heel groot huis vinden vol met vrouwen die veel bidden?' vroeg ze en zag een verbaasde blik op Carlotta's gezicht verschijnen.

'Het klooster?'

Raffaella knikte. 'Volgens mij is je dochter daar nog steeds.'

'Maar waarom dan? De nonnen zouden een gezin voor haar zoeken dat voor haar zou zorgen.'

'Dat weet ik niet. Ik begrijp het ook niet.'

'Laten we er nu naartoe gaan.' Opgewonden sprong Carlotta op. 'Laten we gaan en Evangelina opzoeken.'

'Nee, wacht! We kunnen er niet zomaar naartoe gaan en vragen of we haar mogen zien. Dan sturen ze ons toch maar weg.'

'Wat moeten we dan doen?'

Raffaella fronste. 'Ik heb tijd nodig om na te denken. En ik moet een maaltijd klaarmaken. We kunnen beter teruggaan naar Villa Rosa. Kijk niet zo teleurgesteld, Carlotta. Ik ben ervan overtuigd dat we haar zullen vinden. Je moet de moed niet opgeven.'

Ze reden terug naar Villa Rosa. Carlotta had haar armen om Raffaella's taille geslagen en haar warme lichaam tegen haar aan gedrukt. Ze leek geluk uit te stralen. Maar toen Raffaella haar Vespa om de kuilen en bochten stuurde, dacht ze aan alles wat ze moest doen om het avondeten perfect te maken.

Ze was opgelucht toen ze bij de poort van Villa Rosa aankwam. Raffaella zag dat de zon al in de zee begon te zakken. Ze bracht de Vespa tot stilstand en rende via de binnenplaats naar de keuken.

Claudia en haar moeder zaten aan de tafel die vlak bij de keukendeur stond. Ze hadden drankjes en schaaltjes met noten en olijven gepakt. Raffaella zag dat Claudia haar haar had gedaan en zich heel fraai had opgemaakt. Ze zag er prachtig en verveeld uit.

'Eduardo is nog niet terug,' zei ze pruilend. 'Ik hoop dat hij gauw komt. We hebben hem uitgedaagd voor een spelletje kaart, hè, mamma?'

'Als het donker begint te worden zal hij wel komen,' zei Raffaella. 'Maar ik moet het diner voorbereiden. Ik ben al laat.'

Olivia leek geen trek te hebben. 'Volgens mij hebben we wel genoeg aan een salade en wat mozzarella,' zei ze opgewekt.

Claudia haalde haar schouders op. 'Maar Eduardo heeft misschien wel honger, mamma. Mannen eten meestal meer dan wij, dus laat haar toch koken,' zei ze en begon toen weer in haar tijdschrift te bladeren.

Raffaella rolde wat pasta uit die ze wilde klaarmaken met een saus van zwaardvis, tomaten en kruiden. Ze glaceerde een eend met granaatappelsiroop en braadde hem met rode sinaasappels en bittere ui. Ze maakte een salade van knapperige geschaafde venkel en gerookte *pecorino*. Ze stoomde een paar kleine artisjokken die Umberto uit de tuin had gehaald langzaam met olijfolie en bestrooide ze met kappertjes, knoflook, peterselie en zwarte olijven.

Net toen Raffaella begon te vrezen dat ze het eten niet langer goed kon houden, zag ze de koplampen van Eduardo's auto.

'Hij is er,' zei ze tegen Carlotta. 'Kom op, we laten hem één *aperitivo* drinken en dan wil ik dat je het eten opdient.'

Het was warmer die avond en Eduardo duldde geen tegenspraak. Ze aten buiten in de schaduw van de bergtop waar hij de hele dag bezig was geweest om zijn dromen over het standbeeld een paar stappen dichterbij te brengen.

'Ik ben kapot,' zei hij. 'Laten we ons hier ontspannen, lekker eten en een glas wijn drinken. En daarna vroeg naar bed.'

'En nog even kaarten,' zei Claudia. 'Dat heb je beloofd.'

'Goed dan, één spelletje, maar je moet lief voor me zijn, want ik heb vandaag hard gewerkt.'

Raffaella bracht plaids naar buiten zodat ze het niet koud zouden krijgen en stak lantaarns aan om op tafel te zetten.

In het zachte licht zag Claudia er bijzonder knap en meisjesachtig uit. Raffaella realiseerde zich dat ze Eduardo wilde aanraken, zijn mouw vastpakken of hem even strelen als ze langs hem heen liep. Ze keek een andere kant op. Ze kon haar aandacht maar beter bij het eten houden in plaats van toegeven aan haar emoties.

Zelfs Olivia at zwijgend. Maar zij was de eerste die iets zei: 'Dit eten is verrukkelijk.'

De anderen vielen haar bij. 'Het is verrukkelijk,' beaamde Eduardo.

'Zoiets lekkers heb ik nog nooit geproefd,' zei Claudia verbaasd.

Raffaella had hun borden vol geschept en die aten ze leeg en vroegen om meer. Er druppelde wat granaatappelsaus langs Claudia's kin en maakte vlekken op haar strakke witte truitje, maar ze leek het niet erg te vinden. Olivia pakte een eendenbout van haar bord en likte eraan en beet erin, om het laatste restje zoet vlees van het bot te kunnen trekken. Eduardo depte met een stukje brood de laatste druppel saus van zijn bord.

'Verbazingwekkend,' zei hij. 'Maar nu kan ik niet meer.'

Carlotta haalde de borden weg en Raffaella zag tot haar genoegen dat ze allemaal leeg waren. Ze gunde hun wat tijd om te praten en hun wijn op te drinken. Toen liet ze nog meer eten naar buiten brengen: een noten-chocoladetaart, *biscotti* met amandelen erdoor, fruit en kaas, en kopjes sterke espresso.

Gretig stak Claudia haar lepel in de taart en snoepte van de knapperige *biscotti*. Olivia kon de kaas niet laten staan en at ervan met het lekkerste olijfbrood dat Silvana verkocht.

Toen de maan boven Eduardo's bergtop hing, hadden ze allemaal hun bestek laten vallen, leunden achterover in hun stoel en wreven over hun volle maag.

'Ik heb te veel gegeten,' gromde Claudia.

'Ik ook.' Olivia zag er bleek uit in het licht van de lamp. 'Ik denk dat ik maar even ga liggen.'

'Waarom gaan jullie allebei niet even liggen?' stelde Eduardo voor.

'Dan gaan we morgenavond wel kaarten. Ik ga hier even op het muurtje een sigaar roken en dan ga ik ook naar bed.'

Claudia onderdrukte een geeuw. 'Nee, nee. Ik hou je gezelschap als je nog even een sigaar rookt. Het is ongezond om vlak na het eten te gaan slapen. En trouwens, ik heb je de hele dag nog niet gezien. Ik zou het wel leuk vinden om nog even te kletsen.'

Raffaella hing boven de gootsteen met de vuile vaat en hoopte dat Claudia van gedachten zou veranderen. Zij was degene die behoefte had om met Eduardo te praten. Zij had de hele winter haar woorden moeten opsparen en had het gevoel dat ze dit niet lang meer zou kunnen volhouden.

Ze mompelde: 'Ga naar bed, ga naar bed.'

Raffaella boende de borden en de pannen schoon. Zonder op te hoeven kijken wist ze dat Eduardo op het muurtje bij de jonge granaatappelboom was gaan zitten en dat Claudia achter hem aan was gelopen. De zoete kruidige geur van zijn sigaar bereikte haar neus en ze hoorde hun stemmen ook al kon ze niet langer verstaan wat ze zeiden. Misschien vertelde Eduardo haar wel het verhaal van de granaatappelboom en dat Pluto Persephone overhaalde om de vrucht te eten, zodat ze hem niet voor altijd kon verlaten. Raffaella wilde niet jaloers zijn, maar ze kon er niets aan doen.

De laatste pan was afgedroogd en hing aan zijn haakje aan de muur. Raffaella boende een paar niet-bestaande vetvlekken van het fornuis. Er was al bijna geen reden meer om nog langer te blijven.

Toen ze haar schort af deed en het licht uit wilde doen, hoorde ze gegiechel. Nu zag ze twee oranje stipjes onder de granaatappelboom. Eduardo had ook een sigaar voor Claudia opgestoken en nu deed ze net alsof ze hem rookte.

Raffaella bleef in de deuropening staan en zag dat het meisje een trekje van de sigaar nam, en toen nog een. Ze begon te hoesten en wapperde de rook bij haar gezicht vandaan met haar hand en wilde de sigaar aan Eduardo geven.

'O nee, ik vind er niets aan. Ik krijg er een raar gevoel van.' Ze kreeg een nieuwe hoestbui en klonk gegeneerd toen ze uitgehoest was. Daarna hield ze de sigaar een heel stuk bij haar gezicht vandaan tot de punt niet langer oranje gloeide en de as op de grond viel.

'Ik ga nu maar eens naar bed,' zei ze met een gedwee, nog steeds gegeneerd stemmetje. 'Tot morgenochtend. Misschien heb je tijd om een kopje koffie met me te drinken voor je naar je werk gaat.'

Eduardo was blij dat ze wegging. Hij stak haar sigaar weer aan en nam een lange trek. Hij bleef omhoogkijken, naar de bergtop, en stelde zich voor dat het standbeeld er stond.

Nu, dacht Raffaella, dit was haar kans. Ze was zenuwachtig, maar dwong haar voeten om naar voren te lopen, uit de veiligheid van de keuken.

'Misschien was het na al dat eten niet zo'n goed idee om haar een sigaar te geven,' zei ze zacht.

Ze zag dat Eduardo naar haar keek en hoorde hem lachen. 'Dat was een heerlijke maaltijd, Raffaella, maar je hebt gelijk: we zijn te gulzig geweest en de dames moeten er nu voor boeten.'

Ze zat vlak naast hem op het stenen muurtje. 'Ik heb het speciaal voor u klaargemaakt. Ik heb er de hele winter over nagedacht wat ik voor u kon koken.'

Hij gaf geen antwoord. Misschien was hij gewoon in gedachten. Of misschien was de oude intimiteit verdwenen, net als de oude granaat-appelboom. Raffaella wist het niet.

'Hoe gaat het met het standbeeld?' vroeg ze ten slotte.

'Het standbeeld?' Opeens leek hij enthousiast. 'Dat gaat best goed, maar ik kan je wel vertellen dat ik de afgelopen maanden regelmatig wanhopig ben geweest. Het is niet zo eenvoudig om in dit land dingen voor elkaar te krijgen. Je moet wel de juiste mensen kennen.'

'In Amerika is dat toch net zo?'

Met een droog lachje zei hij: 'Nee, het lijkt niet op zakendoen in Amerika. Hier is het net alsof er een hele serie regels bestaat die iedereen kent behalve jij. Ik was net van plan om ermee op te houden toen ik Luciano Barbieri ontmoette.'

'Is dat de eigenaar van Villa Rosa?'

'Ja, dat klopt. Hij heeft hier familie in de bouw. Toen ik hem vertelde met welke problemen ik kampte, heeft hij even met de juiste mensen gesproken. Het is verbazingwekkend hoeveel dat heeft uitge-maakt. Opeens kwam er wel schot in.'

Raffaella voelde zich gelukkiger. Hij nam haar weer in vertrouwen. Het voelde niet langer alsof ze vreemden voor elkaar waren.

'Het gaat dus soepeltjes allemaal, dat is goed,' zei ze.

Eduardo fronste. 'Nou, niet bepaald. Er gebeuren vreemde dingen hier. De opzichter zegt dat een paar van hun spullen zijn verplaatst en de ingenieur schijnt te denken dat iemand hier bezig is geweest. Maar ik weet het niet, hoor, misschien verbeelden ze het zich maar.'

'Er zijn hier wel mensen die tegen het standbeeld zijn, weet u nog?' Raffaella voelde dat er problemen kwamen. 'U kunt maar beter voorzichtig zijn, *signore.*'

'O, maar we hebben wat geld in de juiste zakken gestopt, dus je hoeft je geen zorgen te maken.'

'Dat bedoelde ik niet...' zei ze, maar hij luisterde niet.

'Wacht maar tot je het ziet, Raffaella. Het wordt prachtig.' Hij praatte luider nu hij enthousiaster werd. 'Zelfs de mensen die denken dat ze er tegen zijn, zullen moeten toegeven dat ze zich hebben vergist. Niemand heeft zoiets ooit gezien. De priesters blijven maar praten over het standbeeld in Rio. Tja, dit standbeeld wordt misschien niet zo groot, maar het wordt wel veel mooier: modern, zuiver en krachtig. Als het klaar is, lijkt het net alsof God het zelf boven op de berg heeft neergezet.'

Zijn enthousiasme was aanstekelijk en Raffaella glimlachte. 'Ik kan niet wachten tot het klaar is.'

'Ja, maar je moet nog wel even wachten. Eerst moeten we de weg aanleggen, weet je nog? We moeten die berg temmen voordat we erop kunnen bouwen. We moeten dus geduld hebben, Raffaella, maar het zal de moeite waard zijn, dat beloof ik je.'

Hij vermorzelde de rest van zijn sigaar met zijn hak en stond op. 'Nu ga ik naar bed. *Buonanotte*, Raffaella.'

'*Buonanotte, signore.* Slaap lekker.'

Raffaella bleef nog even zitten toen hij weg was. Ze voelde zich zonder aanwijsbare reden gelukkig. Eduardo had gezegd dat het project nog wel wat tijd in beslag kon nemen. Dat betekende dat ze nog de hele zomer in Villa Rosa voor hem zou kunnen koken en misschien zelfs nog wel langer.

Ze keek op naar de sterren aan de nachtelijke hemel. Morgen zou ze *gnocchi* maken en ze wilde een stuk varkensvlees marineren in granaatappelsiroop, citroensap en knoflook, en het dan in de oven in zijn eigen sappen bakken. Ze zou *baccalà* in water koken en de zoute vis daarna bestrooien met chilipepertjes en zoete paprika. Ze wilde inktvis bakken en vullen met kruiden, en wat verse bonen koken met fijngesneden lente-uitjes en stukjes bacon. Vanavond was het eten dan misschien goed geweest, morgen zou het een feest zijn.

32

Het eerste wat Raffaella zag toen ze op haar Vespa Triento binnenreed, was de commotie op de *piazza*. Francesca Pasquale, de verkeersagent, had haar pet scheef op haar hoofd staan en het fluitje dat altijd om haar hals hing, was losgetrokken. Ze stond tegen iemand aan te duwen en te roepen. 'Volg de regels van onze stad op, *signore*, gehoorzaam de regels.'

'Wat is er aan de hand?' Raffaella bleef naast Patrizia Sesto staan die met grote ogen en wijd open neusgaten naar de discussie keek.

'Het is een schande. Die vreemdeling weigerde zijn auto te verplaatsen toen Francesca op haar fluitje blies.'

'Wie is het?'

'Iemand uit het noorden die hier is om aan dat vervloekte standbeeld te werken, volgens mij. En Francesca heeft gelijk. Als hij met zijn auto naar ons stadje komt, moet hij zich aan onze regels houden…'

De rest van haar woorden werd overstemd. Francesca had haar fluitje van de grond opgeraapt en floot nu met lange halen naar de vreemdeling die terug schreeuwde en met zijn armen zwaaide.

'Ik zei toch al dat dit standbeeld voor problemen zou zorgen?' zei Patrizia later toen de vreemdeling eindelijk weg was gereden. Francesca rende luid fluitend achter hem aan, terwijl de tranen over haar wangen stroomden.

Raffaella was afgeleid toen ze Fabrizio Russo ontdekte die bij de menigte stond. Hij had een vreemde uitdrukking op zijn gezicht. Hij keek naar haar, ving haar blik en keek toen een andere kant op.

'Het standbeeld wordt heel mooi,' mompelde ze tegen Patrizia. 'Je zult er wel anders over gaan denken als je het ziet.'

Ze keek dezelfde kant op als Fabrizio en zag waar hij naar stond te kijken. Er was nog een ruzie gaande op de *piazza*, rustiger weliswaar, maar met evenveel agressie. Stefano Russo stond met zijn hoofd dicht bij dat van haar vader Tommaso, vlak bij de steeg die naar de Gypsy Tearoom leidde. Zijn gezicht was rood en er klopte een ader op zijn voorhoofd. Raffaella kon niet verstaan wat ze zeiden, maar ze zag dat Stefano zijn vinger had opgestoken en die voor haar vaders gezicht heen en weer zwaaide om zijn woorden te benadrukken.

Ze keek weer naar Fabrizio en ontdekte dat hij naar haar keek. Deze keer wendde hij zijn blik niet af, maar bleef haar aankijken.

'Mooi? Dat moet ook wel, als je nagaat hoeveel het de stad gaat kosten.' Patrizia had het nog steeds over het standbeeld. 'Als het tenminste ooit wordt gebouwd. Ik heb over sabotage horen praten.'

'Sabotage?' Raffaella wendde haar blik van Fabrizio af. 'Wat bedoel je?'

'Er zijn dingen kapotgemaakt en er zijn dingen weg.'

'Op de berg?'

'Ja.'

'Wie heeft dat gedaan?'

'Dat weet ik niet, dat kunnen heel veel mensen hebben gedaan. Sommigen zeggen dat je vader het heeft gedaan.'

Raffaella keek naar de steeg, maar haar vader en Stefano Russo waren weg. Ze keek achterom, maar ook Fabrizio was weg.

'Zoiets zou mijn vader nooit doen,' zei ze tegen Patrizia.

'Hij is altijd tegen dat standbeeld geweest. Hij was de eerste die daar open over was.'

'Ja, hij was ertegen, maar hij zou het nooit saboteren.'

Patrizia haalde haar schouders op. 'Ik vertel je alleen maar wat de mensen zeggen. Als je het niet leuk vindt wat je hoort, dan moet je er niet naar luisteren.'

Raffaella zag dat de gele hond zijn kop om het hoekje van de steeg stak. Dat moest betekenen dat Ciro al aan het werk was in de Gypsy Tearoom. Ze sprong van haar Vespa en reed hem voorzichtig de steeg in, met de hond achter zich aan.

Ciro en haar vader waren naast elkaar aan het werk, hout aan het zagen en timmeren. Hun kleren waren stoffig en het zweet droop langs hun lichaam.

'Papà,' riep Raffaella.

'*Cara*, kom je onze lunch brengen? Dat is wel een beetje vroeg.' Haar vader glimlachte naar haar en Ciro draaide zich om en glimlachte ook.

'Nee, ik werk niet meer in de bakkerij, dat weet je toch? Ik werk nu weer in Villa Rosa, ik kook voor de *americano*.'

Tommaso knikte. 'Dat is ook zo, dat was ik even vergeten. Natuurlijk.'

'Wat zei Stefano Russo zonet tegen je, papà?'

'Waar heb je het over?'

'Ik zag jullie op de *piazza*. Het leek alsof jullie ruziemaakten.'

Haar vader haalde zijn schouders op. 'Ach, je kent Russo. Hij vindt het leuk iemand de wet voor te schrijven. Denkt zeker dat ie belangrijk is of zo.'

'Maar wat zei hij dan?'

Haar vader lachte alleen maar, pakte zijn hamer en ging weer aan het werk.

Raffaella keek met verbazing naar de Gypsy Tearoom. Er was niets meer te zien van de brand die het pand had vernietigd. De bouw was bijna klaar en het zag er al bijna weer zo uit als vroeger.

'Kom even binnen kijken,' zei Ciro. 'We zijn een bar aan het bouwen en een paar banken, en dan zijn we al bijna klaar. Ik geef een feest op de openingsavond, kom je ook?'

'Natuurlijk kom ik. Dat zou ik heel leuk vinden.' Ze bleef staan en keek om zich heen. De zaak zag er vanbinnen heel anders uit. De oude pizzaoven was het enige dat nog hetzelfde was. De spiegels en de prachtige oude tegels waren weg, vernietigd door de brand, en nu waren de muren stralend wit.

'De banken die we hebben gemaakt, zetten we langs de muren en er komt één lange tafel te staan waar iedereen aan kan zitten,' vertelde Ciro. 'Ik zet er karaffen water en wijn op zodat de mensen zichzelf kunnen inschenken. Dan kunnen ze bijna denken dat ze thuis zitten te eten.'

'Het wordt heel mooi.'

Ciro keek spijtig. 'Maar het wordt niet meer zoals het was.'

'Misschien wordt het wel beter dan het was,' zei ze en keek met verbazing in het rond. Het restaurant was helder en licht. 'Nu moet ik weg, maar ik kom echt op je feest. Dat zou ik niet willen missen.'

Raffaella realiseerde zich dat het al laat was. Ze ging meteen naar de bakkerij en zag Silvana achter de toonbank staan.

'Is mamma er niet?' vroeg ze.

'Nee, vandaag niet. Ze is doodmoe, dat arme mens. Ik kan het trouwens wel alleen af. Jullie hebben me door de ergste tijd heen geholpen.'

Raffaella zag dat de planken vol lagen met broden in allerlei vormen en maten. De bakkerij leek chaotischer dan ooit.

'Ik wil je een gunst vragen, Silvana. Heb je nog wat brood over dat ik mee mag nemen?'

'Ja, natuurlijk. Geef je een feestje?'

'Nee, ik heb het ergens anders voor nodig.' Raffaella overwoog heel even om Silvana in vertrouwen te nemen, maar besloot het niet te doen. 'Ik wil iemand helpen en daar heb ik brood voor nodig, zoveel als ik kan krijgen.'

'Wat doe je geheimzinnig. Neem je onze *americano* en zijn vrienden mee de berg op om te lunchen?' Silvana kneep haar ogen tot spleetjes. 'Want als dat zo is, hij kan het wel betalen, hoor.'

'Nee, het is iets heel anders. Ik ben bezig Carlotta te helpen, maar het spijt me, het is beter als ik niet meer vertel.'

Ze bond het pakket brood zorgvuldig op de bagagedrager van haar Vespa en reed de stad uit. Ze nam niet de kustweg terug naar Villa Rosa, maar sloeg de weg bergopwaarts in, die naar het klooster leidde. De motor van de Vespa gilde klagend, maar ze zette door.

Hierboven was het koeler en Raffaella wilde dat ze een trui had aangetrokken. Ze rilde toen ze de scooter naast de hoge kloostermuren neerzette. In de kieren van de oude stenen muur groeiden mossen en grassen, en ze waren zo dik en stevig gebouwd dat er geen geluid naar buiten drong. Vlak bij haar was een non aan het schoffelen in de moestuin van het klooster, maar Raffaella hoorde niet dat het metaal de stenen in de grond raakte of dat de non aan het neuriën was. Achter deze muren kon men een kind verstoppen en niemand zou het weten. Er kwamen maar weinig mensen naar het klooster en de mensen die dat wel deden, mochten nooit ver naar binnen. Vlak achter de hoofdpoort was een klein vertrek voor bezoekers, en alleen de priesters mochten daar voorbij.

Raffaella pakte haar pakket met brood en trok aan de bel die naast de poort hing. Niemand reageerde. Toen ze niet langer wilde wachten, belde ze weer aan. Eindelijk werd de poort opengedaan door een kleine, geïrriteerde non met een bril met een zilveren montuur.

'Wie ben je en waarom verstoor je onze rust deze ochtend?'

'Ik kom het brood van de bakkerij afleveren.'

'Brood?' De oude non leek in de war.

'Ja, er is een bestelling gedaan,' zei Raffaella. 'Misschien was er vandaag wel extra brood nodig. Of misschien is de kok ziek.'

De non leek nu nog geïrriteerder. 'Nou, als dat zo is heeft niemand mij er iets over verteld. Kom maar binnen en wacht hier, dan ga ik het even uitzoeken.'

Het was kil in het kamertje waar Raffaella naartoe werd gebracht. Het was schaars gemeubileerd: er stond een bank waar je op kon zitten en er hing kaal houten kruis aan de muur. Maar iemand had een vaas met verse wilde bloemen op de vensterbank gezet en Raffaella dacht dat ze diep in het gebouw gezang hoorde.

Ze legde haar pakket met brood op de bank en waagde zich het vertrek uit. Ze duwde de deur open die naar het hoofdgebouw leidde. Hoewel het vrij donker was, kon ze lange, sierlijke kruisgangen zien en een kleine binnenplaats voorbij de bogen. Het gezang klonk gekweld en schitterend. Het werd luider en hield toen op en ze hoorde een hoog, meisjesachtig lachje.

'Wat doe je?' De non was terug. 'Je hoort hier niet te zijn.'

'Ik dacht dat ik een kind hoorde lachen,' zei Raffaella.

De non keek haar even scherp aan. 'Ook al dacht je dat, toch hoor je hier niet te zijn. Ik heb het nagevraagd en niemand heeft bij de bakkerij in de stad brood besteld.'

'Dat is vreemd. Weet u het zeker?'

'Ja, heel zeker.' De kleine oude non greep haar stevig beet en vond kennelijk dat Raffaella moest vertrekken. 'We hebben geen extra brood nodig en de kok is niet ziek.'

'Maar ik heb dit hele eind gereden…' klaagde Raffaella toen het pakket weer in haar handen werd geduwd.

'We bestellen nooit brood in de stad. We bakken altijd ons eigen brood.' De non keek haar nog een keer scherp aan. 'Het spijt me, maar je bent voor niets gekomen.'

Toen ze op haar Vespa de steile heuvel af reed, was Raffaella er meer dan ooit van overtuigd dat de nonnen iets verborgen. Zij en Carlotta moesten een manier bedenken om het klooster in te komen. Maar hoe? Ze konden de muren niet neerhalen of de deuren inslaan. Ze probeerde wanhopig een manier te verzinnen.

De lucht voelde warmer aan toen ze beneden was aangekomen en met een opgelucht gevoel reed Raffaella terug naar Villa Rosa.

33

Carlotta was in de tuin. Ze hielp haar vader met het uittrekken van
de oude tuinboonplanten. De aarde was nog steeds zacht en liet de
wortels zonder al te veel strijd los. Ze gooide de oude planten in een
kruiwagen en bracht ze naar haar vader die een vuurtje had gestookt
van een aantal heel oude takken.

'Gooi ze er maar op,' zei Umberto.

'Maar dan gaat het roken,' waarschuwde ze.

'Jawel, maar het vuur is al heel heet. Dan drogen ze wel uit en verbranden ze.'

Umberto vond niets leuker dan een vuurtje stoken. Hij was dol
op de geur van de rook die over de tuin waaide en de nevel die het
veroorzaakte. Hij vond het heerlijk om er maar zo'n beetje bij te staan,
er met een stok in te prikken en nergens aan te denken.

'Gooi ze erop, gooi ze erop,' zei Umberto nog een keer. Hij zag dat
de vlammen bijna doofden toen de groene planten erop terechtkwa-
men en keek toen tevreden toe hoe de stengels begonnen op te krullen
en de blaadjes verschrompelden. Algauw waren de planten zwart en
uitgedroogd, en spatten er vonken de lucht in.

De zon op Carlotta's rug was warm en het vuur verwarmde haar
gezicht. Ze stapte een paar passen naar achteren en rustte even uit.

'Blijf daar niet staan. Haal nog meer.'

Met een zucht greep ze de handvatten van de kruiwagen en ze
vroeg zich af waar Raffaella was. Ze was de vorige avond laat naar bed
gegaan en die ochtend al vroeg vertrokken. Carlotta had de motor van
de Vespa gehoord en door het raam kon ze nog net zien dat Raffaella
de heuvel op reed. Dat was al uren geleden en ze was nog steeds niet
terug.

Carlotta bracht weer een armvol planten naar haar vader en keek toe hoe hij ze op het vuur gooide. Raffaella had haar gezegd dat ze geduld moest hebben, maar dat was niet gemakkelijk. Het idee dat haar kind al die tijd achter de kloostermuren had gewoond, was afschuwelijk. Ze deed haar best ergens anders aan te denken, maar slaagde daar niet in. Ze bleef er maar aan denken.

Ze was opgelucht toen ze de motor van de Vespa hoorde loeien en Raffaella door het hek aan zag komen. Carlotta liet de kruiwagen staan en rende naar haar toe.

'Waar heb je gezeten?'

Raffaella keek naar Umberto, maar hij stond over zijn vuur gebogen, zich nergens van bewust.

'Ik was bij het klooster.'

'Zonder mij?' Carlotta was verbijsterd.

'Sst, wacht. Kom mee naar de keuken. Ik moet je iets vertellen.'

Carlotta wilde Raffaella wel door elkaar schudden om de informatie uit haar te trekken. 'Wat is er gebeurd? Wat ben je te weten gekomen?' vroeg ze zodra ze in de keuken waren.

'Ik weet zeker dat ze daar is. Volgens mij heb ik haar gehoord.'

'Hoe ben je binnengekomen?'

'Ik heb net gedaan alsof ik brood moest afleveren. Ik ben maar heel even binnen geweest en heb niet veel gezien, maar ik heb een kind horen lachen.'

Carlotta liet zich op een keukenstoel zakken. 'Hoe kan ik daar binnenkomen?'

'Dat weet ik niet. Daar heb ik de hele terugweg aan gedacht, maar ik heb geen idee.'

'Ik zou net kunnen doen alsof ik weer zwanger ben en wil zien of ze me weer willen opnemen,' opperde Carlotta.

Raffaella schudde haar hoofd. 'Daar heb ik over nagedacht, maar dat gaat niet lukken. Als ze Evangelina daar echt verstoppen, dan ben jij de laatste persoon die ze binnen zullen laten.'

'Maar waarom zouden ze haar daar houden? Waarom zouden ze haar niet aan een fijn gezin geven, zoals ze hebben gezegd?'

'Daar heb ik ook over nagedacht. Als er nu eens geen goed gezin voor haar was toen ze geboren is? Misschien wilden ze haar wel houden tot ze wel een passend gezin vonden. En zijn de jaren verstreken en konden ze het idee dat ze weg moest niet verdragen.'

Carlotta dacht hierover na. 'Misschien heb je gelijk,' zei ze. 'Evangelina was zo'n prachtig kind. Niemand zou haar willen laten gaan.'

'Maar daar schieten we niets mee op. We weten nog steeds niet hoe we binnen moeten komen. En hoe ik er ook over nadenk, toch kan ik niets verzinnen.'

'Weet je, misschien heb ik wel een idee.' Carlotta was opgewonden. 'Misschien laten ze me niet binnen, maar ze kunnen er niets tegen doen als ik buiten ga zitten.'

'Wat? Hoe zal dat helpen?' Raffaella begreep er niets van.

'Ik ga elke dag voor het klooster zitten, zolang als nodig is: zomer, winter of herfst. Als het nodig is blijf ik er jaren zitten. Uiteindelijk moeten ze mij wel binnenlaten of Evangelina naar buiten.' Carlotta was vastbesloten. 'Ik wil mijn dochter zien.'

'Wanneer wil je ernaartoe?' Raffaella had Carlotta nog nooit zo vastberaden gezien. Het magere zenuwachtige meisje leek opeens sterk en zelfverzekerd. Het had geen zin hierover met haar in discussie te gaan.

'Nu meteen. Ik ga met de Vespa, als je dat goedvindt. Maak je maar geen zorgen, voor donker ben ik weer terug. Maar ik moet dit doen, Raffaella, dit is de enige manier.'

Raffaella pakte een zak. Ze deed er brood, kaas, fruit en een fles gekoeld water in. Ze zorgde ervoor dat Carlotta warme kleren had en een kleed om op te zitten. Daarna gaf ze haar snel een kusje op beide wangen en omhelsde haar.

'Succes.'

Carlotta glimlachte. 'Het gaat niet vandaag, morgen of volgende week gebeuren. Dit gaat tijd kosten. Maar ik zal geduldig zijn en net zolang wachten als nodig is.'

'Wat moet ik tegen je vader zeggen als hij merkt dat je weg bent? Zal ik hem vertellen dat je naar de stad bent gereden om een paar dingen te halen die ik vergeten was?'

'Nee, vertel hem de waarheid maar. Hij moet het vroeg of laat toch weten.'

Carlotta reed met de Vespa over de weg die omhoogkronkelde naar het klooster. De wind blies door haar haren, de zon scheen op haar gezicht en ze reed naar haar dochter. Het was opwindend. Dit was de eerste keer in haar leven dat ze zich moedig voelde. Ze voelde zich het soort vrouw dat zelfs op stormachtige dagen met haar hoofd vooruit van de rotsen dook.

Ze vond een plekje buiten de kloostermuren waar iedereen die naar binnen of naar buiten ging haar gemakkelijk zou zien en legde haar kleed op de grond. Raffaella had haar gezegd dat ze warme kleren mee moest nemen en daar was ze nu dankbaar voor, want de berglucht was helder en fris.

De eerste twee uren zag ze niemand. De poorten van het klooster bleven gesloten en het bleef stil.

Om de tijd te doden keek ze naar de hagedissen met hun groene rug, die zich op de rotsen warmden. Als ze doodstil bleef zitten, kwamen ze heel dichtbij, maar zodra ze probeerde ze aan te raken gingen ze ervandoor. Het geluid dat ze maakten als ze door het lange gras ontsnapten, leek een gefluister.

Carlotta trok haar hoed over haar ogen en luisterde naar het gezang van de vogels. De krekels begonnen hun krakende zomerse muziek te maken en insecten zoemden door de lucht waardoor ze hun eigen geluidje toevoegden aan het koor.

Na een tijdje begon Carlotta dingen te zien die haar niet eerder waren opgevallen. Een hele rij mieren marcheerde een centimeter of dertig bij haar vandaan heen en weer als een colonne soldaten. Korstmossen bedekten de rotsen als tapijten. Een windvlaag bracht de geur van wilde bloemen met zich mee.

Ze gaapte en strekte haar benen. Evangelina bevond zich achter die muren, dat wist ze zeker. Ze zou boos moeten zijn op de nonnen, maar dat was ze niet. Als ze haar hadden gehouden, dan moesten ze wel van haar houden en dat was toch geen reden om hen te haten?

Carlotta kneep haar ogen dicht en bad dat ze snel met haar dochter zou worden verenigd.

Het geluid van een auto die de heuvel op klom onderbrak haar gedachten. Het was een witte Fiat Bambina met een non achter het stuur en een priester naast haar. Toen de auto een meter of zo bij Carlotta vandaan werd geparkeerd, herkende Carlotta zuster Benedicta en padre Pietro. Ze keken naar haar en zuster Benedicta's mond viel open van verbazing. Ze wendde zich tot padre Pietro en zei iets tegen hem. De oude priester zag er vermoeider en zorgelijker uit dan ooit.

'*Buonasera,*' riep Carlotta toen ze uit de auto klommen.

'*Buonasera.* Wat doe je hier?' Padre Pietro was een vriendelijke man en zijn stem klonk beminnelijk.

'Ik ben hier om mijn dochter te zien.'

Hij keek haar fronsend aan. 'Je dochter?'

'Ja, mijn Evangelina. Ik weet dat ze hier is. Dat weet ik zeker.'

'Wat zeiden ze toen je aanbelde?' Zuster Benedicta keek ook ongerust.

'Ik heb niet aangebeld. Dat heeft immers geen zin? Dan sturen ze me alleen maar weg. Ik ga hier gewoon zitten wachten totdat iemand van plan is het juiste te doen.'

De priester en zuster Benedicta keken elkaar even aan. Geen van beiden wist kennelijk wat te zeggen.

'U kunt niet verhinderen dat ik hier zit,' zei Carlotta.

'Carlotta, dit is belachelijk,' smeekte de priester. 'Moet je niet aan het werk? Moet je je vader niet helpen op Villa Rosa?'

'Niets is zo belangrijk als dit,' zei ze koppig.

Zuster Benedicta zei fronsend: 'Ze heeft gelijk. Als ze hier de hele middag wil zitten, kunnen we daar niets tegen doen. Ze krijgt er vanzelf wel genoeg van, dat weet ik zeker.'

Carlotta zag dat de kloosterdeuren openzwaaiden om hen binnen te laten. Een klein nonnetje met een bril met een zilveren montuur keek naar buiten en stoof weer naar binnen. De poorten klapten dicht en toen was het weer stil. Ze ging zitten en wachtte geduldig.

Pas toen ze de zon in de zee zag zakken en voelde dat het kouder werd, stond Carlotta op en rekte zich uit. Ze had Raffaella beloofd dat ze voor donker weer thuis zou zijn. Ze pakte haar tas, keek nog één keer naar het klooster, startte de Vespa en reed weg.

De volgende ochtend zou ze zich door Raffaella af laten zetten, voordat zij naar Triento ging om boodschappen te doen. Als de nonnen soms dachten dat ze het al snel zou opgeven, dan hadden ze het mis. En trouwens, ze vond het fijn om buiten de kloostermuren te zitten. Het was vredig. Tot haar verbazing realiseerde ze zich dat dit de gelukkigste middag was sinds een heel lange tijd.

Umberto merkte niet dat Carlotta er niet was tot het bijna donker was en zijn vuur alleen nog maar smeulde.

'Zit ze bij de zee?' vroeg hij aan Raffaella. 'Volgens mij zit ze daar al uren.'

'Nee, ze zit niet bij de zee.' Raffaella was druk bezig met de voorbereidingen voor het avondeten, maar pauzeerde even. De hele middag had ze er al tegen opgezien dat ze Umberto's vragen zou moeten beantwoorden.

'Is ze dan binnen?' Umberto keek naar het dak van zijn eigen huis dat boven de muren van Villa Rosa uitstak. 'Voelt ze zich niet goed?'

'Nee, dat ook niet.' Raffaella haalde eens diep adem en begon het uit te leggen. 'Carlotta is naar het klooster gegaan. Ze is ervan overtuigd dat haar dochter daar is en ze wil net zolang buiten wachten tot ze haar mag zien. Ik had haar niet tegen kunnen houden, ook al had ik dat gewild.'

Ze had verwacht dat Umberto woedend zou zijn, maar hij was heel even stil. Toen zette hij zijn hoed af en klemde hem in zijn ruwe tuinmanshanden.

'Is ze echt naar het klooster gegaan?' vroeg hij toen.

Raffaella hoorde een trotse ondertoon in zijn stem. Opgelucht pakte ze haar pollepel en begon in de soep te roeren die op het fornuis stond te pruttelen. 'Ja, zo heb ik haar nog nooit gezien. Ze leek een heel ander iemand.'

Hij knikte. 'Dat kan ik me voorstellen.'

'Ik hoop dat ze zich daarboven niet eenzaam voelt.' Raffaella had zich de hele dag zorgen gemaakt. Ze voelde zich verantwoordelijk. 'Ik hoop dat de nonnen haar niet te lang laten wachten.'

Het begon al donker te worden en Raffaella was opgelucht toen ze de Vespa hoorde en wist dat Carlotta weer veilig thuis was. Ze zag er moe uit en was verbrand door de zon. Raffaella liet haar plaatsnemen aan de keukentafel en gaf haar een kom soep.

'Heb je een glimp van je kleine meid opgevangen?' vroeg ze terwijl Carlotta met moeite haar soep naar binnen lepelde.

'Nee, als ze al in het klooster is, dan hebben ze haar goed verstopt. Maar ze weten wel dat ik er was. En het zal ze wel verbazen als ze zien dat ik morgen weer voor de poort zit. Dan weten ze dat ik het meen.'

'En als het nu eens niets helpt? Als het tijdverspilling is?' Raffaella begon te vrezen dat ze Carlotta valse hoop had gegeven.

'Nou, ik moet het toch proberen? Het heeft geen zin om te blijven doen wat ik tot nu toe heb gedaan: me afvragen waar ze is.'

'Nee, dat is misschien wel zo.' Raffaella wendde zich tot Umberto, die tegenover zijn dochter zenuwachtig met zijn servet zat te spelen. 'Wat denk jij? Vind je dat Carlotta morgen weer naar het klooster moet gaan?'

Hij ontweek haar blik en gaf geen antwoord.

'Papà?' drong Carlotta aan.

Umberto verfrommelde zijn servet tot een bal en toen zei hij snel: 'Wat ik denk? Ik denk dat iedereen je veel te lang heeft verteld wat je moet doen, *figlia*. Waarom zouden wij het recht hebben ons met jouw leven te bemoeien? Daar ben je toch niet veel beter van geworden?'

'Maar, papà…' Carlotta liet haar lepel in haar soepkom vallen en greep een van haar vaders ruwe handen. 'Je deed immers wat jij dacht dat het beste voor me was.'

'Nee, ik deed wat het gemakkelijkste was.'

Carlotta staarde hem aan. 'Wat bedoel je daarmee?'

'Als je moeder nog had geleefd, dan zou dit allemaal niet zijn gebeurd,' zei hij met schorre stem. 'Ze zou nooit hebben toegestaan dat die jongen van Barbieri misbruik van je maakte.'

'Dat was mijn schuld, papà. Dat mag je jezelf niet verwijten.'

Umberto depte zijn warme wangen met zijn vieze oude hoed. 'En toen heb ik toegelaten dat ze je naar het klooster brachten en je kind van je afnamen. Wat voor vader doet nou zoiets? Wat voor man ben ik in vredesnaam?'

Carlotta kneep zo hard in zijn hand dat zijn knokkels wit werden. 'Nee, papà. Zeg dat alsjeblieft niet. Ik hou heel veel van je en ik vind het verschrikkelijk als je zo ongelukkig bent.'

Verdrietig schudde Umberto zijn hoofd. 'Ik weet wel wat je elke dag bij de zee doet, Carlotta. Ik heb je wel op de rots stilletjes zien zitten huilen. En ik kan er niet tegen om je zo te zien. Ik weet gewoon niet wat ik dan moet doen.'

'Ik heb nooit verwacht dat je iets zou doen. Wees alsjeblieft niet zo verdrietig, papà. Dat vind ik afschuwelijk.'

Raffaella keek van de een naar de ander. Zij had dit veroorzaakt. Zij had het laagje weggekrabd dat over hun leven had gelegen en alles bij elkaar had gehouden. Dat was een ontnuchterende gedachte en heel even wenste ze dat ze zich nergens mee had bemoeid en dat alles nog net zo zou zijn als toen ze de eerste keer naar Villa Rosa was gekomen: Carlotta's verdriet verborgen, Umberto's schuldgevoel verstopt en zij beiden een leven leidend dat door de seizoenen werd gedicteerd.

'Laat je soep niet koud worden, Carlotta,' zei ze vriendelijk. 'Als je morgen weer de hele dag voor het klooster wilt gaan zitten, dan moet je vanavond goed eten.'

Ze keken haar verbaasd aan, alsof ze haar aanwezigheid vergeten waren.

'Ik breng je morgen wel naar het klooster.' Umberto bracht Carlotta's hand naar zijn lippen en drukte er een kus op. 'Als je wilt, blijf ik wel bij je. Ik vind het geen prettig idee dat je daar helemaal in je eentje zit.'

Carlotta glimlachte. 'Je hebt het veel te druk in de tuin. En ik red me wel in mijn eentje. Ik voelde me gelukkig vandaag. Het was vredig en ik had echt het gevoel dat ik dicht bij Evangelina was. Ik weet wel zeker dat ze daar is.' Ze pakte haar lepel en probeerde, om Raffaella een plezier te doen, nog meer te eten van de dikke tomatensoep met jonge groenten.

Raffaella schepte nog een soepkom vol, strooide er Parmezaanse kaas op en zette een karaf rode wijn en een mandje knapperig brood op tafel.

'Jij moet ook wat eten,' zei ze tegen Umberto. 'Je hebt de hele dag boven dat vuur gestaan, je zult wel honger hebben.'

Ze deden hun best haar eten eer aan te toen, maar geen van beiden had veel trek. In plaats van te eten, keken ze elkaar over de tafel heen aan.

'Ik ben trots op je, *figlia*,' zei Umberto. Hij schoof zijn soepkom opzij. 'Je bent echt een dochter van je moeder. Dat heb ik me eerder nooit gerealiseerd.'

Raffaella was ook trots op haar. Maar ze vond het moeilijk een gevoel van jaloezie te onderdrukken. Zelfs Carlotta ging verder met haar leven. Zij had haar eigen weg uitgestippeld.

'Het spijt me, maar ik kan het niet op.' Carlotta zag er bezorgd uit. 'Ik ben heel erg moe. Vind je het erg als ik ga slapen?'

'Nee, natuurlijk niet.' Raffaella glimlachte naar haar. 'Je hebt een zware dag achter de rug. Rust maar lekker uit.'

Umberto bracht zijn dochter naar huis. Hij gaf haar een arm en leidde haar langs de jonge granaatappelboom naar beneden, naar hun eigen huis achter de hoge muren. Toen Raffaella hen nakeek, realiseerde ze zich dat ze elkaar heel na stonden en ze was blij voor hen.

34

Raffaella werd vroeg wakker, met nieuwe moed. De vorige avond had ze gezien dat Eduardo tijdens het eten samen met Claudia Barbieri had gelachen. Ze was toen overvallen door een hopeloos gevoel. Daarna had ze om zich heen gekeken naar de stapels vuile vaat en naar de etensresten op het fornuis, en op dat moment had haar leven haar toegeschenen als een steile berg waarvoor haar de kracht ontbrak die te beklimmen.

Ze was gedeprimeerd naar bed gegaan, maar vanochtend werd ze wakker met een totaal ander gevoel. Er moest iets zijn wat ze kon doen om haar leven weer in eigen hand te nemen. Ze wist waar ze moest beginnen. Ze zou met de Vespa naar het stadje rijden en haar eerste stop zou de linnenwinkel van de Russo's zijn.

Carlotta wachtte al op haar in de keuken van Villa Rosa. 'Wil jij me naar het klooster brengen?' vroeg ze. 'Papà slaapt nog steeds en ik wil hem niet wakker maken.'

'Weet je zeker dat je er vandaag weer naartoe wilt?'

'Ja, natuurlijk.' Carlotta leek zich te verbazen over die vraag. 'Ik heb al een lunch klaargemaakt en een deken gepakt voor als het koud wordt. Ik ben klaar om te vertrekken. En als jij of papà me voor donker weer ophaalt, red ik me wel.'

Raffaella keek naar Carlotta's gezicht. De vermoeide blik was verdwenen en de zon had haar huid een goudkleurige glans gegeven.

'Spring maar achterop, dan gaan we,' zei ze. 'Ik wil op tijd in de stad zijn.'

Het was nog kil, zo vroeg in de ochtend en de zon gaf nog geen warmte. Toen de Vespa de heuvel op kroop, kreeg Raffaella hoop. Als Carlotta de kracht kon vinden om haar leven in eigen hand te nemen, dan kon zij dat ook.

Ze stopten voor het klooster en Raffaella vond dat de muren angst-
aanjagender en de gesloten poort ongastvrijer leken dan ooit. Toch
ging Carlotta opgewekt in het gras zitten.

'Tot straks dan.'

'Oké.' Carlotta glimlachte.

'Ik hoop dat je haar vandaag mag zien.'

Carlotta glimlachte nog steeds. 'Dat verwacht ik niet. Maar de kans
dat ik haar zal zien, is groter dan eerst en daar gaat het om.'

Toen Raffaella op haar Vespa de heuvel af reed, dacht ze aan de
linnenwinkel en vroeg zich af of die erg veranderd zou zijn. Ze was er
amper geweest nadat ze was vertrokken. Eerst was ze er weggebleven
omdat ze niet wilde weten welke veranderingen Angelica en Stefano
hadden doorgevoerd. En daarna had ze er niet naartoe kunnen gaan
omdat ze wist hoe erg de Russo's haar haatten en omdat ze wist dat ze
er niet welkom was.

De deur van de winkel stond open, maar Angelica was nergens te zien.
De winkel zag er anders uit, groter. De wankelende stapels linnen rondom
Marcello toen hij er nog werkte, waren weg. In plaats daarvan lagen er
nette stapels en stond er een glanzende houten tafel waar stof en lakens
konden worden uitgespreid zodat de klanten ze goed konden bekijken.

Er waren ook andere veranderingen: dingen waren verplaatst of
weggedaan. Misschien zou het een klant niet opvallen, maar Raffaella,
die in het jaar waarin ze met Marcello getrouwd was geweest elk hoekje
van de winkel had leren kennen, ontging niets.

'Wat doe jij hier?' Angelica was in het appartement boven de winkel
geweest en kwam nu de trap af gerend. Ze was buiten adem.

'De deur stond open en dus ging ik ervan uit dat ik wel binnen
mocht komen.'

'Wat wil je?' Angelica's stem klonk erg vijandig.

Raffaella stak haar hand uit en betastte een stapel linnen. Ze streelde
zachtjes over de fijne stof en dat gaf haar een geruststellend gevoel.
Angelica keek haar strak aan, maar zei niets.

'Ik wilde even met je praten.' Raffaella probeerde op een ontspannen toon te praten. 'Ik moet weten wat er aan de hand is. Waarom
heeft jouw familie iets tegen die van mij?'

'Ik heb niets tegen je.'

'Maar Stefano wel, en Fabrizio en de anderen. Ik begrijp niet wat wij hebben gedaan dat jullie ons haten.'

'Wil je dat echt weten?' Angelica liep naar de stof die Raffaella had aangeraakt en begon hem glad te strijken.

'Ja, heel graag.'

'De hele stad vindt jou en je familie maar niets. Niemand vindt jullie aardig.'

Raffaella voelde zich ellendig. 'Dat is niet waar.'

'Je zou moeten weten wat de mensen over jullie zeggen, dan zou je wel weten dat het echt zo is.'

'Wat zeggen ze dan? Vertel op!'

'Dat je vader alleen maar problemen veroorzaakt door de andere vissers op te zetten tegen het standbeeld en weigert om zijn aandeel te betalen. Dat je broer Sergio net zo slecht is en dat je moeder zich altijd maar met andermans zaken bemoeit.'

Raffaella voelde dat ze boos werd.

'Ik vertel je alleen maar wat de mensen zeggen. En je hebt het zelf gevraagd.' Angelica streek met haar vingers door haar krullen en trok haar lichtblauwe rok glad.

Ze was knap, had volle lippen en amandelvormige ogen, maar Raffaella zag wel dat ze dikker was geworden. De naden van haar blauwe rok spanden om haar lichaam en het vlees op haar bovenarmen trilde toen ze de balen linnen recht legde.

'En dat is nog niet alles. Je zou eens moeten horen wat ze over jou zeggen,' zei Angelica hatelijk. 'Zal ik het je vertellen?'

Raffaella wist dat ze het maar beter niet kon weten, dat ze de winkel uit moest lopen, naar Villa Rosa rijden en daar blijven. Maar ze kon er niets aan doen. 'Ja,' zei ze zwakjes.

'Iedereen vindt dat je Marcello op de ergst mogelijke manier geen respect hebt betoond. Ze zeggen dat je de hele tijd dat je getrouwd was een affaire met Ciro Ricci hebt gehad en dat je weer met hem bent omgegaan toen Marcello nog maar net begraven was.'

Raffaella begroef haar vingernagels in de palm van haar hand. 'Nee.'

'Zelfs de priesters denken dat. Daarom hebben ze je die baan op Villa Rosa gegeven. Ze dachten dat je maar beter uit de buurt kon zijn.'

Raffaella voelde zich misselijk en duizelig worden. Ze vertrouwde haar stem niet en daarom liep ze achteruit en schudde haar hoofd. 'Nee,' zei ze nog eens.

'Tja, het klinkt toch logisch?' Angelica haalde haar schouders op. 'Je glipt altijd stiekem de steeg in naar de Gypsy Tearoom.'

Raffaella klemde haar kiezen op elkaar. 'Ciro is mijn vriend. Hij was aardig voor me en dat is meer dan de Russo's hebben gedaan nadat Marcello stierf. Heb je enig idee hoe het was? Ik was in shock. Ik kon amper geloven dat hij dood was. Ik moest de winkel achterlaten en mijn thuis. Het was een verdrietige en eenzame tijd en ik was dankbaar voor Ciro's vriendschap. Daarom ging ik naar de Gypsy Tearoom.'

Angelica rolde met haar ogen. 'Waarom kon je niet teruggetrokken gaan leven, als een normale weduwe? Je roept dat soort dingen zelf op. De manier waarop je over straat loopt in die zwarte jurk van je, met je heupen wiegend en met je borsten vooruit. Het is geen wonder dat je de aandacht trekt.'

Raffaella hapte naar adem. 'Hoe durf je!'

'Dat durf ik omdat het waar is,' snauwde Angelica. 'Je bent gewoon een flirt, Raffaella. Kijk naar die arme Fabrizio. Je was met zijn oudste broer getrouwd en toch flirt je nog met hem. Je kon er zeker niets aan doen? Jij bent zo'n vrouw die alleen maar gelukkig is als de mannen over haar heen vallen, dat zegt iedereen. Marcello zag dat niet, doordat hij verblind was door je knappe gezichtje. Maar de rest van de familie ziet wel hoe je werkelijk bent.'

Raffaella stond te trillen op haar benen en moest zich vasthouden aan de tafel. 'Je verdraait de zaken. Je maakt ze lelijk en je liegt,' zei ze. 'Fabrizio en ik waren alleen maar vrienden. Ik heb altijd van Marcello gehouden. Ik hou nog altijd van hem. Kun je dat niet aan de mensen vertellen? Kun je hun de waarheid niet vertellen?'

Angelica schudde haar zwarte krullen naar achteren en begon te lachen. 'Ben je gek geworden? Ik sta niet aan jouw kant, Raffaella. Dat begrijp je toch zeker wel? Ga nu maar weg, ik wil je hier niet hebben.

Je bent hier niet welkom, tenzij je linnen wilt kopen. Ik heb je verteld wat je wilde weten en meer kan ik niet voor je doen.'

Dat hoefde ze niet nog een keer te zeggen. Raffaella verliet de winkel, wankelend op haar benen, met tranen in haar ogen en trillend over haar hele lichaam. Er waren weinig mensen op straat, maar de mensen die ze tegenkwam, leken haar vol afkeer aan te kijken. Ze begon te rennen en ging naar de enige plek waar ze wist dat ze vriendelijk zou worden behandeld.

Toen ze naar de Gypsy Tearoom rende, twijfelde Raffaella aan zichzelf. Was zij echt zoals Angelica had gezegd? Een vrouw die gedijde op de aandacht van mannen en ervan genoot als ze voor haar kropen? Op die manier had ze zichzelf nooit gezien, maar nu vreesde ze dat Angelica's woorden niet alleen gemeen waren, maar ook waar.

Opgelucht zag ze dat Ciro alleen was. Hij stond opgewekt achter zijn nieuwe toonbank en glimlachte toen hij haar zag.

'*Ciao, bella.*' Zijn glimlach verdween toen hij de uitdrukking op haar gezicht zag. 'Wat is er? Wie heeft je zo van streek gemaakt?'

Toen ze zijn vriendelijke stem hoorde, barstte Raffaella in tranen uit. Ze viel in Ciro's armen, drukte haar gezicht tegen zijn borst en begon te snikken.

'*Cara, cara*, niet huilen.' Hij hield haar stevig vast en wiegde haar zachtjes heen en weer. 'Wat is er gebeurd? Vertel het me alsjeblieft.'

Langzaam maar zeker hield Raffaella op met huilen. Ze tilde haar hoofd op en rook een vertrouwde geur.

'Je bent pizza aan het bakken,' riep ze uit.

Hij grijnsde. 'De eerste keer na de brand en ik ben blij dat jij hier nu bij me bent. Maar voordat we gaan eten, wil ik dat je hier komt zitten en me vertelt waarom je zo moest huilen. En als je klaar bent met je verhaal, dan is het eten klaar.'

Ze ging op een van de banken zitten en vroeg zich af waar ze moest beginnen. 'Het is niet belangrijk, echt niet. Iemand zei iets waar ik door van streek raakte, maar het is niet belangrijk. Ik wil niet dat jij je daar zorgen over maakt.'

'Maar ik maak me wel zorgen. Ik heb je nog nooit zo zien huilen. Ik vind dat je me alles moet vertellen.'

Toen ze dacht aan wat Angelica had gezegd, kreeg ze opnieuw tranen in haar ogen. 'Iemand zei tegen me dat ik een echte flirt was.'

Hij lachte. 'Is dat alles?'

'Nee, diezelfde persoon zei ook dat de hele stad denkt dat jij en ik een affaire hadden toen Marcello nog leefde.'

Zijn gezicht betrok. 'Wie heeft dat gezegd?' vroeg hij. Zijn vriendelijke gezicht versomberde. 'Wie heeft ons zo beledigd?'

Ze schudde haar hoofd. 'Dat kan ik je maar beter niet vertellen. Je kunt er toch niets aan doen. En trouwens, meer problemen kun je echt niet gebruiken. Je restaurant is bijna klaar en je eerste pizza ligt in de oven. Eindelijk ziet het er weer beter uit voor je. Je zou niet willen dat degene die de brand heeft gesticht je nog een bezoekje komt brengen.'

'Daar ben ik het bangst voor,' bekende hij.

'Weet je wie het is geweest?'

'Ik verdenk wel iemand,' zei hij grimmig, 'maar ik kan niets bewijzen. Laten we er maar niet meer over praten. Dat is geen prettig onderwerp en trouwens, de pizza ruikt alsof hij klaar is. Kom proeven. Laten we eens kijken of hij net zo lekker smaakt als in de oude Gypsy Tearoom.'

Raffaella keek toe hoe Ciro de pizza uit de op hout gestookte oven haalde. Ze verwachtte dat iemand haar de steeg wel in had zien rennen. De tongen zouden in beweging komen en dit nieuwtje zou de Russo's ook wel ter ore komen. Het zou hun ergste vermoedens bevestigen, maar Raffaella realiseerde zich dat het haar niet veel kon schelen. De mensen mochten zeggen wat ze wilden. De Gypsy Tearoom was haar toevluchtsoord en die had ze nodig, meer dan ooit.

Ze was nog steeds zo boos en zo opgewonden dat ze ervan overtuigd was dat ze geen hap door haar keel kon krijgen van de pizza die Ciro voor haar neerzette, ook al pruttelde de mozzarella nog steeds van de hitte van de oven en ook al leek de geur van basilicum en tomaten het hele vertrek te vullen.

'Eet, eet,' drong Ciro aan. 'Snel, zeg me wat je ervan vindt.'

'Hij ziet er heerlijk uit.'

'Het is niet belangrijk hoe hij eruitziet. Proef, Raffaella, alsjeblieft.'

Ze sneed een stukje af en bracht het naar haar mond. Op het moment dat ze een hapje wilde nemen, hoorde ze iemand door de steeg rennen. Silvana kwam de Gypsy Tearoom binnenrennen, met rode wangen en buiten adem.

'Madonna, *mia*, je raadt nooit wat er is gebeurd. Tommaso Moretti is gearresteerd.' Ze sloeg haar hand voor haar mond toen ze Raffaella zag. 'Het is echt waar, *cara*, de politie heeft je vader opgehaald.'

'Wat?' Raffaella was verbijsterd. 'Silvana, ben je gek geworden? Hoezo is hij gearresteerd?'

Silvana liet zich naast haar op de bank vallen. 'Ze zeggen dat je vader verantwoordelijk is voor de sabotage aan het werk aan het standbeeld,' zei ze. Ze keek op naar Ciro en beet op haar lip. 'Ze denken ook dat hij degene is die de brand in de Gypsy Tearoom heeft aangestoken.'

'Nee!' Ciro ontplofte bijna. 'Tommaso is een goede man. Hij heeft me geholpen om de zaak weer op te bouwen. Waarom zou hij dat doen als hij degene was die de brand heeft aangestoken?'

'Ik heb geen idee. Omdat hij dan niet verdacht zou worden, misschien? Je moet niet boos op me worden, hoor, ik herhaal alleen maar wat ik heb gehoord. Je moeder is naar het politiebureau gegaan, Raffaella, om te zien of ze iets kan doen. Angelo Sesto is bij haar.'

'Ik kan er maar beter ook naartoe gaan.' Ze sprong op. 'Mamma heeft me misschien nodig.'

Raffaella begon weer te rennen, sneller nu, en dacht helemaal niet meer aan haar eigen problemen. Ze kon alleen maar denken aan haar vader die in de gevangenis zat en aan haar moeder die ontzettend veel van hem hield, maar hem niet kon helpen.

35

De tijd verstreek langzaam op Villa Rosa. Elke ochtend dacht Raffaella als eerste aan haar vader. Op dagen dat de zon scheen, had Raffaella Carlotta's gewoonte overgenomen om beneden op de rotsen te gaan zitten. Dan staarde ze naar de zee en wenste dat hij daar was, in zijn vissersboot, in plaats van opgesloten in een donkere cel.

De politie was ervan overtuigd dat ze de juiste man te pakken hadden. Ze hadden op de rotsen op de bergtop graffiti ontdekt. 'Geen standbeeld' stond er, naast een ruwe schets van een vis. Een bouwvakker had op een ochtend heel vroeg een korte man met donker haar en het tanige lichaam van een visser zien weglopen. Later hadden ze ontdekt dat er met een machine was geknoeid en dat had de werkzaamheden met een dag vertraagd.

Voor zover Raffaella wist, hadden ze niets gevonden waardoor ze haar vader met de brand in de Gypsy Tearoom in verband konden brengen. Het was een belachelijke beschuldiging. Maar af en toe vroeg ze zich toch af of hij in staat zou zijn het werk aan het standbeeld te saboteren. Hij was er vanaf het begin zo tegen geweest en wie wist waar zijn woede hem toe kon brengen.

Umberto was aardig voor haar geweest. 'De politie is even nutteloos als de priesters, als je het mij vraagt,' had hij gebulderd. 'Maak je maar geen zorgen. Ze moeten hem wel weer laten gaan. Je vader is een goede man, Raffaella, dat moet je niet vergeten.'

Carlotta had ook allemaal aardige dingen gezegd, maar dat had er niet voor gezorgd dat Raffaella zich beter voelde.

Het moeilijkst was misschien nog wel de manier waarop de *americano* haar behandelde. Vanaf het moment dat hij wist dat zij Tommaso's dochter was, had hij haar koel behandeld. Hij glimlachte niet langer vriendelijk als ze tijdens het diner een gerecht opdiende en 's avonds, als ze langs hem heen liep terwijl hij naast de jonge granaatappelboom zijn sigaar zat te roken, had ze het gevoel alsof hij haar vol minachting aankeek.

Ze wilde met hem praten, hem vertellen dat haar vader onschuldig was, maar ze wist zeker dat het niet zou helpen. Daarom deed ze stilletjes haar werk in de keuken en kookte stevige maaltijden. Lamsvlees bijvoorbeeld, langzaam gegaard in een afgesloten aardewerken schaal met aardappel, salami en kaas, of ze maakte varkensrollade gevuld met knoflook, peterselie en chilipepertjes en bakte die daarna in tomatensaus. Ze maakte de lekkerste maaltijden klaar en liep het pad af naar de zee, elke keer dat ze genoeg tijd had om aan haar eigen verdriet toe te geven.

Op een ochtend zat ze op de rotsen naar de woeste golven te kijken toen haar zusje Teresa haar riep. 'Raffaella, waar ben je? Ben je hier beneden?'

'Ja, ik ben hier!' Haar zusje zag er warm en opgewonden uit. 'Wat kom je hier doen? Is mamma bij je? Hoe ben je hier gekomen?'

'Oef.' Teresa liet zich naast haar vallen. 'Eén ding tegelijk, *sorella*. Je ziet toch wel dat ik buiten adem ben? Ik ben helemaal de heuvel op gelopen en toen heeft Silvana me een ouderwetse bakkersfiets geleend en ben ik hier naartoe gefietst. De ketting is er onderweg drie keer af gelopen. Kijk maar, mijn benen zitten helemaal onder het smeer.'

Teresa was het afgelopen jaar erg volwassen geworden. Ze was niet langer een kind, maar een knappe jonge vrouw met lang golvend haar, iets lichter dan dat van Raffaella, en een slank postuur. Roze was altijd haar lievelingskleur geweest en zoals altijd was ze van top tot teen in roze gekleed: roze rok, roze bloes, zelfs een roze lint in haar haar. Maar vandaag maakte die kleur haar bleek en de wallen onder haar ogen leken donker en diep.

'Ik vind het zo fijn je te zien, *cara*.' Raffaella boog zich naar haar toe en gaf haar een kusje op haar wang. 'Ik heb je gemist. Vertel eens, hoe gaat het vandaag met mamma?'

Teresa keek verdrietig. 'Ze sprankelt niet langer. Het is verschrikkelijk, Raffaella. Het lijkt wel alsof er iemand anders in haar lichaam zit. Ze maakt zich continu zorgen om papà, maar ze kan niet meer doen dan hem elke dag eten te brengen.'

'Ik vind het zo erg dat ik er niet ben. Maar goed, ze heeft jou en Sergio tenminste nog.'

Toen ze haar broers naam hoorde, fronste Teresa en begon op haar nagels te bijten.

'Probeert Sergio niet te helpen?' vroeg Raffaella.

'Dat is het niet…' Teresa staarde naar de zee. 'Hij gaat elke dag met de boot de zee op. Hij vangt niet zoveel als papà, maar hij werkt heel hard.'

'Dat is goed. Ik weet hoe lui Sergio kan zijn als hij daar zin in heeft. Ik dacht dat hij misschien minder hard zou gaan werken nu papà niet op hem let.'

'O nee, Sergio is helemaal niet lui geweest.' Teresa beet weer op haar nagels. 'Helemaal niet lui.'

Raffaella vroeg zich af wat haar zuster haar probeerde te vertellen. 'Er is iets mis, hè? Wat is er aan de hand?' vroeg ze bezorgd.

Teresa knikte. 'Weet je nog dat je me maanden geleden vroeg om thuis goed op alles te letten wat er gebeurde? Je zei toen dat ik me gedeisd moest houden en mijn oren open moest houden. Nou, dat is precies wat ik heb gedaan.'

Raffaella was verbaasd en ontroerd door haar zusters overgave, dat ze al die tijd had opgelet en gewacht, terwijl ze zelf alweer vergeten was dat ze haar dit had gevraagd. 'En wat heb je gehoord?' vroeg ze nieuwsgierig.

'O, heel veel gepraat over het standbeeld. Papà en Sergio die bespraken wat ze eraan moesten doen. Na een tijdje hielden ze erover op. Sergio leek er niet meer over te willen praten. En een paar weken geleden begon hij zich vreemd te gedragen. Ik hoorde hem 's nachts rondsluipen, het huis verlaten en 's ochtends vroeg weer thuiskomen. Ik heb hem een paar keer gevraagd wat hij deed en hij zei toen dat ik een dom kind was en dat ik me dingen inbeeldde. Maar ik wist zeker dat dit niet zo was, omdat ik een keer uit bed ben gestapt en toen zag ik hem de heuvel op lopen met Francesco Biagio en Gino Ferrando.'

'Waar gingen ze naartoe, denk je?'

'Weet je, hij begon zich vreemd te gedragen op het moment dat ze met het werk op de berg begonnen,' zei Teresa langzaam. 'Volgens mij hebben Sergio en die anderen het werk aan het standbeeld gesaboteerd en niet papà. Eigenlijk weet ik het wel zeker.'

'Mijn god.' Raffaella ademde langzaam uit. 'Zou dat echt waar zijn? Zou Sergio zo stom kunnen zijn?'

'Ja, volgens mij wel.'

'Heb je het hier al met mamma over gehad?'

'Nee, nog met niemand. Maar ik kon het niet langer voor me houden, omdat ik me zoveel zorgen maak. Ik moest hier wel naartoe komen en het aan jou vertellen.'

'Ik ben blij dat je dat hebt gedaan.'

'Wat gaan we nu doen?' Teresa keek haar aan, vol vertrouwen dat zij wel een oplossing wist.

'Ik weet het niet zeker.' Raffaella kon zich geen lastiger dilemma voorstellen. 'Wat denk je dat papà zou willen dat we deden?'

'Ik weet het niet,' zei Teresa verdrietig. 'Sergio is een idioot, maar we kunnen hem niet aangeven. Maar hoe moet het dan met papà? Hoe kunnen we ze ervan overtuigen dat hij het niet is geweest? Vind je dat we het aan mamma moeten vertellen en afwachten wat zij ervan vindt?'

'Nee.' Daar was Raffaella in elk geval wel van overtuigd. 'Het zou verschrikkelijk zijn als mamma moet kiezen tussen haar man en haar zoon. We moeten een manier verzinnen om dit op te lossen. Ik weet zeker dat we dat kunnen. Ik moet er alleen even over nadenken.'

Teresa knikte. 'Goed dan, maar niet te lang, Raffaella. Weet je, elke dag dat je erover nadenkt, moet papà langer in de cel blijven.'

Toen Teresa vertrokken was, bleef Raffaella nog uren op de rotsen zitten. Ze dacht alleen maar aan haar dilemma. Boven in Villa Rosa wachtte Eduardo tevergeefs op de geuren die hem zouden vertellen dat zijn maaltijd bijna klaar was. En Umberto, uitgeput na een dag in de tuin, ging vroeg naar bed en vertrouwde erop dat zij naar het klooster zou gaan om Carlotta op te halen, zoals ze had beloofd. Maar Raffaella bleef nog lang nadat de zon was ondergegaan op de rotsen zitten nadenken over het dilemma. Haar vader of haar broer? Ze kon absoluut niet kiezen. De maan bescheen een pad over het water en de temperatuur daalde een paar graden. De rotsen waren hard en onaangenaam, maar Raffaella merkte het niet. Als ze maar lang en diep genoeg nadacht, zou ze het antwoord vinden dat ergens diep in haar besloten lag.

Carlotta was nooit bang geweest in het donker. Maar toen de zon al in de zee verdween en Raffaella nog steeds niet terug was, begon ze ongerust te worden. Ze luisterde of ze de Vespa de heuvel al op hoorde komen en vroeg zich af waarom ze zo laat was.

Het was een trage, dromerige dag geweest. Vrijwel niemand was het klooster in- of uitgegaan, behalve zuster Benedicta en een paar jonge nonnen die op school meehielpen. Geen van allen keek naar haar en ze deden allemaal alsof Carlotta er niet was. Het kon haar niets schelen. Languit op haar deken liggend, had ze haar gedachten de vrije loop gelaten. Ze stelde zich het kleine meisje voor dat in het klooster woonde, hoe ze eruitzag en hoe ze haar dagen doorbracht. Ze dacht aan haar terwijl ze meehielp de groenten in de moestuin te plukken, de Bijbel leerde lezen en 's avonds voor het slapengaan haar handen zou vouwen. In gedachten construeerde ze een heel leven voor het kind dat ze nooit had leren kennen.

Toen het donker was geworden, werd het koud. Alles zag er in het maanlicht anders uit. Carlotta meende te zien dat er door de lange schaduwen een rat naar haar toe kwam lopen en ze hoorde geritsel achter zich dat misschien alleen maar de wind was, maar dat ook wel iets ergers kon zijn. Ze trok haar deken om haar schouders en vroeg zich af of Raffaella haar in de steek had gelaten en of ze hier de hele nacht moest blijven.

Carlotta begon zich zorgen te maken. Ze staarde naar de hoge muren van het klooster en probeerde te denken aan wat erachter lag. Ze herinnerde zich dat er een refter was waar de nonnen een kom soep zouden eten en een korst versgebakken brood. Daarna zouden ze in een eenvoudige cel met een smal bed en een kruis boven hun hoofd gaan slapen, met geen andere zorgen dan dat ze op tijd moesten opstaan voor het ochtendgebed. De eenvoud van hun leven leek aantrekkelijk. Ze wenste van harte dat ze zich nu aan de andere kant van de kloostermuur zou bevinden.

Toen haar maag begon te knorren van de honger wist ze dat het allang etenstijd was geweest. Nog meer uren verstreken en toen wist ze zeker dat iedereen behalve zij al in zijn bed lag te slapen. Ze verlangde naar haar eigen kamer, met het comfortabele bed en het gebloemde donzen dekbed. Ze begon een beetje te huilen en voelde zich eenzaam en verloren.

Ten slotte hield ze het niet langer uit. Ze krabbelde overeind, rende met stijve benen over de weg naar de poort van het klooster. Ze trommelde op de deur en riep: 'Doe de deur open alstublieft. Laat me erin!' Haar geklop maakte een dof, hol geluid en ze wist zeker dat niemand haar hoorde. 'Laat me erin, alstublieft, laat me binnen!'

Het leek uren te duren voordat de deuren krakend opengingen en Carlotta een oude non zag met een zwarte sjaal om haar hoofd en schouders geslagen. Ze keek haar fronsend aan door de smalle opening.

'Wat ben je toch een lastpost, hè? De hele dag maar voor de poort zitten en dan na donker ook nog eens op de deur bonzen. Wat is er met je aan de hand?'

Carlotta drukte haar lichaam tegen de poort om te verhinderen dat hij zou worden dichtgeslagen. 'Wees alstublieft niet boos op me. Ik wilde alleen mijn dochter maar zien en toen werd het donker en niemand kwam me halen en nu ben ik bang.'

'En wat wil je dat ik daaraan doe?'

'Laat me alstublieft binnen.'

'Je kunt hier niet blijven,' hield de non vol.

'Ga zuster Benedicta dan halen,' bedelde Carlotta. 'Zij zal me dan wel terugbrengen naar Villa Rosa. Dat weet ik zeker.'

Ze merkte dat de oude non ongeduldig werd en leunde met haar hele gewicht tegen de poort. 'Laat me alstublieft binnen terwijl u haar gaat halen. Laat me hier niet in mijn eentje buiten blijven.'

De non zuchtte diep. 'Goed dan. Zuster Benedicta slaapt al, maar ik zal kijken of ik haar kan wekken. En je mag wel binnenkomen, maar je moet in de wachtkamer blijven wachten. Ik wil niet dat je verder het klooster probeert binnen te komen. Begrepen?'

'Ja, ik zal nergens naartoe gaan. Ik blijf waar u wilt. O, dank u, dank u wel,' zei ze toen de deuren verder openzwaaiden.

Het kleine vertrek waar ze naartoe werd gebracht, voelde veilig en vredig. Het licht was gedempt, maar ze zat op een gladde houten bank onder een kruis en wist zeker dat ze verse bloemen rook. Carlotta wachtte heel lang, maar dat kon haar niets schelen. Ze herinnerde zich dat ze een hekel had aan dit vertrek toen ze hier de vorige keer was geweest, zwanger en bang. Maar nu leek het anders. Ze wist zeker dat ze nu dichter bij haar dochter was.

'Carlotta.' Ze schrok van zuster Benedicta's stem. De non zag er in het lamplicht moe uit en ze voelde zich schuldig omdat ze haar had laten wekken.

'Het spijt me...' begon ze.

'Het spijt mij ook,' antwoordde de non moeizaam.

'Wilt u me naar huis brengen?'

'Ja, natuurlijk.'

Zuster Benedicta zweeg toen ze de steile heuvel af reden en Carlotta was te zenuwachtig om te praten. Ze dacht dat de non haar dom zou vinden omdat ze de hele dag voor de poort van het klooster had gezeten en in paniek was geraakt zodra het donker werd.

Ze reed verrassend snel in haar kleine autootje en leek ervan te genieten. Ze stuurde behendig door de bochten en reed in een redelijk tempo. Toen ze bijna bij Villa Rosa waren, wendde ze zich tot Carlotta.

'Morgen ben je dus weer bij het klooster?'

'Ja, inderdaad.'

'Hoelang ga je hiermee door?'

'Totdat ik mijn dochter mag zien.'

De non bracht de auto soepel tot stilstand voor de hekken van Villa Rosa. 'Je bent heel koppig,' zei ze.

'Zou u het gemakkelijk opgeven als u mij was?'

Zuster Benedicta dacht hierover na. 'Nee, nee, dat zou ik niet doen,' antwoordde ze voorzichtig.

Carlotta keek haar aan. Ze was ervan overtuigd dat de non haar meer wilde vertellen. 'Ik ben heel geduldig. Ik kan eeuwig wachten als dat nodig is,' zei ze zacht. Ze opende het portier en stapte uit.

'Ik hoop dat je niet eeuwig hoeft te wachten.' Zuster Benedicta zwaaide ten afscheid. '*Buonanotte*, Carlotta. Slaap lekker. Tot morgen dan, denk ik.'

Het geluid van het Fiatje dat keihard de heuvel op reed, verstoorde de stilte van de nacht. Carlotta bleef even staan en vroeg zich af hoelang ze nog zou moeten wachten voordat ze haar dochter zou zien. Zuster Benedicta had niet ontkend dat haar kind daar was, achter de kloostermuren. Misschien kon ze het niet opbrengen om te liegen. Maar hoelang zou het nog duren voordat ze haar de hele waarheid zou vertellen? Carlotta begon moe te worden van het wachten.

Het was al bijna helemaal donker toen Raffaella merkte hoe koud ze was en hoe onprettig ze zich voelde. Er was een wolk voor de maan geschoven en de zee was pikzwart. Even was ze in paniek. Hoe moest ze veilig over de rotsen naar boven klimmen?

Haar benen waren stijf en ze struikelde een paar keer toen ze langzaam over het oneffen terrein naar boven klauterde. Ze was opgelucht toen ze bij de trap was die tussen de bomen door naar boven leidde en ze van tak tot tak naar de terrastuin kon klimmen.

Er was niemand te zien toen ze bij het huis kwam, maar het rook alsof er nog niet lang geleden een maaltijd was bereid. Raffaella snoof de geur op. Iemand had een gerecht met licht deeg eromheen gefrituurd en iets anders was in een olieachtige tomatensaus bereid.

Olivia Barbieri had waarschijnlijk niet langer willen wachten en was zelf maar gaan koken. Ze had gekookt als iemand die eraan was gewend dat anderen voor haar opruimden. Het aanrecht zat vol spatten tomatensaus en de schalen waren lukraak op de banken gezet.

Raffaella at de restjes eten van de schalen. Olivia had courgettebloemen geplukt, ze gevuld met een beetje *ricotta* en lichtjes gefrituurd. Maar zelfs nu ze koud waren proefde Raffaella wel dat ze te veel zout in het beslag had gedaan en ze een paar seconden te lang had gefrituurd.

De slablaadjes waren slap geworden doordat ze zo lang in citroensap en olijfolie hadden gelegen. De pasta was opgezwollen en koud. Maar de inktvisjes die ze in een ovenschaal ontdekte, smaakten heerlijk. Ze merkte hoeveel honger ze had en depte de saus op met een brood-korstje en genoot van de smaak van verse peterselie uit Umberto's tuin.

Toen ze het laatste restje saus uit de schaal veegde, rook ze nog iets anders dan eten. De kruidige geur van de sigaar van de *americano* dreef de keuken binnen. Ze dacht dat hij alleen op zijn favoriete plekje onder de jonge granaatappelboom zat te genieten van de nacht. Ze vroeg zich af of ze hem durfde te storen.

Raffaella wachtte in de schaduw van de keukendeur en probeerde zacht adem te halen zodat hij niet zou merken dat ze er was, en keek verlangend naar hem.

Hij rookte altijd op dezelfde manier. Eerst trok hij aan zijn sigaar, dan hield hij zijn adem één of twee tellen in en dan blies hij de rook in een gelijkmatige wolk weer uit. Het was een vertrouwde aanblik voor Raffaella en het was een intiem gevoel door er alleen maar naar te kijken.

De sigaar was al half opgerookt en ze kon niet langer wachten. Langzaam liep ze naar de binnenplaats, zoals ze elke avond deed als ze naar bed ging. De laatste tijd als ze langs Eduardo liep, was ze te trots geweest om hem aan te kijken. Het leek gemakkelijker om haar gezicht afgewend te houden en net te doen alsof hij er niet was.

Maar vanavond niet, want tijdens al die uren op de rotsen waarin ze wanhopig had geprobeerd iets te bedenken om haar vader vrij te krij-gen, kon ze maar aan één ding denken: de *americano* kon hen helpen, als hij dat wilde. En vanavond moest ze haar trots dus opzijzetten.

'*Signore*.' Ze bleef voor hem staan. 'Mag ik erbij komen zitten?'

Eduardo dacht hier even over na en knikte toen met tegenzin.

Ze ging op het lage muurtje zitten, een handbreedte van hem af. Ze ademde de rook van zijn sigaar in en wachtte tot hij iets zou zeggen.

'Waar was je vanavond?' vroeg hij ten slotte. 'We dachten dat je zo-als altijd het diner zou klaarmaken. Wat is er gebeurd? Was je ziek?'

'Niet ziek, *signore*, nee.' Ze zat zo dicht bij hem dat haar huid tin-telde en de haartjes op haar arm rechtop stonden.

Eduardo fronste zijn voorhoofd. '*Signora* Barbieri moest het overne-men in de keuken. Haar eten is niet zo lekker als dat van jou,' klaagde hij. 'De courgettebloemen zijn mislukt en ze heeft de pasta te lang gekookt. Maar goed, we hadden in elk geval geen honger meer. Waar was je?' vroeg hij weer.

'Ik durfde vanavond niet te koken.' De maan kwam achter een lange donkere wolk vandaan en ze draaide zich om en probeerde zijn blik te vangen. 'Het is beter voor u als *signora* Barbieri nu kookt. Ik kan me niet concentreren en wachten tot de courgettes knapperig zijn, of malse *polpi* in tomatensaus voor u maken. Ik kan alleen nog maar aan mijn vader denken, opgesloten in die politiecel. Hij is onschuldig, *signore*. Dat weet ik zeker. Vraag me niet hoe ik dat weet, maar geloof me alstublieft.'

Hij blies de sigarenrook uit met een ongeduldig gesis. 'Jij bent zijn dochter. Natuurlijk zeg je dat. Maar de politie is overtuigd van Tommaso Moretti's schuld, net als enkele priesters. Ze zouden hem niet gearresteerd hebben als ze geen degelijke zaak hadden.'

'Maar hij heeft het niet gedaan. Hij zou de Gypsy Tearoom nooit in brand hebben gestoken, want Ciro Ricci is zijn vriend. En iemand anders heeft het werk aan het standbeeld gesaboteerd. Dat weet ik heel zeker.'

'Weet je wie?'

Ze knikte. 'Ja, dat denk ik wel, maar ik kan het niet vertellen.'

'Als je je vader wilt helpen, heb je geen keus.' Zijn stem klonk nors en Raffaella aarzelde even.

'Ik wil het u wel vertellen, maar ik zou erdoor in de problemen komen. U hebt toch gezien hoe het eraan toe gaat in dit stadje? U begrijpt toch wel dat het soms veiliger is om je mond te houden?' Ze streelde zijn arm met haar vingertoppen. 'Gelooft u me?'

Eduardo drukte zijn sigaar uit tegen het muurtje en fronste. 'Het spijt me, Raffaella, maar je moet begrijpen dat die sabotage heel veel tijd en geld heeft gekost. Je vader heeft een ernstige misdaad gepleegd en hij zal ervoor moeten boeten.'

'U gelooft me dus niet?'

'Hij heeft zijn handtekening achtergelaten, weet je nog? Ze hebben een tekening van een vis op de rotsen gevonden.'

'Mijn vader is niet dom. Waarom zou hij op deze manier de verdenking op zichzelf laden? Degene die deze tekening heeft gemaakt, moet willen dat ze denken dat een visser het heeft gedaan.'

Eduardo klonk lusteloos, alsof hij hoopte dat het niet nodig was er nog langer over te praten. 'Raffaella, ik wil hier niet met je over in discussie. Je begrijpt mijn positie toch wel? De vissers hebben geweigerd om mee te betalen aan het standbeeld, dus zelfs als die tekening niet was achtergelaten, zou de verdenking op hen zijn gevallen. Het moet wel een van hen zijn. En als het je vader niet is, wie dan wel? Als je me dat vertelt, zal ik kijken wat ik kan doen. Maar anders kan ik niets doen voor jou of je familie.'

Ze sloot haar ogen en zweeg even.

'Wie, Raffaella? Als je iets weet, moet je het me vertellen.'

Ze schudde haar hoofd. 'Ik verdenk wel iemand, maar ik weet niets zeker.'

'Nou, dan kan ik je niet helpen.' Hij raakte even haar wang aan. 'Het spijt me, Raffaella, echt waar.'

'Het spijt mij ook.' Ze was woedend en de woorden stroomden uit haar mond. 'Het spijt me dat ik zoveel avonden hier naar uw onzin heb zitten luisteren. Het spijt me dat ik mijn tijd heb verspild met voor u te koken en schoon te maken terwijl ik thuis had kunnen zijn bij mijn familie. Het zijn goede mensen, wat u of iemand anders in Triento ook zegt.'

Ze wreef met gebalde vuisten de tranen uit haar ogen en marcheerde naar de keuken, waar een heel grote afwas op haar stond te wachten. Toen ze de gootsteen met heet water vulde, huilde ze nog meer boze tranen. Toen ze met veel lawaai borden en bestek in het sop deed, merkte ze dat ze snikte.

'Raffaella, niet doen...' De *americano* stond nu in de deuropening. 'Huil alsjeblieft niet zo.'

'Ga weg. Laat me met rust.' Haar stem was verstikt van de tranen. 'Als ik je kon helpen, zou ik het doen, maar...'

'Ik zei, ga weg.' Ze schreeuwde nu. 'Ga gewoon weg.'

Maar hij ging niet weg. Hij kwam achter haar staan, sloeg zijn armen om haar schouders en draaide haar lichaam naar zich toe zodat haar hoofd tegen zijn borst rustte. Nu begon ze pas echt te huilen en hij wiegde haar zachtjes heen en weer, terwijl haar tranen zijn overhemd doorweekten.

Pas toen het huilen minder werd, werd Raffaella zich bewust van de kruidige sigarenlucht om hem heen en van zijn stevige lichaam. Ze tilde haar rode en gezwollen gezicht op, zodat haar lippen vlak bij de zijne waren.

De kus was onvermijdelijk. Toen ze de warme vochtigheid van zijn mond met haar tong verkende en zijn handen over haar lichaam voelde strijken, vergat ze alles. Deze keer verraste de intensiteit van haar gevoelens haar niet. Ze genoot van het gevoel van zijn warmte door haar lichaam toen hij haar steviger en dieper kuste.

Toen ze haar armen uitstrekte om haar evenwicht niet te verliezen, raakte Raffaella de schaal met overgebleven courgettebloemen aan. Hij viel met veel lawaai op de grond en brak in stukken toen het geluid van het oude porselein op de harde stenen vloer de stilte van de nacht verstoorde.

'*Signore*, hij heeft het niet gedaan,' fluisterde ze.

'Wat?' vroeg hij verbaasd.

'Mijn vader, hij heeft nooit geprobeerd uw standbeeld te beschadigen. Dat beloof ik u.'

'Wie dan wel? Dat is alles wat ik vraag. Wie?'

Ze schudde haar hoofd en begon weer te huilen. Hij sloeg zijn armen om haar middel en hield haar stevig vast.

Carlotta keek zuster Benedicta's auto na en wilde net naar huis lopen en naar bed gaan toen ze het geluid van brekend serviesgoed hoorde. Bezorgd glipte ze zachtjes door het hek en door de schaduwen naar de keuken.

Ze rook dat de geur van de sigaar van de *americano* nog steeds in de lucht hing, maar hij was nergens te zien. De keukendeur was dicht, maar binnen brandde wel licht.

Ze was meer boos dan verbaasd toen ze hen daar tegen elkaar aan gedrukt zag staan. Daarom had ze dus in haar eentje in het donker voor het klooster zitten wachten. Raffaella had het te druk met haar eigen pleziertjes om aan haar te denken.

Carlotta voelde zich verraden. Ze draaide zich om en sloop naar huis voordat iemand zou ontdekken dat ze daar was. De volgende ochtend zou ze Raffaella ermee confronteren. Ze vroeg zich af welke smoes ze zou bedenken.

36

In Triento waren de meeste zondagen in de zomer hetzelfde. Het was een dag om vroeg op te staan en naar de mis te gaan. Als die taak erop zat, gingen de meeste mensen naar het strand voor een koele duik en vervolgens gingen ze naar huis voor een lange, gezellige lunch met het hele gezin.

's Zondags bleven de vissersboten in de haven met een schoon geboend dek en schoven dan zachtjes met hun voorsteven tegen de rotsen. Er waren er acht in totaal: lage houten open bootjes, blauw en wit geverfd, met een hoge stuurhut waar de schipper in kon staan en een grote lier op de achtersteven waarmee de netten werden opgehaald als ze vol zaten met vis.

Maar die zondagochtend lagen er maar zeven vissersboten in de haven. De achtste was losgemaakt van zijn ligplaats en stevende langzaam in de richting van de zee. Aan boord bevonden zich twee mannen. Een van beiden was zwaargebouwd en de ander meer gedrongen. Aan hun houding en de manier waarop ze tijdens het praten hun handen gebruikten, bleek wel dat ze zich niet prettig voelden.

'Hoe kon je zo stom zijn?' Sergio was woedend op Francesco Biagio en ook boos op zichzelf. Had hij Francesco maar beter in de gaten gehouden. Hij had er nooit op moeten vertrouwen dat hij het goed zou doen. Iedereen wist immers dat de man zaagsel in zijn hoofd had? Sergio stuurde de boot naar de ruwe golven voorbij de landtong en verhief zijn stem: 'Je hebt alles verpest!'

'Hoe vaak moet ik je nog zeggen dat het me spijt?' Francesco was een grote man, maar met zijn hangende schouders en zijn gerimpelde gezicht zag hij er meelijwekkend uit. 'Ik had niet door dat het zoveel problemen zou veroorzaken.'

Alleen de wetenschap dat Francesco niet kon zwemmen, weerhield Sergio ervan hem overboord te duwen. 'Je hebt een tekening van een vis gemaakt, *stupido*. Je had net zo goed onze namen op die verdomde rots kunnen schrijven,' siste hij.

'Nou ja, ze weten immers nog steeds niet dat wij het waren,' zei Francesco. Hij staarde met een sullige uitdrukking op zijn gezicht in de richting van Triento.

Francesco had er genoeg van dat Sergio tegen hem schreeuwde. Hij had al die ophef over dat standbeeld nooit begrepen. Eerlijk gezegd kon het hem helemaal niets schelen of dat ding nu wel of niet werd gebouwd. Het was een leuke aanleiding geweest, want hij had het heerlijk gevonden om net te doen alsof hij een bandiet was toen hij in het donker op de berg rondkroop en met de machines zat te knoeien. En hij genoot van het idee dat hij een geheim leven leidde waar zijn vrouw Giuliana niets vanaf wist. Zij nam aan dat hij met Sergio en Gino Ferrando een biertje dronk. Hij grijnsde toen hij eraan dacht wat zij zou zeggen als ze wist wat hij in werkelijkheid had gedaan.

In eerste instantie was het allemaal soepel verlopen. Hij, Sergio en Gino leken wel een bende die een gevaarlijk avontuur beleefde. Maar Sergio had per se de aanvoerder willen zijn. Hij had zich ongelooflijk bazig gedragen en was blijven roepen dat niemand iets mocht doen zonder zijn toestemming. Gino was de eerste geweest die er genoeg van had. Hij had gezegd dat hij te oud was om de halve nacht op een berg rond te kruipen en had geweigerd om weer met hen mee te gaan. Daarna had Sergio zich gedragen als een gefrustreerde generaal met maar één soldaat onder zijn commando en toen was de lol er gauw vanaf.

De tekening van de vis was een daad van opstandigheid geweest. Francesco had bedacht dat ze een symbool moesten hebben en eer van hun werk moesten krijgen, maar door die tekening was Tommaso gearresteerd. Sergio had erop gestaan dat ze op zijn boot deze spoedvergadering zouden houden.

De boot van de Moretti's zag er net zo uit als de andere boten, maar om de een of andere reden was het altijd de meest fortuinlijke geweest. Met Tommaso als schipper zaten de netten altijd boordevol vis. Ook was deze boot vrijwel altijd als eerste weer terug in de veilige haven. Maar vanaf het moment dat Tommaso in de gevangenis zat, scheen het geluk gekeerd. De bemanning begon wanhopig te worden als ze weer eens met een matige vangst terug naar de haven voeren. Sergio was bang geworden en daardoor gedroeg hij zich nog baziger. Francesco had er algauw heel veel spijt van dat hij zich ooit bij dit plan had laten betrekken.

'Sabotage was jouw idee,' zei hij tegen Sergio. Hij had zijn armen koppig over zijn brede borst gevouwen. 'Het spijt me dat je vader in de gevangenis zit, maar daar kun je niet alleen mij de schuld van geven.'

'Als je had gedaan wat ik je had gezegd, dan zou er niets aan de hand zijn.'

'Volgens mij niet,' zei Francesco. 'Angelo Sesto had maanden geleden al gelijk, tijdens onze vergadering in de Gypsy Tearoom. Het standbeeld saboteren was geen goed idee. We hadden mee moeten gaan met wat die stommeriken boven op de heuvel wilden. Maar jij stond erop dat we moesten proberen hen tegen te houden en dankzij jou zit Tommaso nu in de gevangenis.'

'Je kunt mij daar toch niet de schuld van geven,' zei Sergio verontwaardigd.

Francesco haalde zijn schouders op. 'Hoe dan ook, het is wel jouw probleem.'

'Hoe bedoel je?'

'Jouw vader is degene die nu gevangenzit en jij bent degene die een manier moet verzinnen om hem eruit te krijgen.'

Sergio staarde voor zich uit, beschermde zijn ogen tegen de felle zon en zei een tijdje niets. Toen hij de stilte verbrak, zei hij op een heel andere toon: 'Hoe moet ik dat doen? Je moet me helpen, Francesco.'

Francesco schudde zijn hoofd. 'Het spijt me, Sergio, het spijt me echt, maar ik kan je niet langer helpen.'

Padre Pietro zat aan het uiteinde van een van de houten kerkbanken in de welkome koelte van zijn oude kapel. Hij had een lange, slapeloze nacht achter de rug en was uitgeput. Een paar uur geleden had de oude priester, padre Fabiano, zijn greep op het leven eindelijk losgelaten en hij en padre Matteo hadden bij zijn bed gezeten toen hij stierf.

Padre Matteo had alle noodzakelijke dingen geregeld, gebeden voor een soepele overgang van de ziel van de oude priester en hem de laatste sacramenten toegediend. Hij had er alleen maar bij gezeten, met een van padre Fabiano's magere, gerimpelde handen in zijn hand. Hij had hem iets in zijn oor gefluisterd in de hoop dat de oude priester, hoewel diens ogen gesloten waren en zijn ademhaling moeizaam ging, hem toch kon horen en begreep wat hij zei.

De hele nacht had hij jeugdherinneringen opgehaald en herinnerde padre Fabiano aan de tijd dat hij zijn mentor was en hem begeleidde tijdens zijn eerste stappen op het pad van een leven lang in dienst van God. Hij bedankte de oude priester dat hij in hem had geloofd, gaf een kneepje in zijn hand en vertelde hem dat hij een geweldig mens was geweest.

Padre Fabiano's voeten bewogen even en een paar keer leek het alsof er een glimlach om zijn lippen speelde. Maar toen de dag aanbrak begon hij te kreunen toen hij moeite moest doen om adem te halen en toen padre Pietro padre Matteo's ervaren psalmodie hoorde, boog hij zijn hoofd en nam nog één keer afscheid.

Later voelde padre Pietro zich in- en intriest en niet alleen omdat hij afscheid had moeten nemen van een vriend. Nu padre Fabiano dood was, was hij de oudste van alle priesters. Met een klap drong het tot hem door dat zijn tijd op aarde korter werd en dat hij algauw degene zou zijn die op zijn sterfbed lag terwijl padre Matteo hem de laatste sacramenten zou toedienen. Zodra deze gedachte bij hem op was gekomen, kon hij nergens anders meer aan denken.

Hij was snel teruggegaan naar Santo Spirito voor de mis, maar hij had dat melancholieke gevoel niet van zich af kunnen zetten. En nu de gelovigen vertrokken waren en hij een paar minuten uitrustte in een van zijn eigen banken, voelde hij zich somberder dan ooit.

Toen hij de houten deuren krakend hoorde opengaan, nam padre Pietro aan dat het iemand van de kerkgangers was die een vergeten sjaal of hoofddoek kwam ophalen. Tot zijn verbazing zag hij dat het Raffaella was. Hij vond dat ze er mooier uitzag dan ooit in haar zwarte jurk die zedig tot aan haar hals was dichtgeknoopt en met haar donkere haar dat werd beschenen door het zonlicht dat door het glas-in-lood-raam naar binnen viel.

'Mijn kind, je hebt de mis gemist,' zei hij. 'Je had zeker een uur eerder moeten komen.'

'Ik weet het, het spijt me.'

'Maar ik kan je nu de biecht wel afnemen als je dat wilt. Kom even bij me zitten.'

Ze gleed naast hem en keek omhoog naar het grote houten kruis op het altaar. 'Ik ben hier niet gekomen om te biechten, tenminste, niet echt.'

'Waarom dan? Wat kan ik voor je doen?'

'Ik weet niet zeker of u me wel kunt helpen, maar ik moest met ie-mand praten en behalve u kan ik niemand vertrouwen, padre Pietro.'

Hij zag dat ze wanhopig was.

'Zit je in moeilijkheden?' vroeg hij vriendelijk.

Ze knikte. 'Ja.'

'Vertel me alles maar, Raffaella, en als ik je kan helpen, dan zal ik dat doen. Dat weet je.'

Het was een ongelooflijke opluchting dat ze alles aan padre Pietro kon opbiechten. Met schorre stem vertelde ze hem dat ze ervan over-tuigd was dat Sergio verantwoordelijk was voor de sabotage aan de machines op de bergtop. Het was heel fijn om alles op te biechten aan iemand die wijzer en ouder was dan zij.

Padre Pietro luisterde aandachtig. Hij zat rustig naast haar en de uitdrukking op zijn gezicht veranderde niet. Raffaella had er geen idee van dat elk woord dat ze zei, zwaar op hem drukte. Ze vermoedde niet dat de oude priester dolgraag zijn vinger op haar lippen had gedrukt om haar te laten zwijgen voordat ze nog meer kon opbiechten dat hij liever niet wist.

'Wat moet ik doen?' vroeg ze ten slotte. 'Ik heb me dat de hele nacht liggen afvragen. Ik heb amper geslapen. Maar ik weet nog steeds niet wat ik moet doen.'

Padre Pietro wreef met een vermoeid gebaar over zijn ogen. 'Wat zegt je geweten dat je moet doen, Raffaella?'

Ze aarzelde. 'Mijn geweten?'

'Ja. Een onschuldige man zit in de gevangenis en de schuldige loopt vrij rond. Wat denk je dat je moet doen?'

'Naar de politie gaan en hun vertellen wat ik denk? Denkt u dat ik dat moet doen, padre?'

'Mijn kind, ik kan je niet vertellen wat je moet doen. Dat kun jij alleen beslissen.'

'Maar ik kan niet beslissen. Daarom kwam ik hier, om met u te praten.' Raffaella voelde de hopeloosheid over zich heen spoelen als een golf over de rotsen. Misschien was dit toch zonde van de tijd geweest. De oude priester kon haar niet helpen.

Beiden zwegen tot ze de houten deur hoorden kraken. Ze draaiden zich om om te zien wie de kerk binnenkwam. Raffaella hapte naar adem toen ze zag wie het was. Haar broer, Sergio, zijn gezicht rood van de ochtendzon, liep stilletjes tussen de kerkbanken door.

Sergio schrok toen hij hen zag. 'O, ik had niet verwacht dat er iemand zou zijn,' mompelde hij. 'Ik heb de mis gemist en dus kwam ik hier om even te bidden. Het spijt me dat ik jullie heb gestoord. Ik kom straks wel terug.'

Hij wilde weglopen, maar Raffaella hield hem tegen: 'Nee.'

Ze dacht dat ze een schuldige uitdrukking op zijn gezicht zag en misschien ook nog wel iets anders. Angst misschien, of paniek. Ze voelde de woede in zich oplaaien. Raffaella hield van haar broer, maar haar hele leven al maakte hij haar boos en nu was hij te ver gegaan.

'Het is te laat om weg te lopen,' snauwde ze hem toe. 'Ik weet wat je hebt gedaan, Sergio. En padre Pietro ook.'

'Waar heb je het over?' Hij probeerde onschuldig te kijken en leek zelf te merken dat dit mislukte.

Raffaella keek hem boos aan. Ze zag dat zijn handen trilden, maar ze had geen medelijden met hem. 'We weten het van het standbeeld en de stomme dingen die je daarboven hebt gedaan. Onze vader zit in de gevangenis, Sergio, en dat is allemaal jouw schuld.'

Hij liet zich zwaar op de bank voor hen vallen en sloeg zijn handen voor zijn gezicht. 'Ik weet het, het spijt me. Ik dacht dat wat ik deed goed was en dat papà trots op me zou zijn. Ik kon toch niet weten dat het hierop zou uitdraaien?'

Raffaella beheerste zich niet langer. 'Wat ben je toch een stomkop!' riep ze, maar toen voelde ze padre Pietro's kalmerende hand op haar schouder. Daarom beet ze op haar lip en hield de woorden binnen die ze had willen uitschreeuwen.

'Wat gebeurd is, is gebeurd,' zei de oude priester zorgelijk. 'Laten we geen energie verspillen aan beschuldigingen, maar laten we proberen een oplossing te bedenken.'

'Sergio kan naar de politie gaan en vertellen wat er echt is gebeurd,' zei Raffaella vol overtuiging. 'Hij moet zichzelf aangeven.'

'Wat heeft dat voor zin?' bracht haar broer daar tegenin. 'Dan zitten we beiden in de gevangenis, papà en ik, en wie gaat er dan met de boot de zee op? Wie zorgt er dan voor de familie, hè? Vertel me dat, Raffaella.'

Ze dacht erover na en realiseerde zich dat hij gelijk had. Ook al zou Sergio bekennen, dat betekende nog niet dat de politie Tommaso zou laten gaan. Ze zouden er waarschijnlijk van uitgaan dat vader en zoon het samen hadden gedaan. En twee leden van hun gezin achter de tralies, daar had niemand wat aan.

'Wat dan?' vroeg ze. 'Wat moeten we dan doen?'

'Ik weet het niet,' zei Sergio wanhopig. 'Daarom ben ik hier ook gekomen, om te bidden en na te denken over de beste oplossing.'

'Ik weet het!' Opeens was dit idee Raffaella te binnen geschoten en ze werd helemaal opgewonden. 'Je moet vannacht de berg weer op gaan en iets anders saboteren!'

Sergio begreep er niets van. 'Hoezo is dat een oplossing?'

'Omdat als de sabotage doorgaat terwijl papà opgesloten zit, de politie zal begrijpen dat iemand anders er verantwoordelijk voor is. En dan moeten ze papà wel vrijlaten.'

'Maar als ze me betrappen?'

'Nou, je bent toch nog niet betrapt?' zei Raffaella. 'En trouwens, ik heb een perfect alibi voor je. Vanavond geeft Ciro Ricci een feestje om de heropening van de Gypsy Tearoom te vieren. Zolang ze je daar zien en het lijkt alsof je aangeschoten bent en je vermaakt, zal niemand denken dat jij boven op de berg was.'

Sergio leek niet overtuigd. 'Ik weet het niet, dat klinkt niet goed.'

'Je hebt geen keus. Er is geen andere oplossing.'

'Nee, ik kan het niet doen.' Sergio klonk wanhopig. 'Niet in mijn eentje. Het spijt me, maar ik kan het niet.'

Raffaella keek naar padre Pietro. 'Hij moet wel, ja toch, padre?'

De priester aarzelde. 'Ik weet het niet... Misschien is het de poging wel waard.'

'Ik kan het niet,' zei Sergio koppig.

Nu beheerste Raffaella zich niet. 'Je bent zielig. Je bent gewoon een lafaard en ik schaam me voor je.'

Sergio knipperde met zijn ogen, maar zei niets. Raffaella stond op en trok haar rok recht. 'Jij bent misschien te bang om dit voor papà te doen, maar ik niet,' zei ze. 'Maak je maar geen zorgen, ik doe het wel.'

Ze marcheerde de kerk uit en sloeg de houten deur stevig achter zich dicht. Toen ze door het smalle straatje liep dat naar de hoofdstraat leidde, voelde Raffaella zich vol energie. Vanavond zou ze wegglippen van Ciro's feestje en met haar Vespa de berg op rijden. Ze wist nog niet wat ze daar zou gaan doen, maar ze was ervan overtuigd dat ze wel iets zou kunnen verzinnen.

37

Ciro had zijn uiterste best gedaan om Triento in feeststemming te krijgen. Hij had de steeg versierd met vlaggen en feestverlichting, en hij had een gitarist uit een dorp verderop ingehuurd die erom bekendstond dat hij de hele avond liefdesliedjes kon zingen. De oude man zat rustig te tokkelen en zijn gitaar te stemmen toen Raffaella in de Gypsy Tearoom arriveerde. Net als vroeger rook het er naar verse basilicum en houtvuur, en achter de toonbank stond Ciro met het zweet op zijn voorhoofd ingrediënten te snijden en in sausjes te roeren. Hij knikte naar haar en glimlachte.

'*Ciao, bella*. Kom binnen, kom binnen. Jij bent de eerste, maar je bent niet te vroeg.'

'Ik kan niet lang blijven,' en terwijl ze aan haar jurk friemelde voegde ze er spijtig aan toe: 'Misschien zou ik hier niet eens moeten zijn.'

Ciro veegde de snijplank schoon en begon zijn messen schoon te maken. Peinzend vroeg hij: 'Het is nu bijna een jaar geleden, hè, dat Marcello is overleden?'

Raffaella knikte. 'Het is heel snel gegaan.'

'Hoelang blijf je nog in de rouw?'

'Nog zeker een jaar.'

'En dan kun je aan je toekomst gaan denken?'

'Ja, dat denk ik wel,' antwoordde Raffaella aarzelend. 'Maar dat duurt nog zo lang.'

'Het komende jaar zal net zo snel verstrijken als dit jaar,' zei Ciro geruststellend.

Ze werden gestoord door de komst van Silvana. Ze kwam binnenvallen, gekleed in haar mooiste jurk en met haar haren los. '*Buonasera, buonasera*,' zei ze en gaf Raffaella snel een kusje op beide wangen. 'Ik kan niet lang blijven, vrees ik. Maar ik moest even langskomen om je succes te wensen, *signor* Ricci, en misschien om een glaasje feestwijn met je te drinken.'

'Het zou onbeleefd zijn als je dat niet deed,' beaamde Ciro. 'Hier, dan schenk ik je een glas wijn in.'

Silvana keek snel even naar de deur en Raffaella was ervan overtuigd dat ze hoopte dat de burgemeester binnen zou komen voordat ze weg moest. Ze leek zenuwachtig, nam een slok van de zoete mousserende wijn die Ciro haar had gegeven en trommelde met haar vingertoppen op de bar.

Terwijl ze over de bakkerij praatten en de laatste roddels bespraken, voelde Raffaella dat Silvana haar aandacht er niet helemaal bij had. Elke keer keek ze achterom, ze beet continu op haar lippen en speelde de hele tijd zenuwachtig met haar haar.

Toen ze begon te blozen en haar ogen groter werden, wist Raffaella zeker dat de burgemeester er was. Ze draaide zich om en zag hem binnenkomen, met zijn ogen op Silvana gericht.

'*Buonasera*,' zei hij en nam het glas wijn aan dat Ciro hem aanbood. Hij hief het in de lucht en zei: 'Wat een fantastische dag is dit. De Gypsy Tearoom eindelijk weer open. *Salute*.'

'*Salute*.' Raffaella en Silvana hieven hun glazen ook en proostten op het feit dat Ciro met succes zijn leven vanuit de as weer had opgebouwd.

'Ja, dit is echt een fantastische dag,' beaamde Ciro. 'En ik hoop dat u elke ochtend weer langskomt voor uw kopje koffie, burgemeester.'

Giorgio knikte en keek weer even naar Silvana. 'O ja, natuurlijk. Ik kom weer op de gewone tijd. Ik zie er echt naar uit.'

'En ik zal weer brood komen afleveren, als je dat wilt.' Silvana kon een glimlach niet onderdrukken. 'Ik zal er ook voor zorgen dat ik hier weer op de gebruikelijke tijd ben. Dan zal het weer net zo zijn als vroeger.'

Raffaella nam een slokje en glimlachte, maar zei niet veel. Ze dacht aan wat ze die nacht moest doen. Ze voelde zich springlevend en kon niet wachten om te beginnen.

Langzaam druppelden er meer mensen binnen. De kleine ruimte

was al snel overvol. Ciro begon pizzapunten te serveren en moest schreeuwen om boven het lawaai uit te komen. Silvana en de burgemeester stonden helemaal achterin en waren diep in gesprek. Buiten werd het al snel donker. Raffaella moest algauw vertrekken.

Niemand zag haar gaan. Ze liep snel naar haar Vespa die ze in een achterafstraatje aan de rand van het stadje had achtergelaten. Ze voelde zich even schuldig toen ze de weg op reed die naar de bergtop leidde. Haar zwarte sjaal had ze om haar hoofd gewikkeld, zodat hij haar gezicht gedeeltelijk bedekte. Ze had nooit eerder iets illegaals gedaan.

Op de berg was alles zo veranderd dat Raffaella niet wist waar ze moest beginnen. Ze bleef even staan, verbijsterd en in de war door wat ze zag. De grond was door zwaar materieel helemaal omgewoeld en waar vroeger gras en wilde bloemen hadden gestaan, lag nu alleen nog maar puin. Uit cementmolens waaide stof, er lagen stapels ijzeren buizen en de enorme pilaren waarop in de toekomst de hele weg zou rusten, waren gedeeltelijk al geplaatst. Wat eerder een vredige, verlaten plek was geweest, was nu lelijk en beschadigd. Raffaella kon zich niet voorstellen dat uit deze chaos ooit een mooi standbeeld zou kunnen ontstaan. Nu pas begreep ze waarom haar vader zo fel gekant was geweest tegen het project en waarom Sergio het gevoel had dat het gerechtvaardigd was om het project te saboteren.

Ze pakte een dikke steen van de grond en liep tussen de slordig geparkeerde voertuigen door. Het was er rustig en stil, ze hoorde alleen een briesje ruisen door de resterende pollen berggras. Raffaella wist zeker dat ze hier helemaal alleen was.

Het was moeilijk om te bepalen wat ze moest doen. Zou ze de koplampen van een vrachtauto kapotslaan of kon ze beter iets anders doen? Wat hadden Sergio en zijn vrienden gedaan om de voortgang te hinderen? Ze wenste dat ze hem dit had gevraagd.

Ze probeerde nog steeds te beslissen wat ze moest doen toen ze voetstappen achter zich hoorde. Ze maakte een sprongetje van schrik en wilde zich omdraaien, maar voelde toen een sterke arm om haar schouders.

'Ik heb je!' zei een onbekende mannenstem. Ze voelde dat hij zijn greep verstevigde.

Ze stribbelde tegen, maar tevergeefs. Hij had haar goed vast.

'Wie ben je? Doe die sjaal af, dan kan ik je gezicht zien.' Deze stem herkende ze wel. Het was Fabrizio Russo. Opgewonden trok hij met onhandige vingers de sjaal van haar hoofd en bescheen haar gezicht met een zaklamp.

'Raffaella!' Hij klonk verbijsterd. 'Wat doe jij hier?'

Zij knipperde in het felle licht. 'Ik wilde wel eens zien wat ze hier doen.'

'Ja hoor. Je dacht dat je hier maar beter in het donker naartoe kon komen met een steen in je hand?' De stem van de onbekende had een noordelijk accent. Raffaella probeerde zich om te draaien zodat ze zijn gezicht kon zien, maar hij had zijn greep nog niet verslapt.

'Laat me los,' smeekte ze.

'Ja, laat haar los,' drong Fabrizio aan. 'Doe haar alsjeblieft geen pijn. Ze was de vrouw van mijn broer Marcello.'

'Kan me niet schelen wie ze is. Ze was niets goeds van plan en ik breng haar naar de politie. Vannacht zit ze in de cel.'

'Nee, wacht…' Fabrizio raakte haar wang even aan. 'Wat deed je hier? Je was toch niet echt van plan om iets kapot te maken?'

Raffaella wilde tegen hem liegen, maar ontdekte dat ze dat niet kon. 'Kijk toch eens wat deze vreemdelingen met onze berg hebben gedaan,' zei ze in plaats daarvan. Ze voelde dat ze boos werd. 'Het lijkt wel alsof hier een oorlog is uitgevochten. En de stad moet hier dik voor betalen. Mijn vader had gelijk, dat standbeeld is een belachelijk idee.'

'Je spant dus met hem samen?' Fabrizio was nu ook boos. 'Jullie zijn een stelletje saboteurs. Dacht je soms dat je ermee weg kon komen? Het lag toch voor de hand dat we de boel in de gaten zouden houden om te zien of we nog iemand te pakken kregen? Mijn vriend heeft gelijk… vannacht zit je in een politiecel.'

'Fabrizio, alsjeblieft…' Ze realiseerde zich dat ze hem niet zou kunnen overhalen. De beïnvloedbare jongen die altijd min of meer verliefd op haar was geweest, was nu een man geworden en niet langer haar vriend.

Ze liet de steen vallen en voelde dat de onbekende zijn greep liet verslappen. 'Je brengt me dus naar de politie?'

'Ja, dat klopt.' Fabrizio's gezicht bevond zich gedeeltelijk in de schaduw, maar ze wist dat hij vastbesloten was.

'Ik heb niets beschadigd. Ik keek alleen maar rond. Dat is toch zeker niet tegen de wet?'

'Je was van plan iets te beschadigen. We hebben je gezien. En wie zal de politie geloven, denk je: ons of de dochter van de man die al bij hen in de cel zit?'

Raffaella begon bijna te huilen, maar kon zich inhouden. Haar hart ging tekeer en haar maag draaide, maar ze probeerde moedig te kijken. 'Nou, waar wacht je op?' snauwde ze. 'Waarom brengen jij en je vriend me dan niet naar de politie? Ik ben wel blij dat Marcello niet meer leeft en niet ziet wat voor *scemo* je bent geworden. Je was altijd zijn favoriete broertje. Dit zou zijn hart hebben gebroken.'

'Laat Marcello hier buiten,' zei Fabrizio woedend. 'Je hebt hem geen respect betoond toen hij nog leefde en nog minder sinds hij onder de grond ligt. Waarom draag je eigenlijk zwarte kleren, hè? Je bent een ongelooflijke hypocriet, Raffaella.'

'Je weet helemaal niets van me, Fabrizio,' zei ze zwakjes.

'Ik weet wat mijn moeder van je vindt en wat jij Marcello volgens haar hebt aangedaan. Ik heb geprobeerd je te verdedigen, maar nu vraag ik me af of ik me heb vergist. Als jij in staat bent om hier naartoe te komen om dingen kapot te maken, dan ben je misschien ook wel in staat om mijn broer te vergiftigen. Misschien moet ik het daar ook met de politie over hebben.'

Raffaella was zo woedend dat ze amper een woord kon uitbrengen. 'Je bent een stommeling, Fabrizio.'

'Ja, dat klopt. Ik heb je vertrouwd. Ik vond je perfect en was jaloers op mijn broer omdat je zijn vrouw was. Nu zie ik hoe je werkelijk bent en realiseer ik me dat het stom was dat we dat niet hebben gezien.'

De zwaargebouwde onbekende pakte haar bij de arm. 'Zo is het welletjes. We brengen haar naar de politie en dan moeten zij maar beslissen wat er met haar moet gebeuren. Je hebt vanavond goed werk verricht, *amico*. Je bent een goede nachtwaker.'

Raffaella merkte dat ze stond te trillen. Toen ze haar naar de auto brachten die ze uit het zicht achter een vrachtwagen hadden geparkeerd, werd ze bang. Wat zou haar vader zeggen als ze hem vertelden dat ze in de cel naast hem zat? Hoe zou haar moeder ermee omgaan? En het ergste van alles: wat zou Eduardo doen? Hij zou nooit meer met haar willen praten, dat was een ding dat zeker was. Ze had zichzelf zo slim gevonden, maar ze had alles bedorven. Nu kon Raffaella zich niet meer beheersen en liet haar tranen de vrije loop.

38

Triento was nog nooit zo verdeeld geweest. Het halve stadje geloofde dat Raffaella onschuldig was en vond dat ze onmiddellijk moest worden vrijgelaten. De andere helft was overtuigd van haar schuld. De mensen spraken vrijwel nergens anders over, in de bakkerij van Silvana en bij de marktkraampjes op de *piazza*.

Er waren mensen die zichzelf schuldig voelden, padre Pietro het meest. Hij wist dat hij Raffaella had moeten tegenhouden. Als hij niet zo moe en verdrietig was geweest, zou hij haar een beter advies hebben gegeven. Hij probeerde mensen te overtuigen van haar onschuld, maar daar wilden ze niet van horen.

Ondertussen wilde Raffaella niemand zien. Toen Ciro Ricci langskwam met een pizza voor haar, kwam hij tot de ontdekking dat Silvana al langs was geweest met een mand vol brood en kaas. Geen van beiden kreeg haar te zien. Ze schaamde zich ook te erg om haar moeder of zuster te zien en voelde zich te vernederd om met Carlotta te praten.

Toen Sergio dan ook langskwam, nerveus en gespannen, verwachtte hij eigenlijk dat ze hem ook weg zou sturen.

'Ik ben haar broer,' zei hij tegen de dienstdoende agent. 'Mag ik vijf minuten bij haar?'

'Ze heeft alle bezoek geweigerd. Ik zou niet weten waarom het bij u anders zou zijn.'

Sergio liep te ijsberen terwijl hij wachtte tot de agent terug zou komen. Het was een benauwende plek. Hij had het gevoel dat hij niet voldoende lucht kreeg.

'U mag wel doorlopen.' De politieagent klonk verbaasd. 'Ze zit in de dichtstbijzijnde cel en uw vader zit helemaal achterin. Als jullie zo doorgaan, hebben we strakjes jullie hele gezin hier zitten.'

'Dat hoop ik toch niet,' zei Sergio zenuwachtig. Hij liep door en kwam in een klein cellenblok. Het was er vrij donker, maar hij zag dat er een stoel bij de tralies van de dichtstbijzijnde cel was geschoven. Hij was verbijsterd toen hij Raffaella zag. Ze was bleek, had donkere wallen onder haar ogen en haar haar was slordig naar achteren getrokken. Ze zat aan het voeteneind van een smal bed, met een dunne grijze deken om zich heen. Ze had haar armen om haar knieën geslagen en zat zachtjes heen en weer te wiegen.

De agent bleef binnen gehoorsafstand en dus moest Sergio opletten met wat hij zei.

'Raffaella, het spijt me.' Hij meende het echt. 'Ik geloof gewoon niet dat je hier zit.'

'Het is mijn eigen schuld. Je zei toch al dat het een stom plan was.'

'Wat moeten we nu doen?'

Ze keek hem aan en beet op haar lip.

'Misschien moet ik maar doen wat ik meteen al had moeten doen?' bood hij aan.

Ze schudde haar hoofd. 'Dat heeft geen zin. Er is maar één ding dat misschien een oplossing biedt, maar dat is wel riskant.'

'Wat dan?'

'Je moet naar Villa Rosa gaan en Carlotta vragen of je de *americano* mag spreken. Leg hem alles uit. Vertel hem het hele verhaal. Laat niets weg. Als hij je gelooft, dan helpt hij ons misschien.'

'Waarom zou hij me geloven?'

Raffaella aarzelde. 'Hij en ik waren vrienden...' zei ze.

'Hoe bedoel je, vrienden?' Sergio verhief zijn stem.

Ze drukte haar wijsvinger tegen haar lippen. 'Sst, niet nu. Ga er maar gewoon naartoe en vertel hem de waarheid, Sergio.'

'En kom ik dan ook...?' Hij keek om zich heen naar de duistere cellen met hun lage plafond en bedompte atmosfeer. 'Ik denk niet dat ik dat uithou, Raffaella.'

Ze haalde haar schouders op. 'Het is een risico,' gaf ze toe. 'Een groot risico. Maar volgens mij heb je geen andere keus. Ze zijn ervan overtuigd dat wij schuldig zijn. De *americano* is de enige die ons nu kan helpen.'

Sergio verborg zijn gezicht in zijn handen. Hij wilde dat hij deze puinhoop kon achterlaten en ergens anders een nieuw leven kon beginnen. Hij kon zich niet voorstellen dat hij naar de *americano* zou gaan en hem met zijn pet in de hand zou smeken om de vrijheid van zijn familieleden. Maar hij kon zich wel voorstellen dat hij hier zou zijn, aan de andere kant van de tralies, en die gedachte joeg hem angst aan.

Sergio was niet eerder in Villa Rosa geweest en hij was onder de indruk. Het huis zag er bijzonder fraai uit: de zon bescheen de roze muren en de bloemblaadjes van de geraniums op het balkon dwarrelden naar beneden en kwamen op de binnenplaats terecht.

Carlotta was nergens te zien, maar hij zag wel een jonge vrouw die hij niet kende. Ze had een handdoek om haar middel geslagen en haar lange donkere haar was vochtig.

'Hallo, wie bent u?' Ze glimlachte naar hem en hij zag hoe wit haar tanden afstaken tegen haar honingkleurige huid.

'Ik ben Sergio Moretti,' antwoordde hij en probeerde niet te kijken naar haar borsten waarvan de harde tepels tegen de stof van haar badpak drukten. 'Ik ben de broer van Raffaella en ik ben op zoek naar de *americano*. Is hij hier?'

'U bedoelt Eduardo, neem ik aan. Hij is nog steeds beneden aan het zwemmen. Hij heeft een vrije dag genomen en wilde zien of hij fit genoeg was om naar het eiland te zwemmen. Volgens mij is hij gek.'

'Kunt u dan niet beter beneden gaan kijken of hij niet in de problemen komt?'

Ze haalde haar schouders op en keek hoe mooi haar gouden armband langs haar fraaie arm naar beneden gleed. 'Ik zou hem toch niet kunnen helpen. Ik ben niet van plan het water in te springen om hem te redden. Dan zou ik zelf verdrinken, denkt u niet? En wat zou dat voor zin hebben?'

Sergio vond wel dat ze gelijk had. Hij vroeg zich af of het stom was wat hij van plan was te doen.

'U kunt hier wel op hem wachten en ondertussen met mij praten, als u wilt.' Het meisje glimlachte naar hem. 'Vertel me eens hoe het met uw zuster in de gevangenis gaat. Is het daar heel erg naar? Behandelen ze haar slecht?'

Sergio wipte van de ene voet op de andere. 'Ik weet het niet. Misschien kan ik straks beter terugkomen.'

Het meisje pruilde. 'Tja, u moet het zelf weten. Maar ik verveel me, helemaal in m'n eentje. Ik zou het fijner vinden als u bleef.'

Sergio had nog nooit zo'n knap meisje gezien. Ze had een tenger figuurtje en haar huid leek wel opgepoetst. Naast haar voelde hij zich een zwetende, onhandige bruut.

'Ik heet Claudia Barbieri,' zei ze tegen hem. 'Dit is mijn huis. Nou, eigenlijk woon ik meestal in Napels. Maar die stad is afschuwelijk in deze tijd van het jaar, vind je niet? Ik vind het vlak bij de zee veel prettiger.'

Sergio wilde maar dat de *americano* snel kwam. Hij wist niet hoe hij met zo'n meisje moest praten. 'Ik ben visser,' zei hij. 'Ik ben de hele dag op zee en het lijkt me dus niet zo geweldig. Ik zou het leuk vinden om een tijdje in de stad te zijn.'

'Waarom doet u dat dan niet?'

Het leek zo eenvoudig zoals ze het stelde. Hij vroeg zich af waarom hij Triento nooit had verlaten en zijn geluk in de stad had beproefd. 'Mijn familie woont hier,' zei hij. 'En ik moet op mijn vaders boot werken en vis vangen.'

'Maar waarom doet u dat als u het niet leuk vindt?' Claudia zat op een houten stoel en strekte haar benen. Ze liet de handdoek van haar taille vallen en schoof heen en weer in de kussens om een lekker plekje te vinden. Sergio kon zich niet beheersen en staarde naar haar smalle taille en haar platte buik.

'Claudia!' Over de binnenplaats kwam een oudere vrouw aanlopen.

'Ja, mamma?'

'Waarom zit je met deze man te praten? Wie is dat?'

'Hij is de broer van de huishoudster, mamma,' zei Claudia ongeduldig. 'Ik heb hem gevraagd me te vertellen hoe het is in de gevangenis.'

'Wat doet hij hier? Wat moet hij?' Ze klonk vijandig.

'Het spijt me, *signora*.' Sergio was rood geworden. 'Ik ben hier om met de *americano* te praten, maar hij is op dit moment aan het zwemmen.'

'Nou, ga dan maar naar dat terras. Daar kunt u wel op hem wachten. Claudia, doe iets om je heen en kom mee. Nu ik kennelijk zelf voor het eten moet zorgen, kun je me heus wel een handje helpen.'

Claudia keek nog even achterom toen ze met haar moeder mee het huis in liep. Ze glimlachte nog een keer en zwaaide even. Sergio wilde dat hij achter haar aan kon lopen. Hij had nooit eerder gezien hoe rijke mensen leefden. Hij wilde het meubilair wel zien en kijken of ze een grote stereo-installatie hadden. En bovendien wilde hij nog langer van dat knappe meisje genieten.

In plaats daarvan ging hij op de harde betegelde bank onder de bougainville zitten en wachtte met een ongemakkelijk gevoel tot de *americano* terugkwam. Hij zag ontzettend tegen het gesprek op. Raffaella dacht dan wel dat ze vrienden waren, maar hij kon zich niet voorstellen dat de man hem niet vijandig zou behandelen.

Eindelijk hoorde Sergio het geluid van natte voeten op de trap. Hij stond op, vermande zich en bereidde zich voor op het gesprek.

'*Salve, signore,*' zei hij toen een grote, donkere man met brede schouders de hoek om kwam. 'Bent u tot aan het eiland gekomen?'

'Ja, inderdaad.' Eduardo kon een grijns niet onderdrukken. 'Ken ik u? Bent u een van de mensen die op de berg aan het werk zijn?'

'Nee, *signore*, u kent me niet. Ik ben Sergio Moretti, de broer van Raffaella, en ik kom u om hulp vragen.'

Eduardo's grijns verdween en hij zei op kille toon: 'Ik heb helemaal geen zin om met iemand van uw familie te praten en ik ben zeker niet van plan u te helpen.'

'Wilt u dan tenminste naar me luisteren, *signore*?' Sergio haatte zichzelf om zijn smekende toon. 'Mijn zuster zei dat u haar vriend was. Zij denkt dat u de enige bent die ons kan helpen.'

Eduardo fronste. 'Goed, ik zal luisteren naar wat u te zeggen hebt. Dat ben ik Raffaella in elk geval wel verschuldigd.'

De *americano* wilde op het lage muurtje naast de granaatappelboom zitten, zodat de zon het zeewater op zijn lichaam kon drogen. Sergio begon nog meer te transpireren toen hij begon te praten.

Het was niet gemakkelijk om alles te vertellen. Eduardo schudde heftig met zijn hoofd toen Sergio het plan om het standbeeld te saboteren beschreef, en hij rilde toen hij hoorde hoe ze het hadden gedaan. Hoewel Sergio een paar keer niet uit zijn woorden kwam, slaagde hij er uiteindelijk in om alles te vertellen.

'En daarom moet u Raffaella helpen,' zei hij tot slot. 'Zij heeft er niets mee te maken. En mijn vader ook niet.'

Eduardo wreef met zijn vingertoppen over de stoppels op zijn kin en dacht een paar minuten diep na. 'Waarom wilt u dit niet aan de politie bekennen?' vroeg hij ten slotte.

'Omdat ze allemaal denken dat we het samen hebben gedaan. Dan kom ik ook in de cel terecht en wie moet er dan voor mijn familie zorgen? Ik heb een moeder en nog een zuster om voor te zorgen, *signore*.'

'Neem dan een goede advocaat. Als uw vader en Raffaella onschuldig zijn, zoals u zegt, dan is dat toch zeker de beste oplossing?'

'Ik ben maar een visser, *signore*. En de laatste tijd gaan de zaken niet zo goed. En trouwens, de wet functioneert hier langzaam en er is corruptie. Er zijn mensen in dit stadje die er wel voor willen zorgen dat we allemaal veroordeeld zouden worden.'

'Nou, maar u bent toch schuldig?'

Sergio sloot zijn ogen en verdrong zijn trots. 'Ja, dat is zo. Het spijt me, *signore*. Ik heb een domme fout gemaakt, dat zie ik nu wel in. Ik dacht dat wat ik deed goed was voor Triento. We waren boos omdat de stad doorging met de plannen voor het standbeeld, zelfs toen alle vissers ertegen waren. Onze mening telde niet en daardoor voelden we ons beledigd.'

'Denkt u soms dat ik medelijden met u heb?' vroeg Eduardo op stugge toon.

'Niet met mij, *signore*, nee. Maar wel met mijn zuster, als u tenminste echt haar vriend was.'

Eduardo schudde zijn hoofd. 'Ik weet het niet.'

'U bent haar enige kans.'

'Wat zou ik kunnen doen, áls ik al wilde helpen?'

'Mijn zuster had wel een idee. Ze dacht dat u naar de priesters zou kunnen gaan en hun vertellen dat u bent bedreigd: als u niet meer beschermingsgeld betaalt, dat er dan nog meer schade op de berg zal ontstaan… echte schade. Dan zullen zij denken dat dit toch het werk is van de 'Ndrangheta en als u zegt dat u ervan overtuigd bent dat mijn familie onschuldig is, de politie hen dan wel vrij moet laten. U bent nu een machtig man in dit stadje, *signore*. De mensen zullen naar u luisteren.'

Eduardo trok zijn wenkbrauwen op. 'Maar de 'Ndrangheta weet dan toch dat het niet waar is?'

Sergio praatte zo zacht dat Eduardo dichter bij hem moest gaan zitten om hem te kunnen verstaan. 'De 'Ndrangheta wordt niet geleid door één persoon, *signore*, zelfs niet door één familie,' fluisterde Sergio. 'Het bestaat uit heel veel verschillende families en zij doen allemaal verschillende dingen. Enkelen houden zich bezig met de drugshandel, anderen met afpersing, en de ergsten van allemaal zijn de kidnappers. Maar de ene familie is niet altijd op de hoogte van de activiteiten van de andere familie. Daarom is dit ook een goed plan.'

'En dan komt u er zonder straf vanaf,' zei Eduardo.

'Tja, dat is zo.'

'Waarom zou ik dat goedvinden?'

Sergio dacht weer aan het knappe meisje op de binnenplaats en haar opmerking over Napels. Hij kreeg een idee. 'Als ik nu eens beloofde dat ik de stad zou verlaten? Zodra mijn vader uit de gevangenis is, kan hij weer op de vissersboot werken. Dan zal ik naar de stad verhuizen en niet weer terugkomen. Ik weet wel dat ik het niet verdien, maar wat ik op de berg heb gedaan heeft de bouw alleen maar vertraagd en niet gestopt. Er zal een standbeeld komen te staan, of de vissers dat nu leuk vinden of niet.'

'Als ik dus doe wat u wilt, dan komt er een einde aan die sabotage? Dan gaan de anderen er niet mee door?'

'Nee, niet zonder mij.' Sergio slaagde er niet helemaal in om de trots uit zijn stem te weren. 'Ik was de leider.'

Eduardo schudde zijn hoofd. 'Ik weet het nog steeds niet, hoor. U wilt dus dat ik tegen de priesters en de politie ga liegen?'

'Voor Raffaella, *signore*. Ik weet niet wat er tussen u en mijn zuster is voorgevallen, maar zij schijnt te denken dat u een beetje om haar geeft.'

Eduardo probeerde zich Raffaella's glanzende schoonheid voor te stellen in een lelijke politiecel. 'Hoe gaat het met haar?' vroeg hij. Zijn stem klonk al iets minder bruusk.

'Niet zo best. Ik heb haar vanochtend gezien en ze zag er afschuwelijk uit. We moeten haar en mijn vader daar uit krijgen.'

'Ik zal erover nadenken. Meer kan ik op dit moment niet beloven.'

Sergio was opgelucht. Dit was meer dan hij had verwacht. 'Dank u wel, dat waardeer ik heel erg.'

'Maar als ik besluit om jullie te helpen – en ik zeg niet dat ik dat doe,' waarschuwde Eduardo, 'als ik jullie help, dan wil ik u of uw zuster nooit weer zien. Jullie veroorzaken problemen. Ik wil dat standbeeld bouwen zonder dat een van jullie zich er weer mee bemoeit.'

'Dat begrijp ik.'

'Dat is mijn enige zorg op dit moment – het standbeeld. En verdwijn nu, voordat ik u eruit smijt. En u hoeft niet terug te komen.'

39

Carlotta had geen zin om haar verdriet nog langer te verbergen. Ze zat voor de poort van het klooster en liet haar tranen de vrije loop. Het leek alsof er geen einde aan kwam. Elke keer als haar snikken minder werd en ze weer aan Raffaella dacht die opgesloten zat, begon ze weer te huilen.

Haar gezicht was rood, haar huid glom en het leek wel alsof de tranen uit haar ogen, neus en mond stroomden. Op een bepaald moment had ze zichzelf in slaap gehuild, opgekruld als een zwerfkatje op haar kleine kleedje. Toen ze wakker werd, zat ze in de schaduw. Ze deed haar ogen open en ontdekte dat zuster Benedicta boven haar uittorende.

'Je kunt hier niet mee doorgaan, Carlotta,' zei de non vriendelijk. 'Dit is waanzin.'

Carlotta wreef in haar pijnlijke ogen. 'Ik heb toch geen keus?' vroeg ze met schorre stem. 'Bijna iedereen die ik ken, zit opgesloten. Raffaella zit in een politiecel en weigert me te zien. En mijn dochter zit ergens in uw klooster zonder dat ik haar mag zien.'

'En je vader dan? Hij houdt van je.'

'Ja, dat is zo, dat weet ik wel. Maar hij vindt het verschrikkelijk als ik ongelukkig ben. Het is beter dat ik hier zit te huilen dan in Villa Rosa waar hij me kan zien.'

Zuster Benedicta raakte het kruisje even aan dat om haar hals hing en keek peinzend. Het leek wel alsof ze aan het bidden was. Ze liep een stukje bij Carlotta vandaan en bleef toen aarzelend staan.

'Sta vlug op,' beval ze. 'Kom mee.'

Carlotta krabbelde overeind. 'Waar naartoe? U mag me niet naar huis brengen, hoor. Ik wil nog niet naar huis.'

'Ik breng je niet naar huis.' Zuster Benedicta greep haar elleboog en duwde haar in de richting van de poort van het klooster. 'Snel lopen en je mond houden. Ik wil niet dat iemand ons ziet.'

Carlotta werd helemaal blij. 'O, dank u wel... dank u,' zei ze.

'Stt, bedank me nog maar niet.'

Zuster Benedicta duwde haar de poort door en ging haar voor door een aantal gangen. Binnen de dikke stenen muren was het koeler en het was er zo donker dat Carlotta een paar keer struikelde, maar de non zorgde ervoor dat ze door bleef lopen. Opeens stonden ze weer buiten, knipperend in het felle zonlicht. Carlotta herkende de moestuin en het groepje fruitbomen dat op een beschut zonnig plekje tegen de kloostermuur stond.

'Vlug, doorlopen, niet blijven staan.' Zuster Benedicta's stem klonk gespannen. Ze trok Carlotta mee langs een overgroeid pad dat tussen de fruitbomen door liep. Toen ze de bocht om kwamen, zag Carlotta iets bijzonders. Op een open ruimte tussen de bomen en de muur had iemand een heel klein houten huisje gebouwd. Het had een steil aflopend dak, een open ingang en twee ramen met rode luiken. En het was zo klein dat alleen een kind naar binnen kon.

Carlotta bleef staan en nu zei zuster Benedicta niet dat ze door moest lopen.

In het huisje zat een klein meisje op haar hurken, zachtjes in zichzelf te praten.

'Evangelina? Ben jij dat?' riep zuster Benedicta.

'Nee,' antwoordde een kinderstemmetje op speelse toon.

Carlotta kreeg bijna geen adem. Ze voelde zich draaierig worden en zocht steun aan de boomtakken.

'Nou, als het Evangelina niet is, wie is het dan wel?' vroeg de non op een zangerig toontje. 'Is het soms een vreemd meisje dat in Evangelina's huisje aan het spelen is? Misschien kan ik maar beter even naar binnen kruipen om te kijken.'

Het kind giechelde en stak haar hoofd door het raam. 'Ik ben het, hoor. Ik deed alleen maar alsof ik iemand anders was. Probeer maar niet naar binnen te komen, anders blijft u steken, net als zuster Maria.'

Carlotta keek gebiologeerd naar haar dochter. Ze zag een glad gezichtje met ronde wangen en tintelende ogen. Ze had twee vlechten in haar glanzende zwarte haar en iemand had witte madeliefjes op haar roze jurkje geborduurd.

Carlotta was het liefst naar haar toe gerend om het kind in haar armen te nemen en haar gezicht in haar haren te begraven. Ze wilde dolgraag weten hoe haar dochtertje rook, haar zachte huid voelen, haar mollige armen beetpakken en haar gezicht met kussen bedekken. Maar toen het meisje het speelhuisje uit kroop, bleef Carlotta staan waar ze was.

Ze keek zenuwachtig naar zuster Benedicta. De non knikte haar bemoedigend toe en glimlachte. 'Het is goed, hoor. Ze is helemaal niet verlegen. Je kunt haar wel begroeten.'

Zwijgend staarde Carlotta naar Evangelina. Het kind keek nieuwsgierig terug. 'Kom je met me spelen?' vroeg ze hoopvol.

Carlotta's mond was droog en haar hart bonsde in haar keel. 'Ja, dat is zo,' kon ze maar net uitbrengen.

Evangelina glimlachte en huppelde iets dichter bij. 'O, fijn! Wat zullen we spelen? Wil je me een nieuw spelletje leren? Een spelletje dat ik nog niet ken?'

'Dat zal ik proberen.' Carlotta stond nog steeds op hetzelfde plekje. Ze had er zo naar verlangd Evangelina te zien en nu het kind voor haar stond, kon ze geen stap verzetten. Toen zag ze dat er wilde bloemen tegen de muur van het speelhuisje groeiden en er schoot haar iets te binnen. Ze plukte een bosje bloemen, ging op het gras zitten en begon ze in elkaar te rijgen zoals haar moeder haar had geleerd.

'Wat doe je?' vroeg Evangelina nieuwsgierig.

'Ik maak een bloemenkrans voor je,' vertelde Carlotta.

'Mag ik helpen?'

'Ja, ga nog maar wat bloemen plukken, een paar gele en blauwe, en een paar witte,' zei Carlotta. 'Je moet ze vlak bij de grond plukken, zodat ze lange stelen hebben.'

'En laat je me dan zien hoe je er een bloemenkrans van maakt?' vroeg Evangelina.

'Ja hoor, als je dat graag wilt.'

'Is het moeilijk?'

'Nee, niet echt, maar je moet wel geduld hebben en voorzichtig zijn, want de bloemen zijn wel heel kwetsbaar.'

'Ik kan heel voorzichtig zijn,' beloofde Evangelina. Ze huppelde naar de wilde bloemen en begon ze opgewekt te plukken.

Ze waren de hele middag samen aan het spelen. Carlotta merkte niet dat zuster Benedicta wegglipte en ook niet dat de zon onverbiddelijk opschoof naar het westen. Met een gelukkig gevoel hing ze bloemenkransen om haar dochters hals en zette een slinger van madeliefjes op haar hoofd.

'Wat mooi,' zei Evangelina bewonderend. 'Laten we nu iets voor jou maken.'

Tegen de tijd dat zuster Benedicta terugkwam, was het hele perkje met wilde bloemen kaalgeplukt, zaten ze naast elkaar in het gras en vielen de bloemblaadjes uit hun haar.

'Nu moeten jullie ophouden met spelen, en afscheid nemen,' zei de non zacht.

Carlotta keek op naar zuster Benedicta en toen naar haar dochter. 'Nee, ik…'

'Ja, het moet echt,' drong zuster Benedicta aan. 'Ik heb je hier toch al veel te lang gelaten.'

Evangelina was niet onder de indruk. 'Kom je morgen weer met me spelen?'

'Dat zou ik wel willen.' Carlotta's stem trilde. 'Maar ik weet niet of het wel kan. Dat is nog niet zeker.'

'Zal ik je nu dan een afscheidskusje geven?' vroeg Evangelina. Het meisje stond op en liep naar haar toe. Ze sloeg haar armen om Carlotta's hals, omhelsde haar stevig en drukte haar zachte lippen op haar wang. De lucht was vol van de geur van wilde bloemen en Carlotta sloot haar ogen en hoopte maar dat ze niet zou gaan huilen.

'Zo is het genoeg.' Zuster Benedicta klonk zenuwachtig. 'Je moet nu weg.'

Met tegenzin liet Carlotta haar dochtertje los en streek de bloemblaadjes uit haar haren. 'Tot ziens,' zei ze met pijn in haar hart.

'Tot ziens. Morgen ben ik hier weer, hoor, als je dan weer met me wilt spelen,' zei het kleine meisje hoopvol.

Carlotta kon het niet opbrengen achterom te kijken toen zuster Benedicta haar meenam. De tranen biggelden al over haar wangen en ze wilde niet dat het kind ze zag.

Ze liepen snel tussen de fruitbomen door en langs de moestuin. Een oude non die onkruid stond te wieden keek op en zag hen voorbijlopen. Zuster Benedicta legde haar wijsvinger op haar lippen en de non trok alleen maar haar wenkbrauwen op.

'Krijgt u hier last mee?' vroeg Carlotta.

'Niet als je opschiet,' antwoordde zuster Benedicta kortaf.

Ze waren al bijna bij de poort toen Carlotta merkte dat zuster Benedicta verstijfde. Ze fluisterde: 'O, Madonna *mia.*'

Carlotta zag voor hen de onmiskenbare figuur van de moeder-overste. Sinds de laatste keer dat Carlotta haar had gezien, was ze amper veranderd. Het was een kleine gedrongen vrouw. Ze droeg een bril met een zilverkleurig montuur en had priemende blauwe ogen die vrijwel niets ontgingen. Ze was iemand die respect afdwong.

'Wat gebeurt hier?' vroeg ze met dezelfde stem waarmee ze al bijna veertig jaar schoolkinderen angst aanjoeg.

'Ik… ik dacht alleen maar… nou ja…' Zuster Benedicta wist niet wat ze moest zeggen. Ze zweeg en keek Carlotta smekend aan.

Carlotta dacht snel na. Misschien was dit de enige mogelijkheid om toestemming te krijgen haar dochter weer op te zoeken. 'We waren op zoek naar u, moeder-overste.'

'O, is dat zo? Waarom dan wel?'

'Zuster Benedicta wilde me naar u toe brengen.'

'En waarom zou ze dat doen?' De stem van de oude non was koel en streng.

'Ik zit al dagen voor de poort van het klooster, zoals u weet,' zei Carlotta. 'Ik heb uren en uren de tijd gehad om na te denken en te bidden. En nu begrijp ik dat ik niet in Triento thuishoor. Ik wil graag hier zijn. Ik weet dat ik hier gelukkig kan zijn.'

Het was waar dat ze niets liever wilde dan binnen deze muren wonen en hard in de moestuin werken. Het zou een vredig en veilig leven zijn. Er waren maar weinig dingen van haar leven buiten deze muren die ze zou missen. Bovendien zou ze dichter bij haar dochter zijn.

De moeder-overste keek haar aandachtig aan. Ze leek een inwendige strijd uit te vechten. Aan de ene kant had ze voldoende redenen om Carlotta bij haar klooster vandaan te houden. Ze had een ongeschreven regel geschonden door het kind hier naartoe te halen. Indertijd had ze niet geweten wat ze anders had moeten doen: de vrouw die Evangelina had geadopteerd, was overleden en haar echtgenoot had niet alleen voor haar kunnen zorgen. Toen waren er weken verstreken terwijl zij op zoek ging naar een ander gezin. Ze hadden zich aan Evangelina gehecht, het was immers zo'n lief meisje. De gedachte dat ze haar weer weg moesten sturen, was onverdraaglijk en het was zo gemakkelijk geweest om haar nog een week, een maand of een jaar te laten blijven. En nu was ze hier nog steeds, ook al hoorde ze niet echt hier te zijn. En nu was Carlotta er ook.

De non stond voor een dilemma. Het gebeurde niet elke dag dat hier een sterke jonge vrouw naartoe kwam om zichzelf aan te bieden. Er moest hard worden gewerkt in het klooster en haar zusters werden steeds ouder en het kostte hen moeite alle werk af te krijgen. En deze jonge vrouw zou misschien op een dag besluiten dat ze er klaar voor was om haar leven te wijden aan kuisheid, gehoorzaamheid en armoede. Het was al heel lang geleden dat het klooster een postulante had mogen verwelkomen. En daarom kon ze zichzelf er niet goed toe brengen Carlotta weg te sturen.

'Dus je wilt hier bij ons komen wonen, hard werken en een rustig leven leiden?' vroeg ze aarzelend.

Carlotta knikte.

'Je wilt elke dag samen met ons bidden en je leven in dienst stellen van God?'

'Ja, ja, dat wil ik.'

'En dan zul je je leven in Triento niet gaan missen? Het comfort en alle materiële zaken?'

'Het enige daar waar ik echt om geef, is mijn vader,' antwoordde Carlotta. En Raffaella, voegde ze er in gedachten aan toe, want zonder haar zou Evangelina vrijwel zeker nog steeds zonder dat ze het wist achter de kloostermuren wonen.

De moeder-overste keek haar even aan en leek toen een beslissing te nemen. 'Kom dan maar met me mee,' zei ze kordaat. 'We moeten een paar dingen bespreken. Zuster Benedicta, bedankt… Ik neem het nu wel over.'

Toen Carlotta achter de moeder-overste aan door de lange gangen van het klooster liep, dankte ze God dat de nonnen Evangelina achter deze muren hadden verborgen. Dankzij hen kreeg ze nu een tweede kans om van haar dochter te houden. God had haar dochter voor haar beschermd. Zelfs al zou ze God de rest van haar leven blijven bedanken, zou dat niet voldoende zijn.

40

Eduardo liep onder de granaatappelbomen door en zag dat de takken begonnen door te buigen onder het gewicht van de vruchten. Binnenkort zou het alweer tijd zijn om ze te plukken, maar nu Raffaella opgesloten zat, vroeg hij zich af of iemand in Villa Rosa de moeite zou nemen er siroop van te maken. De tuinman, Umberto, was nog zwijgzamer dan anders en diens magere, bleke dochter had hij ook amper gezien. Hij en de Babieri-vrouwen moesten steeds meer zelf doen.

Enigszins spijtig dacht hij terug aan de maaltijden die Raffaella voor hem had klaargemaakt. Schalen vol kip gemarineerd in granaatappelsiroop en bestrooid met walnoten; zoute kabeljauw met romig citroensap en knoflook; warme aardappels met chilipeper en *pecorino romano*, en meer, nog veel meer. Hij herinnerde zich dat hij vaak zo veel had gegeten dat hij zijn broekriem losser moest doen. Dat hij daarna onder de granaatappelboom een *digestivo* had gedronken, zijn sigaar had gerookt en met het dorpsmeisje had gepraat over zijn werk aan het standbeeld en zijn toekomstdromen.

Eduardo's leven was nu helemaal uitgestippeld. Zodra het standbeeld trots boven op de berg zou staan, zou er een andere baan op hem wachten. Claudia's vader, Luciano Barbieri, had plannen met hem, grote en glorieuze plannen. Hij was nu bezig met een nieuw project: op een verwaarloosd terrein aan de rand van Napels moesten winkels, appartementen en restaurants met parkeergelegenheid worden gebouwd. Het zou Eduardo's meest ambitieuze project tot nu toe worden. En ook al vermoedde hij dat zijn weldoener dit deed om hem in de buurt van zijn dochter te houden, was het toch een onweerstaanbaar project.

Eduardo kon zich zijn toekomst zo goed voorstellen dat hij soms het gevoel had dat het een herinnering was aan iets dat hij al eens had meegemaakt. Hij zou skiweekenden in het chalet van de Barbieri's doorbrengen en 's zomers langs de kust van Amalfi zeilen. Hij zou in fraaie huizen vertoeven en feesten bijwonen te midden van interessante en mondaine mensen. En hij zou nooit weer terugkeren naar zijn eigen bekrompen stadje tussen de bergen en de zee.

Eduardo kon niet wachten om Triento te verlaten. Hij hield op met ijsberen en staarde naar de hemel die versmolt met het blauw van de Tyrrheense Zee. Hij herinnerde zich hoe prachtig hij het hier had gevonden toen hij hier pas was. Nu was hij te uitgeput om het te kunnen waarderen. Zodra hij de priesters het standbeeld had gegeven dat hij hun had beloofd, was hij hier weg.

Hij keek naar de berg en realiseerde zich dat hij zelfs vanaf deze afstand kon zien hoe de weg vorm kreeg, langs de berg omhoogcirkelde en elke dag dichter bij de top kwam.

Eduardo begon weer te ijsberen. Hoewel het werk vorderde, was het standbeeld nog lang niet klaar. Hij zat vast in Triento en zijn toekomst lag nog buiten bereik. En op dit moment was zijn grootste probleem Raffaella. Wat moest hij aan met dat meisje en haar vader, opgesloten in een politiecel en beschuldigd van een misdaad die ze niet hadden gepleegd?

Dit dilemma had Eduardo de tuinen van Villa Rosa in gedreven. Hij had gedacht dat hij hier zou kunnen nadenken om de beste oplossing te verzinnen, maar hij had hier alleen maar lopen ijsberen en was nog geen stap dichter bij een oplossing.

Raffaella zat rustig en onbeweeglijk op het smalle bed in haar cel. Af en toe riepen zij en haar vader iets tegen elkaar, woorden van troost of van spijt, maar het grootste deel van de tijd zat ze na te denken. Verder was er echt niets te doen.

Ze dacht aan alles wat er was gebeurd sinds ze de veiligheid van haar ouderlijk huis had verlaten en naar boven was verhuisd om aan haar huwelijkse leven te beginnen. Haar tijd met Marcello was zo veelbelovend geweest. Ze had al vanaf haar vroege jeugd van hem gehouden, ook al had ze vooral ontzag voor hem gehad, en de zijne worden was alles waar ze altijd naar had verlangd.

Maar nu, nu ze terugdacht aan het jaar dat ze waren getrouwd, realiseerde ze zich dat er al vanaf het eerste begin iets helemaal fout had gezeten. Terwijl ze naar de witte muren van haar cel staarde, dacht ze terug aan haar leven als echtgenote. Ze had zo haar best gedaan om alles te doen wat ze haar moeder voor haar vader had zien doen. Ze kookte voor Marcello en had zijn huis schoongemaakt. Na afloop van elke werkdag, als hij zich ontspande en uitrustte, had ze een sigaret voor hem aangestoken en een glas gekoelde *limoncello* in zijn hand gedrukt.

Marcello was vriendelijk en teder. Hij was een goede man die van haar hield, maar hij had haar zelden verteld waar hij zich mee bezighield. Ze had intimiteit verwacht in haar huwelijk – dat ze altijd met elkaar zouden praten en elkaar altijd zouden aanraken – maar dat was nooit gekomen. En hoe meer hij zich in zichzelf terugtrok, hoe wanhopiger ze naar hem verlangde.

Raffaella herinnerde zich hoe grappig en lief hij kon zijn, maar hij kon zichzelf ook zwijgend terugtrekken. Er konden dagen verstrijken waarin er nooit tijd leek te zijn voor een gesprek. 'Nu niet,' zei Marcello dan. 'Niet nu, ik ben aan het werk.'

Ze had van Marcello gehouden, maar op die momenten had haar liefde haar een eenzaam gevoel gegeven.

Als Marcello haar toestond om dichterbij te komen – om lekker in zijn armen te kruipen of om in bed haar lichaam om het zijne te krullen – durfde ze amper adem te halen, laat staan te bewegen, uit angst dat hij zich zou bedenken en haar weer van zich af zou duwen. Hij had er altijd voor gezorgd dat ze naar hem hunkerde.

Het was dan ook niet vreemd dat ze zich zo had verheugd op de bezoekjes van zijn broer Fabrizio. Het was heerlijk geweest om door hem te worden bewonderd en om in de winkel op stapels linnen naar hem te zitten luisteren. Hij was onvolwassen en vol eigendunk, was opvliegend en snel aan het lachen te maken, maar de gelukkigste momenten in het jaar van haar huwelijk had ze samen met Fabrizio beleefd.

Alleen in haar cel, ging Raffaella languit op haar bed liggen en probeerde zich voor te stellen hoe haar leven eruit had gezien als Marcello nu nog zou leven. Zou haar echtgenoot haar meer na hebben gestaan als hij langer had geleefd? Als ze van hem was blijven houden, zou hij zich dan op een dag niet hebben teruggetrokken als ze hem onverwacht aanraakte, of zich zonder klagen door haar laten kussen?

Af en toe huilde Raffaella, maar altijd zo zachtjes dat haar vader haar niet kon horen. Ze werd 's nachts als het nog donker was wakker en dan leek alles nog afschuwelijker dan overdag. Ze probeerde er niet aan te denken hoelang ze hier misschien nog moest blijven. De politie had gezegd dat ze een sterke zaak tegen hen aan het opbouwen waren en dat geloofde ze. Er waren mensen in Triento die haar familie haatten en blij zouden zijn als ze naar de gevangenis zouden worden gestuurd.

Raffaella was ervan overtuigd dat de *americano* haar enige hoop was. Ze klemde het dunne kussen tegen haar borst, dacht terug aan het korte moment van passie tussen hen en bloosde van schaamte. En toch had ze er absoluut geen spijt van dat ze zich door hem had laten kussen en dat ze fysiek naar hem had verlangd op een manier zoals ze nog nooit naar haar man had verlangd. Ze wist dat het verkeerd was en ze voelde zich schuldig, maar wilde toch niet dat het nooit was gebeurd.

De vraag was of Eduardo met voldoende liefde aan haar terugdacht om haar nu te willen helpen. Zou Sergio de moed kunnen opbrengen hem op te zoeken en hem haar plan te vertellen? Aan dat soort dingen dacht Raffaella tijdens die lange, eenzame uren in haar cel. Er was meer dan genoeg tijd om er steeds weer aan te denken.

Na de heropening was het druk geweest in de Gypsy Tearoom en Ciro had amper tijd voor zichzelf. Als hij niet bezig was met het kneden van pizzadeeg, haalde hij vieze borden van de tafels of schonk hij karaffen vol wijn. Hij begon zich af te vragen hoe hij er ooit in was geslaagd om het restaurant in zijn eentje te runnen. Vroeger was het natuurlijk ook altijd druk geweest, maar er was altijd tijd genoeg geweest om een praatje te maken. Nu leek elke dag nog hectischer dan de vorige en als hij uiteindelijk uitgeput in bed stapte, droomde hij dat hij de hele nacht pizza's in de oven schoof.

Maar nu, nu de middag overging in de vroege avond, was het even wat rustiger en Ciro maakte van deze gelegenheid gebruik om de tafels af te nemen en de bar op te ruimen. Hij was verbaasd toen hij zag dat de burgemeester binnenkwam en op een van de banken langs de muren ging zitten.

'*Buonasera,*' zei hij. 'Het is niet gebruikelijk om u op dit tijdstip hier te zien.'

De burgemeester haalde zijn schouders op. 'Mijn huishoudster is ziek,' legde hij uit, 'en vanavond moet jij dus voor me koken.'

'Graag.' Ciro glimlachte. 'Maar laat ik u eerst een glas van mijn beste aglianico inschenken. Die bewaar ik voor die klanten die het kunnen waarderen.'

De burgemeester nam slokjes van de volle rode wijn die naar kersen en pure chocolade smaakte. Hij las de tekst op het schoolbord boven Ciro's hoofd en probeerde te beslissen wat hij wilde eten. Meestal at hij gewoon wat zijn huishoudster voor hem had klaargemaakt. Hij was er niet aan gewend om zelf iets uit te zoeken.

'De pizza primavera is lekker,' zei Ciro. 'Er zitten verse tomaten op en een beetje gescheurde rucola. Ik kan er ook wel wat olijven op doen als u dat wilt en een beetje dungeschaafde *pecorino*. U mag het zeggen.'

'Ik weet het niet goed.' De burgemeester voelde zich onzeker. 'Waarom beslis jij het niet voor me? Ik weet zeker dat jij hem precies zo maakt als ik hem lekker vind.'

Ciro maakte de pizza klaar die hij had voorgesteld en deed er ook nog een beetje chilivlokken op om hem nog lekkerder te maken. De burgemeester zat met smaak te eten en spoelde de pizza weg met een tweede glas Aglianico toen Silvana vlug de Gypsy Tearoom binnenkwam met een lege mand aan haar arm.

'*Buonasera, signore,* ik zag dat u hier naartoe ging,' zei ze vlug. 'Ik moest wel even naar u toe. Ik heb de hele tijd nagedacht over wat u vanochtend hebt gezegd.'

De burgemeester zat op een stukje pizza te kauwen en slikte het door. Toen veegde hij met een servetje zorgvuldig zijn mondhoeken af. 'Waarover dan?' vroeg hij. 'Wat heb ik dan gezegd?'

'*Porca la miseria!*' Silvana was boos. 'We hadden het over Raffaella, weet u nog?'

Hij knikte. 'Ja, dat is zo. Het spijt me, Silvana, maar vanochtend is voor mijn gevoel al heel lang geleden. Sinds die tijd heb ik de hele dag gewerkt en me met allerlei mensen en problemen beziggehouden.'

'Maar dit is veel belangrijker,' zei Silvana. 'Ik heb ook de hele dag gewerkt, maar ik kon eigenlijk nergens anders aan denken.'

De burgemeester probeerde een zucht te onderdrukken en legde zijn mes en vork neer. 'Ga zitten en vertel me wat er aan de hand is.'

Silvana schudde ongeduldig haar hoofd. 'Ik hoef niet te gaan zitten. Ik wil alleen maar dat u begrijpt dat Raffaella niet verantwoordelijk kan zijn voor de sabotage aan het standbeeld. Het meisje heeft de hele tijd gewerkt, of in Villa Rosa of bij mij in de bakkerij. Ze heeft niet eens genoeg tijd gehad om iets te saboteren.'

'Ze is boven op de berg gezien,' zei de burgemeester. 'Ze is betrapt door een beveiligingsmedewerker. Fabrizio Russo was erbij.'

'Maar de Russo's haten haar.' Silvana klonk vrij wanhopig. 'U ziet toch wel in dat ze alles zouden zeggen om haar in diskrediet te brengen?'

'Waarom zouden ze haar haten?' vroeg de burgemeester op redelijke toon. 'Ze was met Marcello getrouwd en dus was ze één van hen. Waarom zouden ze zich dan tegen haar keren?'

Ciro had rustig toegekeken vanaf zijn plekje achter de bar. Nu schraapte hij zenuwachtig zijn keel. 'Misschien is dat wel mijn schuld,' zei hij. 'Ik wilde alleen maar Raffaella's vriend zijn, maar daardoor heb ik haar in de problemen gebracht. De Russo's zijn ervan overtuigd dat we een relatie hebben. Dat is niet zo, maar daar kan ik hen niet van overtuigen.'

De burgemeester wenste oprecht dat zijn huishoudster niet was aangestoken door haar jongste kind en dat ze net als altijd in zijn keuken een eenvoudige maar heerlijke maaltijd voor hem stond te koken die hij in alle rust zou kunnen nuttigen. Somber schudde hij zijn hoofd. 'Zelfs als je gelijk hebt, wat denk je dan dat ik kan doen?' vroeg hij hun. 'Dit is nu een zaak voor de politie.'

'U zou een goed woordje voor Raffaella kunnen doen,' opperde Ciro.

'U zou haar verdediging kunnen voeren,' voegde Silvana eraan toe. 'De Moretti's kunnen zich geen advocaat veroorloven. Zij kunnen wel iemand gebruiken die zo slim is als u bent.'

'O, Silvana…' Giorgio wilde graag iets voor haar doen, maar dit was te veel gevraagd.

'Goed dan.' Ze was woedend. 'U wilt me dus niet helpen? Nou, dan moet u het zelf maar weten.' Ze draaide zich om, schudde haar haar naar achteren en marcheerde de Gypsy Tearoom uit.

De burgemeester pakte zijn mes en vork weer op en staarde ongelukkig naar de rest van zijn pizza. Ciro wendde zijn blik af en veegde de bar nog een keer schoon. Voor de zoveelste keer vroeg hij zich af waarom de grootvader van wie hij deze pizzeria had geërfd hem Gypsy Tearoom had genoemd. Hij wilde maar dat hij echt een zigeuner was, want op dit moment konden ze wel wat zigeunermagie gebruiken.

De burgemeester probeerde stoïcijns zijn pizza op te eten. Er hing een ongemakkelijke stilte in het restaurant en Ciro wenste dat er gauw andere gasten zouden komen. Tot zijn opluchting hoorde hij voetstappen dichterbij komen en vervolgens werd de deur opengeduwd.

Verbaasd zagen Ciro en de burgemeester wie er binnenkwam. De *americano* was bleek en had zwarte baardstoppels op zijn kin.

'*Buonasera.*' Ciro knikte naar hem. 'Wilt u iets eten?'

'Nee, ik wil de burgemeester graag spreken. Aha, daar bent u. Ze zeiden al dat ik u hier zou vinden.'

Met tegenzin legde Giorgio zijn mes en vork weer neer. 'Wat kan ik voor u doen, *signore?*' vroeg hij.

'Ik moet u iets vertellen.' Eduardo zweeg even en keek naar de restanten van de pizza op het bord van de burgemeester.

'Ja, wat is er?'

'Er is opnieuw gedreigd met sabotage van het standbeeld,' zei hij snel voordat hij zich kon bedenken. 'Ze hebben meer geld geëist. Volgens mij zijn de Moretti's dus helemaal niet de schuldigen. Het gaat hier om iets veel groters dan dat.'

De burgemeester knikte langzaam en schoof zijn bord van zich af. 'Ik vroeg het me al af,' zei hij somber. 'Ik wilde dat ik kon zeggen dat ik verbaasd ben, maar dat is niet zo.'

'U zult deze informatie toch wel vertrouwelijk behandelen?' Eduardo leek nerveus. 'U bent toch wel voorzichtig, hè?'

'Ja natuurlijk,' zei de burgemeester geruststellend. 'Aan dat soort dingen zijn we hier in Triento wel gewend, *signore*. Wij weten hoe we daarmee om moeten gaan. Laat dit maar aan mij over. Ik regel dit wel.'

41

Er was veel veranderd in de tijd dat Raffaella opgesloten had gezeten. Kleine dingetjes waren anders. Haar moeder had een ingelijste foto van haar op de vensterbank gezet, zodat ze er tijdens het koken naar kon kijken. Teresa had een zwerfkatje geadopteerd dat in huis zijn schaaltje melk mocht leegdrinken. Er hing een vreemde, verlaten sfeer in het huis. Raffaella zag stofpluizen op de betegelde vloer en spinnenwebben in de hoeken van het plafond, maar haar moeder leek ze niet te zien.

En er waren grotere veranderingen. De dag nadat zij en haar vader waren vrijgelaten, pakte haar broer Sergio zijn koffer en nam de trein naar Napels. Hij kon hun niet vertellen wat hij daar wilde gaan doen of wanneer hij misschien terug zou komen. Haar moeder klemde zich aan hem vast en smeekte hem te blijven, maar haar vader leek het te accepteren. Hij was ook veranderd. De dag dat hij thuiskwam liep hij rechtstreeks naar zijn favoriete leunstoel en draaide hem om zodat hij de zee kon zien. Hij zat daar een hele tijd uit het raam te kijken naar het uitzicht dat hij zo lang had verafschuwd. Raffaella vermoedde dat hij er nooit meer over zou klagen.

Haar eigen toekomst was onzeker. De priesters hadden haar verteld dat ze niet langer gewenst was op Villa Rosa en Umberto kwam langs om haar spullen te brengen. Toen hoorde ze wat er met Carlotta was gebeurd. In eerste instantie was ze verrast, maar hoe meer ze erover nadacht, hoe logischer ze het vond. Het eenvoudige leven in het klooster zou bij Carlotta passen, want ze had nooit iets gegeven om kleren en materiële zaken. Het was helemaal niet moeilijk je voor te stellen dat ze haar dagen zou slijten met werken en bidden, en Raffaella was blij voor haar.

'Maar zul jij je dan niet eenzaam voelen?' vroeg ze bezorgd aan Umberto.

Kortaf antwoordde hij: 'Waarom zou ik? Ik heb genoeg te doen om me bezig te houden. En trouwens, Carlotta zal af en toe langskomen en een hapje mee-eten.'

Geen van beiden had het over Evangelina, maar Raffaella wist ook zonder dat het haar werd verteld wel dat het kind in het klooster moest zijn. En elke keer als ze zich eenzaam of ellendig voelde, dacht ze eraan dat Carlotta nu bij haar dochter was en dan voelde ze zich altijd een stuk beter.

Ze zat weliswaar niet langer in een politiecel, maar Raffaella voelde zich toch gevangen. Ze verliet Klein Triento zelden, want alleen al het idee dat ze de heuvel op moest en de blikken van de winkelende mensen op de *piazza* moest ondergaan, vond ze nog steeds te afschrik-wekkend.

In plaats daarvan bleef ze bij haar moeder in de buurt. De tijd verstreek langzaam. Af en toe wandelden ze samen langs het strand. Dan haalde haar moeder haar over om haar zwarte jurk op te trekken en door de golven te lopen. Het was net alsof ze weer een klein meisje was. Haar moeder liet haar zien welke platte kiezels ze moest uitzoeken en hoe ze die vlak over het water moest laten stuiteren, net zoals ze had gedaan toen Raffaella nog jong was. Op de terugweg plukten ze rijpe, sappige vijgen die ze onderweg opaten. Zodoende kwamen ze thuis met kleverige handen en een plakkerig gezicht, en met roze wangen van de zon.

Raffaella probeerde zichzelf bezig te houden. Ze vond een lange bezem en haalde de spinnenwebben weg en veegde het stof van de vloer. Ze schudde het beddengoed op, ruimde de kasten op en luchtte alle kleren. Vervolgens pakte ze haar moeders kookboek van de plank en zat er uren in te kijken terwijl ze zich afvroeg wat ze allemaal zou maken als ze nog steeds de scepter zou zwaaien in de keuken van Villa Rosa.

Voor zijn vertrek naar Napels had Sergio haar gezegd dat ze de *americano* moest mijden. 'Laat je niet verleiden met hem te gaan praten. Hij was er heel duidelijk over dat hij je niet wil zien.'

Raffaella wist wel dat dit het beste was, maar ze vond het nog steeds moeilijk niet aan hem te denken. Elke keer dat ze naar de berg keek, werd ze aan hem herinnerd. En 's nachts, als ze haar lichaam aanraakte op plekjes die naar hem verlangden, stelde ze zich voor dat haar eigen handen de zijne waren.

Er was zoveel veranderd, maar toch was één ding hetzelfde gebleven. Raffaella had geen idee wat de toekomst voor haar in petto had. Haar leven was nog even onzeker als een jaar geleden, toen Marcello was overleden en alles wat ze voor haar gevoel van het leven kon verwachten – haar huwelijk, kinderen, haar thuis – van haar werd afgenomen. Toen de winterwinden de herfst wegbliezen en de dagen korter werden, was Raffaella's stemming even somber als de rouwjurk die ze nog altijd droeg.

Silvana had Giorgio nog niet helemaal vergeven. Ze was wel bereid om naar hem te zwaaien als ze hem over de *piazza* zag lopen, maar ze had nog geen voet in de Gypsy Tearoom gezet en daarom ging ze ervan uit dat hij elke ochtend ongestoord zijn twee kopjes espresso zou drinken.

Het was niet zo dat ze ondankbaar was, want Raffaella was vrij en ze was ervan overtuigd dat hij daar iets mee te maken had gehad. Maar de manier waarop hij die avond tegen haar had gesproken – de vermoeide klank in zijn stem alsof Silvana zomaar iemand was die weer eens beslag wilde leggen op zijn tijd en energie – had haar gekwetst.

Silvana kon heel goed heel lang boos op iemand blijven. Hoe langer ze aan Giorgio dacht, hoe bozer ze werd. Zelfs al kon ze zich niet meer woordelijk herinneren wat hij tegen haar had gezegd waardoor ze zich zo beledigd had gevoeld, toch kon ze zich er niet toe zetten weer met hem te praten.

Wel bleef ze naar hem uitkijken. Ze hield de klok in de gaten en zorgde ervoor dat ze hem wel op de gewone tijden de *piazza* kon zien oversteken. Soms knikte ze hem even toe en schonk hem een beleefd glimlachje, maar meestal kreeg hij niet meer dan een terloopse groet met haar hand.

De burgemeester was laat vanochtend. Silvana vroeg zich af of hij zich misschien had laten verleiden tot een extra kopje koffie in de Gypsy Tearoom. Het was een beetje kil vandaag en ze wenste dat ook zij haar handen om een kopje koffie of iets ander warms kon slaan.

Ze had het zo druk gehad dat ze zich pas aan het einde van de dag – toen ze de planken schoonveegde en de vloeren dweilde – realiseerde dat ze de burgemeester de hele dag niet had gezien. Ook de volgende dag zag ze hem niet en de dag daarna ook niet en toen begon ze zich zorgen te maken.

Toen padre Pietro een brood kwam halen, begon ze een lang gesprek met hem en zodra ze de kans kreeg, stelde ze haar vraag.

'Ik heb de burgemeester al dagen niet gezien. Is hij weg?' vroeg ze terloops.

'Nee, volgens mij is hij ziek,' antwoordde de priester. 'Te ziek om te werken. Hij is de hele week al ziek, de arme man.'

'Is het ernstig? Wat is er met hem aan de hand?' vroeg Silvana bezorgd.

'Ik weet het niet zeker. Padre Matteo is nu naar hem toe om te vragen hoe het met hem gaat.'

Silvana fronste haar wenkbrauwen. Padre Matteo was altijd te vinden bij de mensen die ziek of zwak waren. Men zei dat geen andere priester zo vaak de laatste sacramenten had toegediend als hij. Zou Giorgio heel erg ziek zijn?

'Misschien moet ik ook maar eens langsgaan als ik hier klaar ben,' vroeg ze zich hardop af. 'Misschien geeft zijn huishoudster hem niet goed te eten. Ik zou hem wat soep kunnen brengen en wat zacht wit brood om er in te dopen.'

Padre Pietro knikte glimlachend. Het was wel een beetje vreemd dat Silvana eten naar de burgemeester wilde brengen, maar edelmoedigheid wilde hij altijd wel aanmoedigen. 'Dat is heel aardig van je, Silvana. Ik weet zeker dat de burgemeester dat op prijs zal stellen.'

Silvana kon niet wachten tot de werkdag voorbij was. Ze sloot de bakkerij een uur eerder dan normaal en ging snel naar huis. Ze had kippenbouillon in huis die nog een tijdje moest trekken met selderij en uien, waarna ze er een voedzame soep van kon maken.

Het straatje dat naar de burgemeesterswoning leidde, was steil en smal. Het telde meer dan honderd treden en Silvana was moe en had veel eten bij zich. Maar ze liep zo snel als ze kon door en negeerde de pijn in haar benen en haar onregelmatige ademhaling.

Niemand deed open nadat ze op de voordeur had geklopt. Ze had verwacht dat de huishoudster van de burgemeester er zou zijn, maar het bleef stil. Op haar hoede duwde ze de deur open en stak haar hoofd om het hoekje.

'Hallo,' riep ze zachtjes. 'Hallo, Giorgio, ben je thuis?'

'Silvana, ben jij dat?' Zijn stem klonk zwak. Ze duwde de deur helemaal open en liep snel naar binnen.

'Ja, ik ben het. Ben je alleen? Ik heb wat soep meegenomen.'

'Ik ben hier,' zei hij. 'Maar kom niet te dicht bij me, want ik wil je niet aansteken.'

'Wat is er met je aan de hand? Ben je heel erg ziek?' Silvana zag dat hij in zijn leunstoel zat, omringd met alles wat hij nodig had: boeken, zakdoekjes en een kan zelfgemaakte limonade – alles binnen handbereik. Toen ze de kamer in liep, begon hij te niezen en kreunde meelijwekkend.

'O, je hebt alleen maar een koutje,' zei ze enigszins opgelucht.

'Het is niet alleen maar een koutje,' zei hij gepikeerd. 'Mijn keel doet zo'n pijn; het voelt alsof iemand hem met schuurpapier heeft behandeld. Mijn ogen en mijn neus lopen en ik heb het gevoel dat ik doodga. Ik ben nog nooit zo ziek geweest, echt niet.'

Ze probeerde een glimlach te onderdrukken. 'Zal ik wat soep voor je warm maken? Dat verzacht je keel een beetje.'

'Ik heb geen honger.' Hij klonk belabberd. 'En volgens mij kan ik ook niets doorslikken.'

'Een beetje maar. Het is heel lekker, echt waar. En het is belangrijk dat je op krachten blijft.'

Ze bleef bij hem zitten toen hij de soep oplepelde en was blij toen hij een tweede kom wilde. 'Ik had meer trek dan ik dacht,' gaf hij toe.

Het was prettig om bij hem te zitten. Silvana keek eens om zich heen in zijn comfortabele woning. De wanden stonden vol boeken en de stoelen stonden zo dat je van het uitzicht kon genieten. Er waren niet veel meubels in het vertrek, maar wat er stond was van goede kwaliteit.

'Je hebt goed geboerd,' zei ze toen hij zijn soepkom schoonveegde met een stuk brood. 'Je hebt hard gewerkt en een succes gemaakt van je leven.'

Giorgio had op het punt gestaan om de met soep doorweekte korst brood in zijn mond te stoppen, maar nu hield hij in en keek haar aan. 'Ja, ik heb hard gewerkt,' beaamde hij. 'En ik dacht dat ik gelukkig was met alles wat ik had bereikt, maar deze week ben ik tot de ontdekking gekomen dat ik me heb vergist.'

'Hoe bedoel je?' vroeg Silvana verbaasd.

'Ik heb je gemist, Silvana. Elke ochtend dacht ik weer aan iets onbelangrijks dat ik je wilde vertellen, maar je kwam maar steeds niet.'

Ze keek hem aan. Met zijn rode neus en waterige oogjes zag hij er niet knap uit, maar toch hield ze nog steeds van hem. 'Ja, maar wat wil je daarmee zeggen?' vroeg ze verdrietig. 'Ik wil niet degene zijn die je elke ochtend even tien minuutjes ziet en dan weer kan vergeten. Als ik niet meer voor je beteken dan dat, dan wil ik je helemaal niet meer zien.'

'Maar je betekent wel veel voor me,' zei hij.

Ze zuchtte. 'We kunnen nog wel jaren zo doorgaan, Giorgio. Maar volgens mij heb ik er de moed en de energie niet meer voor.' Ze stond op en pakte de soepkom uit zijn handen. 'Het spijt me, maar ik wil je niet meer zien.'

'Silvana, ga alsjeblieft niet weg.' Hij sprong op uit zijn stoel en pakte haar bij de arm. 'Laat me niet alleen.'

'Het is het beste,' zei ze verdrietig.

'Nee, dat is niet zo. Ik denk dat je niet begrijpt hoe ik me de afgelopen dagen heb gevoeld. Ik heb me zo eenzaam gevoeld, Silvana.' Hij greep haar beide handen.

Hulpeloos haalde ze haar schouders op. 'Maar wat kan ik doen…?'

'Je kunt met me trouwen, Silvana. Zodra de rouwperiode voorbij is, kun je mijn vrouw worden.'

'Wat zullen de mensen wel niet denken? Wat zullen ze zeggen?'

'Dat kan me niets meer schelen. Ze mogen zeggen wat ze willen.'

'Meen je dat werkelijk?'

Hij kuste haar en zijn lippen smaakten naar citroen. 'Nu word jij ook verkouden,' zei hij zacht en woelde met zijn handen door haar haar.

'Dat kan me niets schelen,' fluisterde ze. Toen hief ze haar gezicht naar hem op, zodat hij wist hoe graag ze weer gekust wilde worden.

42

De straten van Triento waren verlaten. De bars en de cafés waren gesloten en hoewel het marktdag was, had geen enkele marktkoopman zijn
waren op de *piazza* uitgestald. Triento leek wel een spookstadje.

Maar hoog boven het stadje, helemaal boven op de bergtop, was iets
heel bijzonders aan de hand. Waar ooit een kale, stenige bodem was
geweest, reikte nu een enorm beeld van Christus naar de hemel. Zijn
matte marmeren oppervlakte stak spierwit af tegen het verblindende
blauw van de lucht, de armen gespreid, in de vorm van een kruis. Het
hele beeld was meer dan tweeëntwintig meter hoog. Voor de mensen
die bij zijn voeten rondliepen, leek het wel een wonder.

Op de berg heerste een feestelijke sfeer. Er was muziek en de mensen
stonden in groepjes te wachten op de officiële onthulling. Triento had
al zo lang naar deze dag uitgekeken en iedereen was van plan ervan
te genieten. Er zouden toespraken worden gehouden, er zou worden
gebeden en het beeld zou worden gezegend. Na afloop zou iedereen
via de nieuwe weg afdalen naar het stadje beneden en wachten tot het
donker werd zodat ze voor het eerst konden zien hoe hun glorieuze
standbeeld verlicht en wel afstak tegen de donkere hemel.

Eduardo deed geen moeite zijn trots te verbergen. Het was wel
zo dat veel mensen samen met hem aan dit project hadden gewerkt.
Technici en bouwvakkers hadden de weg aangelegd, een beeldhouwer
uit Florence had het standbeeld ontworpen en gemaakt, en de priesters
hadden voor het geld gezorgd. Maar toch had hij het gevoel dat dit zíjn
moment was. Want zonder hem was dit nooit zover gekomen, daar
was hij van overtuigd.

Met een tevreden gevoel keek hij omhoog. Zijn Christus had een
sterk, edel gezicht, een keurig verzorgde baard en een heilige uitdruk-

king op zijn gezicht. De mouwen van zijn robe vielen in soepele plooi-en en zijn handen waren uitgestrekt met de palmen omhoog. Hij keek naar de bergen en stond met zijn rug naar de zee en de vissers die hadden geweigerd om een bijdrage te leveren.

Er was geen enkele visser aanwezig, realiseerde hij zich toen hij de menigte bekeek. Zij waren beneden in de haven gebleven en hielden zich bezig met hun netten, alsof het een gewone dag was.

Ook al wist hij dat het onwaarschijnlijk was, toch had hij half ge-hoopt dat Raffaella zou komen. Het zou fijn zijn geweest om haar nog een laatste keer te zien en de uitdrukking op haar gezicht te lezen als ze het standbeeld bewonderde.

Claudia was er wel; ze stond met haar moeder en de priesters voor de menigte. Ze glimlachte naar hem toen ze zijn blik opving. Ze was de afgelopen maanden wat dikker geworden. Haar lichaam was iets ronder en haar gezicht was iets minder knap en jeugdig geworden. Toch was hij nu met haar verloofd. Hij had met haar vader gesproken en ze zouden voor het einde van het jaar gaan trouwen. Hij glimlachte even terug en draaide zich om om van het uitzicht te genieten. Dit was de laatste keer dat hij Triento zou zien. Hij had zijn koffers al gepakt en morgen zou hij Villa Rosa verlaten en over de bochtige weg door de bergen en de tunnels naar het noorden rijden, zijn toekomst tegemoet.

Padre Pietro staarde naar het standbeeld. Dit was zijn gerealiseerde droom, zodat hij nu heel blij had moeten zijn. Toch voelde hij zich alleen maar opgelucht. Als hij ook maar een vermoeden had gehad van alles wat het zou gaan kosten om dit ding te bouwen, dan zou hij zijn droom nooit hebben uitgesproken. Dit standbeeld had het stadje verdeeld, onschuldige mensen waren gevangengezet en er was een on-gehoord bedrag aan uitgegeven. En nu stond het beeld er, Christus ver-rezen uit de rotsen, en hij wist niet zeker of het allemaal wel de moeite waard was geweest. Het was een modern ding, strak en weinig gedetail-leerd – helemaal niet zijn idee van schoonheid. Hij dacht aan de beelden in Rome en aan de pracht van het Vaticaan. Dit leek er niet op.

De andere priesters leken tevreden. Padre Matteo, met zijn zonnebril boven op zijn hoofd geschoven, keek met een glimlach op zijn knappe gezicht naar het standbeeld.

'Schitterend, hè?' zei hij enthousiast. 'Dit beeld zal ons stadje beroemd maken. Er zullen toeristen komen. Triento wordt nu misschien wel een belangrijke vakantieplaats.'

'Dat zal wel goed zijn voor je broer,' zei padre Pietro. 'Ik heb gehoord dat hij in de stad een souvenirwinkel gaat openen. Dat is slim van hem.'

'O ja.' Padre Matteo schoof zijn zonnebril voor zijn ogen en zei op een formelere toon: 'Mijn broer is een slimme zakenman. Hij gaat fraaie keramiek, lokaal handwerk en misschien miniaturen van het standbeeld verkopen. Met Gods wil zal hij er goed aan verdienen.'

Padre Simone stond naast hen, maar leek niet naar hen te luisteren. Hij keek met een vreemde, bewonderende blik op naar het standbeeld, bijna alsof hij getuige was van de wederkomst van de Heer.

'Het is een wonder, vind je niet?' zei padre Pietro vriendelijk tegen hem.

'O ja, echt een wonder!' zei Padre Simone welgemeend. 'Als iemand al een bewijs nodig had dat God bestaat, dan heeft hij dat nu. Alleen Hij had dit standbeeld hier kunnen plaatsen.'

Padre Matteo schoot in de lach. 'Volgens mij zal de *americano* het niet met je eens zijn. Volgens hem is hij de enige die er verantwoordelijk voor is.'

'Dat is toch altijd zo? De mens is een arrogant wezen. Hij denkt altijd dat hij het het beste weet.' Padre Simone schudde glimlachend zijn hoofd en draaide zich weer om zodat hij het standbeeld kon zien. Hij begon er weer naar te staren en negeerde alle gepraat en de mensen die langs hem heen liepen.

Silvana stond samen met de Russo's aan de voet van het standbeeld. Alba zei iets tegen haar, maar ze luisterde niet. Ze keek naar de burgemeester die tussen de menigte liep. Af en toe keek hij even naar haar. Ze hadden een geheim samen. Ze konden het aan niemand vertellen, maar dat was niet belangrijk. Op een dag in de nabije toekomst zouden ze man en vrouw worden. Dat hadden ze samen afgesproken.

Alba was nog steeds aan het woord. Ze somde alle dingen op die haar familie aan het standbeeld had bijgedragen. 'We hebben natuurlijk geld geschonken, net zoals iedereen. Hoewel, wel een beetje meer dan de meesten,' zei ze met luide stem. 'En mijn Stefano heeft ervoor gezorgd dat het allemaal goed is besteed. En Fabrizio heeft er tijd in gestoken om het standbeeld 's nachts te bewaken. Hij heeft Raffaella Moretti betrapt, weet je. Die meid is er uiteindelijk goed van afgekomen, net zoals ze altijd overal goed van afkomt.'

Silvana knikte, maar hield haar blik gericht op de burgemeester.

'En je weet dat het oorspronkelijk mijn idee is geweest,' zei Alba trots. 'Ik heb het een keer tegen padre Pietro gezegd toen we samen koffiedronken. Bouw een standbeeld van Christus dat van kilometers afstand te zien is, zei ik tegen hem, net zo'n standbeeld als in Rio de Janeiro staat. En kijk nu eens: nu staat het er – het indrukwekkendste standbeeld van heel Italië. Vind je ook niet?'

Silvana knikte weer. De burgemeester was nu niet meer te zien. Hij stond achter het platform waarop het fanfarekorps een vrolijk deuntje speelde. Ze vroeg zich af wat Alba zou denken als ze wist wat er aan de hand was. Hoe heerlijk het ook was om haar geheim te bewaren, toch kon ze niet wachten tot iedereen het wist.

De burgemeester was weer verschenen. Hij bereidde zich erop voor zijn toespraak te houden.

'Indrukwekkend, vind je niet?' vroeg Alba nog eens hardnekkig.

Silvana keek niet naar het standbeeld, maar naar de burgemeester. 'Ja, heel indrukwekkend,' mompelde ze. 'Een mooie man.'

43

Raffaella klemde haar mand stevig tegen zich aan. De wandeling naar Groot Triento leek steiler en vermoeiender dan ooit, zelfs met de wind in de rug. Terwijl ze langzaam naar boven liep, kon ze af en toe het standbeeld zien. Elke keer dat ze het even zag, kreeg ze een naar gevoel in haar maag.

Ze wist dat de *americano* weg was gegaan, omdat Patrizia Sesto haar dat had verteld. Hij was op de dag na de officiële onthulling vertrokken en was niet van plan terug te komen. Maar het andere nieuwtje dat Patrizia haar had verteld, had Raffaella naar haar slaapkamer gedreven waar ze onder de dekens kroop om na te denken.

'Ze zeggen dat de *americano* met dat meisje van Barbieri is verloofd,' had Patrizia verteld. 'Misschien komt hij dus wel terug om de zomer in Villa Rosa door te brengen.'

Later die ochtend besloot Raffaella dat het tijd was om terug te gaan naar Groot Triento. Het zou niet gemakkelijk zijn om de blikken te doorstaan van de mensen die vonden dat ze nog steeds in de gevangenis zou moeten zitten. Ze kon zich wel voorstellen wat ze allemaal over haar hadden rondverteld. Maar ze kon zich niet eeuwig blijven verstoppen. Bovendien had haar moeder een lange lijst gemaakt van dingen die ze nodig had van de markt en bleef ze maar klagen dat ze veel te moe was om die klim vandaag zelf te maken.

Vanaf de voet van de heuvel gezien leek het standbeeld over de zee uit te kijken. Maar toen ze hoger kwam, kon Raffaella het beter zien. Zij vond dat het heel erg was dat Christus met zijn gezicht naar de bergen gekeerd stond. Op die manier keek hij naar de kale bergen en kon daardoor het panorama van rotsen, zee en lucht niet zien. Toch moest ze toegeven dat het standbeeld – of het nu half verborgen werd door

de wolken of spierwit afstak tegen een helderblauwe lucht – indrukwekkend was. Raffaella vroeg zich af hoelang het zou duren voordat
ze ernaar kon kijken zonder aan de *americano* te denken.

Het was druk op de *piazza*, zoals ze van tevoren wel had geweten.
Raffaella liep snel door, omdat ze met niemand wilde praten. Haar
mand werd steeds zwaarder toen ze van kraam naar kraam liep.

Ze hield haar blik neergeslagen toen ze de *piazza* overstak en tussen
de marktkramen door liep. Ze keek pas op toen ze een bekende stem
hoorde, luid van woede.

'Ga weg, smerig kreng!' schreeuwde Fabrizio Russo. 'Schiet op, ga
weg!'

Raffaella kromp in elkaar, omdat ze even dacht dat die woedende
uitroep tegen haar was gericht. Maar toen zag ze dat Fabrizio tegen
iets aan schopte dat op de grond lag. Eerst hoorde ze het gejammer en
toen zag ze de oude gele hond die met zijn staart tussen zijn poten bij
Fabrizio's laars vandaan probeerde te strompelen.

'Laat hem met rust!' Het verbaasde haar hoe schril haar stem klonk.

Fabrizio bleef in zijn beweging steken, met zijn ene voet opgeheven.
'Denk je soms dat je mij iets kunt vertellen, *scema*!' siste hij tegen
haar.

Alle opgekropte woede kwam opeens naar buiten. 'Ik vertel je helemaal niets, Fabrizio,' riep ze terug. 'Ik heb helemaal geen zin om je
ooit nog iets te vertellen. Wat ik doe, is je iets zeggen! Laat die hond
met rust. Wat heeft dat arme beest je misdaan?'

De hond wankelde naar haar toe. Fabrizio liep achter hem aan
met het plan hem nog een trap tegen zijn magere borstkas te geven.
Raffaella hield hem met haar blik tegen. 'Je moest je schamen,' zei ze,
rustiger nu. 'Ik dacht dat je zo'n aardige vent was. Wat is er gebeurd
met de jongen die ik kende?'

Ze nam niet de moeite zijn antwoord af te wachten. Ze pakte de
oude hond bij zijn nekvel en trok hem de *piazza* over naar de smalle
steeg waar hij veiliger zou zijn. De tranen prikten in haar ogen toen ze
hem aanmoedigde door te lopen. 'Toe maar, jongen, je bent er bijna.'

Ciro moest haar door het raam van de Gypsy Tearoom hebben
gezien, want hij kwam naar buiten.

'Raffaella, wat fijn om je te zien…' begon hij, maar toen zag hij hoe de hond eraan toe was. 'Wat is er gebeurd?'

'Dat varken van een Fabrizio Russo heeft hem geschopt. Volgens mij is hij erg gewond.'

'Breng hem maar naar binnen. Misschien wil hij wel wat drinken.'

Toen Ciro de hond min of meer naar binnen droeg, hingen zijn achterpoten slap neer en ademde hij zwaar. Ze legden hem op zijn zij en gingen bij hem op de grond zitten.

'Denk je dat het weer goed met hem komt?' vroeg Raffaella. Ze aaide de oude hond zachtjes en toen hij voelde dat ze hem aanraakte, begon hij te kwispelen en probeerde zijn kop op te tillen.

Ciro keek grimmig.

'Hij gaat dood, denk je niet?' Raffaella deed geen moeite haar tranen weg te vegen.

'Ja, dat denk ik wel.'

Raffaella bleef hem aaien en wreef met haar handen over de vieze gele vacht van de hond. 'Is er iets wat we kunnen doen?'

Ciro schudde zijn hoofd. 'Hij is al heel oud en heeft geen gemakkelijk leven gehad. Zijn hart geeft het op. Maar weet je, volgens mij had hij ook zonder dat Fabrizio hem mishandelde niet lang meer geleefd.'

'God, ik haat hem!' zei ze woedend. 'Ik haat ze allemaal, al die Russo's!'

De hond kreunde een beetje en Ciro drukte zijn vinger tegen zijn lippen. 'Als je zo hard praat, maak je hem van streek. Praat maar zachtjes tegen me en blijf hem aaien.'

Raffaella keek met een hopeloos gevoel naar de oude hond. 'Maar waar kan ik met je over praten? Ik kan niets bedenken dat me op dit moment niet kwaad maakt.'

'Dan praat ik wel.' De ademhaling van de hond ging steeds moeizamer en zijn ribbenkast ging op en neer. 'Stel me maar een vraag, dan geef ik wel antwoord.'

'Een vraag? Ach, ik weet niet…' Raffaella probeerde wanhopig een vraag te verzinnen. 'Goed dan, waarom heet het hier de Gypsy Tearoom? Dat heb ik me altijd al afgevraagd.'

'Een goede vraag, maar helaas weet ik niet of ik wel een goed antwoord voor je heb.' Ciro keek naar de hond. 'Nou ja, ik denk niet dat we nu veel tijd hebben. Daarom zal ik je vertellen wat ik weet. Mijn grootvader heeft deze zaak opgericht en hij heeft hem de Gypsy Tearoom genoemd. Toen ik nog een jongen was, kwam ik hier vaak om hem te helpen. Ik wilde alles heel snel leren. Ik wilde de recepten van zijn sauzen weten en het geheim van zijn deeg. Ik bleef hem maar vragen of hij me wilde laten zien hoe hij de oven op de juiste temperatuur hield en hoe ik een pizza zo moest bakken dat hij perfect knapperig was maar niet aanbrandde. Als ik het me goed herinner, heb ik de arme man gekweld met vragen en op de meeste heeft hij me antwoord gegeven.'

Raffaella bleef de hond aaien terwijl ze naar Ciro luisterde.

'Maar één vraag stelde ik bijna elke dag,' vertelde Ciro. 'Hoe kwam de Gypsy Tearoom aan zijn naam? Mijn grootvader vond het leuk me te plagen door nooit hetzelfde antwoord te geven. De ene dag vertelde hij me dit en de volgende dat.'

'Wat vertelde hij dan bijvoorbeeld?'

'O, rare dingen: dat een zigeuner hem had verteld dat hij hem zou vervloeken als hij die naam niet zou gebruiken; dat hijzelf de onwettige zoon van een zigeuner was; of dat hij altijd van plan was geweest om thee te serveren maar nooit had uitgevonden hoe hij een lekker kopje thee moest maken.' Ciro glimlachte vol liefde. 'Rare verhalen.'

'Heeft hij je ooit het echte verhaal verteld?'

'Ik ben ervan overtuigd dat hij dat ooit had willen doen, maar op een dag werd hij van zijn Vespa gereden en raakte hij zwaargewond. Hij raakte in coma en is overleden zonder nog bij bewustzijn te komen. Daarna hoorde ik dat hij het restaurant aan mij had nagelaten en dus nam ik het over. Ik heb de naam niet veranderd, ook al ben ik er nooit achter gekomen wat het betekende. Het is de Gypsy Tearoom gebleven.'

'Maar je hebt toch zeker wel een idee?'

'Nee. Helemaal niet.'

'Heeft je grootvader veel gereisd? Kende hij soms een groep zigeuners?'

Ciro haalde zijn schouders op. 'Voor zover ik weet niet.'

'Er moet een verklaring voor zijn,' drong ze aan.

'Ja, dat denk ik ook. Maar eerlijk gezegd ken ik die liever niet.'

'Waarom niet?'

'Sommige dingen moeten geheim blijven,' verklaarde hij. 'Het leven is niet verklaarbaar. Er is niet overal een antwoord op. Alles wat we echt moeten weten, is dat we worden geboren, we leven en dan gaan we dood. En we hebben niet veel meer nodig dan deze oude hond: een plek om te slapen; voedsel in onze maag; een beetje comfort en, als we geluk hebben, heel veel liefde.'

De gele hond haalde nog één keer adem en lag toen stil. Raffaella was zo geconcentreerd op Ciro's woorden dat ze het niet merkte. 'Heb jij de liefde gevonden?' vroeg ze met een zacht stemmetje.

'Nog niet, maar ik hoop het wel.' Hij keek haar strak aan. 'Maar dat weet je toch?'

'Ja, ik weet het,' beaamde ze aarzelend. 'Ik denk dat ik het altijd heb geweten.'

'Maar je hield van Marcello?'

'Ja.'

'En nu?'

Raffaella herinnerde zich dat de *americano* een fragment van een gedicht had geciteerd, laat op een avond op Villa Rosa. Ze herhaalde het nu: 'Liefde is als een granaatappel. Zo glad en gewoontjes aan de buitenkant, en zo ruw en bitterzoet vanbinnen.'

'Wat is dat? Een gedicht?' vroeg Ciro.

'Nee, iets dat ik ooit heb gehoord,' antwoordde ze. 'Toen heb ik me niet gerealiseerd hoe waar het is.'

Eindelijk merkte Raffaella dat de oude hond niet meer bewoog en ze aaide hem nog een laatste keer, terwijl de tranen over haar gezicht stroomden. Ciro gaf haar een papieren servetje. Toen wreef ze haar ogen droog, stond op en greep haar mand. Ze zocht onder de keurig ingepakte pakketjes voedsel die ze had gekocht en trok er een groot plat ding uit dat in een lap van fijn linnen was verpakt.

'Ik wil je iets laten zien,' zei ze.

Ciro keek met verbazing toe toen ze het linnen eraf haalde en zag wat erin had gezeten. 'Dat is je trouwfoto. Waarom heb je die bij je?'

'Ik heb hem altijd bij me,' zei ze zacht. 'Soms kijk ik naar het meisje op de foto en vraag ik me af wie ze was. Zie je de glimlach op mijn gezicht? Ik had de liefde gevonden en ik was zo zeker dat ik alles wat ik verder nog van het leven verlangde ook zou krijgen.'

'Dat was ook zo, een tijd lang,' zei Ciro.

'Nee, niet echt. Liefde met Marcello bleek veel ingewikkelder dan ik ooit had kunnen vermoeden.'

Ciro legde een oude handdoek over het levenloze lichaam van de hond. 'En nu keer je je af van de liefde? Wil je me dat soms vertellen?' vroeg hij.

Raffaella dacht na. 'Nee, dat niet precies, maar ik ga wel op zoek naar andere dingen voordat ik op zoek ga naar liefde.'

Ciro zuchtte. Hij ging achter de bar staan en begon het deeg te kneden dat hij daar had laten liggen. 'Ik begrijp het niet,' zei hij verdrietig. 'Dat moet je me echt uitleggen.'

Ze haalde eens diep adem en probeerde haar gedachten te ordenen. Ze was nog maar net zelf zover dat ze het begon te begrijpen en daarom was het bijna onmogelijk om het aan iemand anders uit te leggen.

'Toen Marcello stierf, had ik het gevoel dat ik het leven van iemand anders leidde,' begon ze. 'Ik had zoveel moeite gedaan om ons huwelijk zo te laten zijn als ik wilde. Hij was het enige waar ik aan dacht en toen hij dood was voelde ik me verloren… en boos ook, denk ik.'

'Waarom was je dan boos?'

'Omdat alles wat ik ooit had gewild, van me was afgenomen. En ik denk dat ik toen in paniek ben geraakt. Ik was ongeduldig en ik zocht het geluk op de verkeerde plaatsen.' Ze dacht aan de *americano* en het prettige gevoel dat ze had gehad tijdens de uren waarin ze naar hem had geluisterd.

'Welke plaatsen?'

Ze schudde haar hoofd. 'Dat geeft niet, dat is nu niet meer van belang. Ik heb me vergist, maar dat is verleden tijd. Vanaf nu ga ik proberen alles goed te doen. Allereerst haal ik deze trouwfoto uit mijn mand en hang ik hem aan de muur, waar hij hoort. En daarna ga ik om Marcello rouwen, zoals het hoort, en treuren om de goede dingen die we hadden. De hele tijd dat ik rouwkleren draag en heb geprobeerd me als een weduwe te gedragen, is me dat nooit gelukt.'

'En daarna?'

'Daarna weet ik het niet. Voorlopig blijf ik bij mijn ouders wonen en misschien ga ik Silvana vragen of ze nog hulp in de bakkerij kan gebruiken. Verder vooruit kan ik nu niet denken. Mijn leven is onzeker. Ik heb niet overal een antwoord op en ik weet niet wat het leven voor me in petto heeft, net zoals jij niet weet waarom je grootvader dit restaurant de Gypsy Tearoom heeft genoemd. Zoals jij al zei, bepaalde dingen in het leven moeten een mysterie blijven.'

Ze voelde dat hij teleurgesteld was. 'Begrijp je? Ik kan je niets beloven…' Haar stem begon te trillen.

Ciro legde het deeg aan de kant en liep terug naar Raffaella. Hij stond heel dicht bij haar, maar raakte haar niet aan. 'Ik vind de liefde niet zo ingewikkeld,' zei hij zacht. 'Het is zo simpel als wat. Ik hou van je, Raffaella. Volgens mij heb ik altijd van je gehouden en ik weet zeker dat ik dat altijd zal blijven doen. Ik zal dus op je wachten, als je dat goedvindt. Ik zal wachten en afwachten hoe het mysterie van jouw leven zich zal ontwikkelen.'

Raffaella glimlachte. Ze boog zich naar voren en gaf een zacht kusje op zijn wang. 'Nu moet ik weg. Mijn moeder zit op deze boodschappen te wachten.'

Hij pakte haar handen in de zijne. 'Je weet waar je me kunt vinden als je een kop koffie wilt of een pizza, of alleen maar wilt praten.'

'Ja, ik weet dat ik je hier altijd kan vinden… in de Gypsy Tearoom.' Ze gaf hem nog een kus, zachtjes op zijn wang, en zei toen nog een keer: 'Nu moet ik weg.'

Hij liet haar los. 'Waar je ook naartoe gaat, wat je ook doet, je neemt mijn liefde met je mee,' zei hij zacht. Door die woorden kreeg Raffaella een warm gevoel vanbinnen.

Te midden van de mensenmassa liep Raffaella met opgeheven hoofd over de *piazza*. Ze knikte naar een groepje priesters die voor een praatje naar de fontein liepen en wier habijten opwaaiden door de wind; ze rolde met haar ogen toen ze naar Francesca Pasquale keek die fanatiek op haar fluitje blies naar een oud boertje op een gedeukte Vespa; en ze zwaaide naar Silvana, die op de bank voor de bakkerij zat te kletsen met de vrouw van de slager.

Tot haar verbazing zag Raffaella dat geen van hen omhoogkeek, weg van het uitzicht waar ze aan gewend waren, boven de daken uit, naar de bergtop waar hun nieuwe standbeeld van Jezus boven hen uit torende.

Ze keek nog een laatste keer naar de indrukwekkende figuur voor ze zich richtte op het uitzicht waar ze het meest van hield: het drieluik van de zee, de rotsen en de huizen van Klein Triento, die bijna boven op elkaar tegen de steile kliffen rondom de haven waren gebouwd.

Met het standbeeld achter zich liep Raffaella naar huis.

Epiloog

De granaatappelboom staat in het midden van de binnenplaats. Hij is jong en gezond en er zitten groepjes rood-groene bladeren aan zijn sterke takken. Op het lage muurtje onder de boom zit een oude man om zijn vermoeide benen wat rust te geven. Zijn handen zijn ruw en vereelt, en zijn gezicht is verweerd door vele seizoenen van zon en wind.

Het huis achter hem is afgesloten en leeg, en de terrastuinen die in de richting van de zee liggen, zitten vol onkruid. Maar het gezichtsvermogen van de man is niet meer wat het was en hij let er ook niet echt op.

Er komt bijna nooit meer iemand naar het huis. De enige die de oude man nog komt bezoeken, is zijn dochter Carlotta, de non, met haar kind Evangelina die nu een jonge vrouw is geworden.

Meestal zit hij onder de boom op hen te wachten. Dan voelt hij de zon die zijn botten verwarmt en zit hij aan het verleden te denken. Zijn leven is eenzaam geweest, maar toch was het geen slecht leven. Hij weet dat zijn tijd bijna gekomen is. Binnenkort zal God hem wieden en opnieuw planten. Maar terwijl hij daar zit, met gesloten ogen en zijn bezem naast hem, bidt de oude man of hij nog even mag blijven leven.

Hij doezelt weg. En als zijn dochter en haar kind eindelijk arriveren, een halfuur later dan gebruikelijk, heeft hij zich nog steeds niet bewogen. Hij zit nog steeds onder de boom, met zijn gezicht in de zon.

De oude man zit onbeweeglijk. Zijn dochter roept hem, maar blijft dan staan. Ze realiseert zich dat hij haar niet zal horen. In plaats daarvan gaat ze naast hem zitten en legt haar hand op de zijne. Zo blijven ze een hele tijd zitten, vader en dochter, met het meisje aan hun voeten. De ondergaande zon kleurt de hemel roze en er verschijnen wolken aan de horizon, en nog steeds bewegen ze zich niet.

Dankwoord

In Basilicata bestaat echt een stadje met een enorm wit standbeeld van Jezus op een berg. Het heet Maratea, het is een prachtig stadje en als u de kans krijgt, zou u het moeten bezoeken. Maar Triento is Maratea niet en dit verhaal gaat niet over de wijze waarop Maratea aan zijn standbeeld is gekomen. Triento en alle personages zijn het product van mijn verbeelding. Geen van hen bestaat echt of is autobiografisch, hoort u me? Ik heb ze verzonnen!

Dit is geen dik boek, maar het schrijven ervan heeft me heel veel tijd gekost en er zijn mensen die ik moet bedanken. Voor hun advies en geduld bedank ik Yvette Goulden van Orion en mijn agent Maggie Noach. Omdat ze zo aardig waren mij hun prachtige huis in het zuiden van Italië, dat mij zo heeft geïnspireerd, te laten gebruiken, ben ik veel dank verschuldigd aan Antonio en Clara DeSio. Het woeste en schitterende huis in de Wairarapa van Grenville Main en Diana Bidwill heeft me op het laatste moment gered.

De meest zenuwslopende fase van het schrijven van een boek is het moment waarop je het aan anderen laat lezen. Daarom bedank ik mijn vriendin Jane Alexander omdat ze als eerste *De granaatappelboom* en mijn debuutroman *Caffè amore* heeft gelezen: ik heb je eerlijkheid en aanmoediging bijzonder gewaardeerd. En verder bedank ik al mijn goede vrienden voor hun chardonnay en sympathie… jullie weten wel wie ik bedoel.

En ten slotte bedank ik mijn man Carne Bidwill. Dit boek is voor jou.

Lees ook van Nicky Pellegrino:

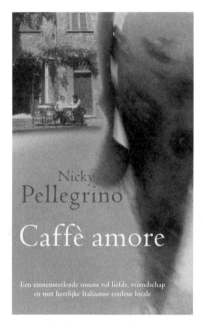

Italië, midden jaren zestig: Maria Domenica zou een gelukkig leven moeten leiden in het slaperige Italiaanse dorp San Giulio, omringd door de heerlijke geuren uit haar moeders keuken, die al generaties lang de spil van het familieleven vormt. Maar Maria is op zoek naar avontuur. Ze werkt met plezier in Caffè Angeli, waar ze onder de prachtige wandschilderingen van eigenaar Franco leert hoe ze de perfecte *crema* op een kopje espresso krijgt.
Wanneer ze genoeg geld bijeenheeft, neemt ze de bus naar Rome. Hier beleeft ze een stormachtige liefdesrelatie, die haar leven voor altijd verandert, maar die haar ook weer terugbrengt naar San Giulio...

'Een prachtig boek met boeiende personages. Je waant je in het zonnige Italië: dit boek moet je gewoon gelezen hebben!' *chicklit.nl*

'*Caffè amore* is spannend en bevat veel Italiaanse couleur locale, waarin de prachtig beschreven gerechten tot de verbeelding spreken!' *NBD*

Paperback, 320 blz., ISBN 978 90 325 1118 0